Y0-BZT-066

Fernando García de Cortázar

Historia de España

De Atapuerca al euro

Diagonal, 662-664, 08034 Barcelona (España)

Realización de la sobrecubierta: Departamento de Diseño de Editorial Planeta
Ilustración de la sobrecubierta: «Pancorbo» de Darío Regoyos, Museu d'Art Modern, Barcelona (foto Aisa)

Primera edición: marzo de 2002
Segunda edición: abril de 2002
Tercera edición: mayo de 2002
Cuarta edición: mayo de 2002
Quinta edición: noviembre de 2002
Sexta edición: marzo de 2003
Séptima edición: enero de 2004
Depósito Legal: B. 3.149-2004
ISBN 84-08-04259-9
Composición: Foto Informàtica. S. A.
Impresión: A & M Gràfic, S. L.
Encuadernación: Eurobinder, S. A.
Printed in Spain - Impreso en España

Índice

Esa España que quiso demasiado
con grandeza afanosa y tuvo y supo
perderlo todo ¿se salvó a sí misma?
De su grandeza queda en las memorias
un hueco resonante de Escoriales
de altivos absolutos a pie firme.
No, no. Más hay. Desbarra el plañidero.
Hubo ardor. ¿Hay ceniza? Una brasa.
Arde bien. Arde siempre.

JORGE GUILLÉN

«En el dolor de España te he sentido», escribió Manuel Altolaguirre conversando con Antonio Machado, ya muerto, exiliado para siempre en un cementerio francés, y se lo dijo a un verso, a un poema, como si al hablar velara las armas derrotadas del poeta, todo lo que perdió, por lo que había recorrido aquellos caminos nevados del destierro. Hoy, después de una transición y tantos años, la historia de España no es ya la crónica de un fracaso. El tiempo ha pasado, no inútilmente, y la nación que surgía en 1812 de la hermandad jurídica de los reinos peninsulares sublevados contra el imperialismo napoleónico, de la unción liberal de una realidad histórica que se remontaba intelectualmente al medievo y formalmente al Estado moderno del siglo XVI, ha dejado de ser el país de las tristezas, donde la realidad de los generales derrotaba el sueño de justicia y libertad de don Quijote y la imaginación era algo humillado y roto. A la muerte de Franco, los padres de la Constitución enterraron en el Valle de los Caídos el rumbo reaccionario y nacionalcatólico del novecientos, trayendo la ilusión de la primavera democrática y desagraviando a los españoles que fabricaron la utopía republicana de 1931.

La práctica de la democracia alentada por la Constitución de 1978 eliminaría las últimas sombras del pesimismo noventayochista de Unamuno y consagraría una nueva nacionalidad plenamente integrada en la Europa del euro. España es en el siglo XXI un país moderno, con los problemas característicos de una sociedad urbana y compleja, un país que ha conseguido desterrar la imagen tópica de sacristía y ruedo difundida por los escritores románticos del XIX y consagrada en el franquismo. Hoy aquella España que le dolía en el alma a don Miguel, profunda, rural y pobre, anclada en la sangre de sus cristos de Semana Santa, es un mundo que agoniza. Ya no se es español a la manera de los que no pueden ser otra cosa, como se lamentara desde su exilio mexicano Luis Cernuda, ni su crónica es la más triste de las historias de la Historia, como escribiera Gil de Biedma en aquella España que gritaba impune «muera la inteligencia» porque sabemos que no termina mal.

> Todo, todo aquí se recoge, se atesora, se suma
> bajo el silencio oscuramente,
> germina
> para gritar adelgazado en lágrima.

Durante años la historia fue escrita por eruditos que se sumergían en el pasado con los ojos puestos en la nacionalización de España, equiparando los momentos de progreso a los períodos de tendencias unificadoras y las épocas de disgregación a las situaciones de decadencia. Los tópicos de heroísmo, independencia, fe, sentimiento patrio... poblaron la pluma de los historiadores del siglo XIX, empeñados en extraer del pasado argumentos con los que organizar el Estado liberal de la burguesía y transmitir a los ciudadanos el orgullo nacional de pertenecer a una comunidad tan ilustre. Aquella fantasía febril llegaría a extremos de delirio al concluir la guerra civil, cuando el régimen franquista identificó la nacionalidad con una confesión religiosa y utilizó el nombre de España para condenar a los discrepantes, reescribiendo en pleno siglo XX las páginas más oscuras de la Leyenda Negra. Hubo que esperar cuarenta años para que la libertad permitiera a los ciudadanos desmontar las falsificaciones que se hicieron pasar por verdades científicas y los historiadores maniatados destrozaran, a partir del decenio de los sesenta, los mitos nacionales de las luchas de Viriato contra Roma, las gestas medievales, el reinado de los Reyes Católicos o el imperio de los Austrias.

Hoy el castillo de leyendas edificado por el nacionalismo español es un recuerdo de escombros pero entre sus ruinas han reverdecido otros nacionalismos peninsulares, que invocando románticamente el nombre del pueblo cultivan la nostalgia, repiten invenciones y dibujan fronteras. Los artífices del nacionalismo siempre han preferido el mito —mundo quieto, tiempo quieto— y la historia amortajada a indagar el sonido y la huella de los pasos multitudinarios que presienten los andares de su tiempo, nuestro tiempo presente, que también es historia. Fabrican la memoria de amnesias, de santos laicos, y entre las líneas de sus cronistas la razón retrocede derrotada, como un héroe griego vencido por los dioses. La Historia, escribió Eduardo Galeano, es un profeta con la mirada vuelta hacia atrás: por lo que fue, y contra lo que fue, anuncia lo que será. Por ello, este libro, que quiere ofrecer una crónica de la existencia de España como realidad histórica y no providencial o metafísica, arranca de un país desnudo de mitos, atravesado en unas ocasiones por guerras, hazañas y fracasos y en otras por el son del mar, el rumor cotidiano de las ciudades, el grito del campo o el humo de las fábricas. Los primitivos errantes de la Península, los navíos orientales, los ejércitos romanos, los reyes medievales, los curas y obispos, los conquistadores de las carabelas, los viajes y exploraciones arriesgadas, el pulso de un Imperio donde no dormía el sol, los arbitristas del XVIII, los políticos liberales, los defensores de causas perdidas y los generales recorren sus páginas y, cerca, hijos de la misma crónica, aparecen los labradores, los comerciantes, los muertos por la peste o la gripe, los obreros y las crisis económicas. También se asoman a las páginas del libro los españoles derrotados, los heterodoxos y los exiliados; las revoluciones, las infamias, las esperanzas muertas y renacidas; los poetas y novelistas y el hechizo del arte. Las baladas de España, sin las cuales su historia quedaría mutilada.

Confiesa Neruda en sus memorias que su deseo era escribir una poesía que pudiera abandonarse en una plaza o en el banco de un parque, a pleno sol, que los versos y estrofas se desgastaran y despedazaran en los dedos de la humana multitud. La historia que quiere transmitir este libro, una crónica que aporte conocimiento y a la vez consiga entretener, sólo podía escribirse convocando la palabra viva de Cervantes y Galdós. Hay en las páginas de *Historia de España. De Atapuerca al euro* una pasión de contar, una fiebre de relatar los sucesos con la emoción con que se vive una gran aventura. Entre sus líneas late un deseo confesado de involucrar al lector en la crónica de los hechos a medida que éstos se aceleran o se precipitan, un afán de conversar con el destinatario del relato, que no es otro que el hombre cotidiano, la humana multitud que escribía Neruda, y abrir su imaginación a las conquistas, miserias, utopías y naufragios que presienten y engendran el tiempo actual. La Historia es mucho más que una petrificación del pasado o un confuso fárrago de sucesos; es la memoria viva del tiempo presente y el autor de ésta ha querido recuperar el sentido narrativo que imprimieron a sus crónicas los historiadores antiguos.

Historia de España. De Atapuerca al euro nace con la esperanza de no ser un texto mudo, con la ilusión de hacer cómplices a todos los españoles de un pasado que no por plural tiene que dejar de ser común. Tres mil años de encuentros y convivencia, muchos de ellos a ambas orillas del Atlántico y el Mediterráneo, quinientos de Estado integrador, y doscientos de vertebración liberal-nacional han establecido suficientes lazos familiares y culturales como para que España pueda leer su historia sin llanto, sin necesidad de escarbar en la tumba de los Reyes Católicos o enrocarse en El Escorial cada vez que nacionalistas vascos o catalanes nieguen su existencia. Paradojas del presente, mientras el mundo no alberga duda alguna sobre la existencia de España —ya en los lejanos tiempos del Camino de Santiago, los intelectuales y reyes de Europa atribuían una identidad común a los distintos reinos peninsulares—, en pleno siglo XXI hay algunos españoles que conciben su historia como una invención o un fracaso. Escribió Ortega que «el hombre no tiene naturaleza, lo que tiene es historia», y es que para saber lo que es un hombre, para saber lo que es una nación hay que saber cómo han llegado a ser lo que son; hay, ante todo, que conocer su historia. Hoy como ayer necesitamos nombrar el pasado porque todavía hay caminos que recorrer, y paisajes que recuperar, y molinos que derribar.

> No hemos llegado lejos, pues con razón me dices
> que no son suficientes las palabras
> para hacernos más libres.
> Te respondo
> que todavía no sabemos
> hasta cuándo o hasta dónde
> puede llegar una palabra,
> quién la recogerá ni de qué boca
> con suficiente fe
> para darle su forma verdadera.
>
> JOSÉ ÁNGEL VALENTE

CAPÍTULO PRIMERO

La historia en piedra

La cueva mágica

Los primeros pasos del ser humano en la península Ibérica son confusos. La vida durante la Prehistoria, al carecer el investigador de fuentes escritas, respira únicamente en los restos materiales que la cirugía del tiempo no ha borrado del todo y se ha dignado respetar. Aldeas enterradas, pobladas de huesos y cráneos, de vasijas y utensilios, rastros de niebla y fantasía atrapados en las pinturas que adornan cuevas y grutas, o construcciones funerarias ayudan a descifrar y reconstruir las costumbres y los modos de vida de los primeros hombres que habitaron el solar ibérico. Bajo la tenue luz de los avances científicos, se puede afirmar que la vieja Iberia estuvo habitada por comunidades humanas desde tiempos remotos. Como testigos mudos de una edad sin historia, el conjunto de fósiles hallado en el yacimiento burgalés de Atapuerca permite aventurar la existencia de un hombre, el *Homo antecessor*, que hace aproximadamente un millón de años vivía en suelo ibérico en condición de nómada, vagando de un lugar a otro en busca de alimentos y cobijo. Había llegado de África y su paso por el mundo quedaría encerrado entre esqueletos humanos, cantos tallados... y toda una serie de hallazgos arqueológicos que recoge el caminar del primer hombre por tierras de Europa.

Sin duda, la vida de aquellas comunidades era muy precaria. Abrumados por la presencia de la muerte, viven en las orillas de los ríos y al caer la noche, ante el temor de las fieras, buscan abrigo en parajes cerrados por la maleza o en los refugios naturales de las cuevas. Cazan, pescan, recolectan frutos silvestres y utilizan herramientas, como hachas de mano o puntas de lanza, que ellos mismos fabrican tallando la piedra. Aquellos viejos errantes de la Península mantenían una lucha continua con las fuerzas de la naturaleza para poder sobrevivir, guiándose por los ríos y las costas y huyendo siempre de los bosques y las altas cordilleras. La trashumancia anual de las manadas, las estaciones de florecimiento de las especies vegetales, las temporadas de nieve o lluvias y los cambios climáticos regían los destinos de las primeras comunidades primitivas, y explican la inestabilidad de sus campamentos, concebidos exclusivamente como lugares de paso.

Hacia el año 100000 a.C. la península Ibérica acogería otro inquilino, el *Homo sapiens* o de *Neanderthal*, que poco a poco irá perfeccionando la industria de piedra del hombre primitivo y protagonizará los primeros ritos funerarios. Setenta milenios después, el hombre de *Cromagnon* desterrará de Europa al *Neanderthal* e introducirá importantes innovaciones en la fabricación del utillaje, adaptándolo a su entorno físico y a las necesidades de una economía recolectora y cazadora. La fantasía del *Cromagnon* daría a luz nuevos instrumentos líticos o mejoradas herramientas de asta y hueso, arpones, propulsores o agujas de coser, que muy pronto se extendieron por todos los núcleos habitados de la España prehistórica. Al mismo tiempo el arte rupestre bañaría de pinturas las paredes de las cuevas de Altamira. Allí, en las tierras de Cantabria, en las representaciones polícromas de bisontes, caballos o ciervos quedaría retratado todo el misterio de una era señalada por el aliento de la supervivencia, una mirada de musgo donde, más allá de las figuras animales, los investigadores de nuestros días han vislumbrado un significado mágico o religioso, según el cual el cazador-pintor creería estar en posesión de la bestia representada, a la que da muerte cuando concluye el último trazo artístico.

Pese a los avances logrados durante esta época habría que esperar más de veinticinco milenios todavía para que germinaran en la península Ibérica las primeras comunidades capaces de cultivar los campos y domesticar los animales. Entre los años 5000 y 3500 a.C. el vendaval del Neolítico barrerá la vida errante de los primitivos cazadores. Con la mirada puesta en la tierra, las comunidades aumentan la disponibilidad de alimentos, crecen, se agrupan y construyen los primeros signos de vida urbana mediante pobres agrupaciones hechas de casas de piedra y adobe. Al igual que ocurrirá más tarde, cuando desembarquen en la Península los mercaderes griegos y fenicios, las nuevas corrientes culturales encuentran pronto acomodo en la región andaluza y levantina, retrasando su entrada en la Meseta y el norte. Había llegado el alba de la agricultura y la ganadería. El hombre primitivo cultiva trigo y cebada, domestica los animales —cabra, cerdo, oveja...—, aprovecha productos secundarios como la leche o la lana..., produce objetos cerámicos y mejora las viejas herramientas de piedra o elabora tejidos. Fruto de esta renovación económica y humana, las comunidades hispanas empiezan a acumular los excedentes obtenidos. Nace el comercio y la especialización del trabajo, en tanto la propiedad de la tierra y los rebaños acelerarán el pulso de las primeras diferencias de clase. Poco a poco el desarrollo de la agricultura y la ganadería como fuentes de riqueza y el inicio de la actividad metalúrgica dieron paso a la construcción de grandes poblados rodeados de murallas donde primero el cobre y después el bronce derrocarían la moribunda monarquía de la piedra.

En Los Millares, uno de los poblados más asombrosos de la Edad del Cobre (3000 a.C.-2000 a.C.), protegidos por un complejo sistema defensivo, los primitivos almerienses se agolparon en cabañas de planta circular, atentos a los albores del metal y los ciclos del campo, mientras honraban a sus difuntos enterrándolos en tumbas de corredor, símbolo del imparable proceso de estratificación social y la aparición de aristocracias locales. Allí, dormido en las acequias y las tumbas de la necrópolis, entre las reliquias de cerámica, piezas de cobre, restos de telares y materiales exóticos, quedaría embalsamado un mundo adolescente que ya comerciaba con mercaderes venidos de tierras lejanas. Hacia el año 2000 a.C. daría comienzo la Edad del Bronce. El poblado más conocido de este período es El Argar, situado en el sureste de la Península, donde la explotación minera y los objetos de oro y plata arrinconaron la industria de piedra y hueso.

Paralelamente las comunidades primitivas cubren de *megalitos* —piedra grande— buena parte de los valles de la península Ibérica, desde la fachada atlántica portuguesa y gallega al País Vasco, desde Andalucía a Cataluña. A pesar de sus diferencias cronológicas y formales, los sencillos dólmenes asturianos, cántabros y vascos, los ostentosos sepulcros de cámara poligonal o trapezoidal de la cultura del Alentejo o las grandes tumbas de corredor de las elites emergentes del valle del Guadalquivir dejan testimonio de un nuevo modo de entender la muerte. Durante la erupción de los metales, en una época en la que el gusto por la cerámica propagaba el arte del vaso campaniforme en los talleres artesanos y la posesión de un arma era símbolo de independencia social, las minorías dirigentes utilizaban aquellas estructuras de piedra para expresar la ilusión de su poder más allá de la muerte o subrayar los territorios y rutas de desplazamiento de los rebaños.

Al decaer el segundo milenio, la península Ibérica se integrará en las rutas marítimas de comerciantes y aventureros del

Mediterráneo y entablará relaciones con gentes de la Europa continental. Contagiados por la fiebre de plata que recorre las rutas del Mare Nostrum, mercaderes venidos de Oriente arribarán a las costas del sur y el Levante. Allí estrecharían lazos comerciales con las comunidades indígenas y fundarían nuevas colonias, diseminando su cultura y artesanía, sus delicadas cerámicas y piezas de orfebrería por todas las aldeas. Entretanto, la Meseta se encerraba en la tradición y el norte era visitado por hombres y mujeres procedentes de Europa. Bajo el hechizo de gentes transpirenaicas y el exotismo oriental, la península Ibérica iniciará su peregrinaje —primero en los relatos de viajeros y poetas y después en las viejas crónicas de los historiadores griegos y romanos— a través de los caminos de la Historia.

La visita de Oriente

Cuando la leyenda gobernaba la península Ibérica, un grupo de comerciantes griegos y fenicios llegó a las regiones andaluzas —primero esporádicamente, luego con trazas de permanencia— y entregó el escurridizo hilo de la Historia a sus habitantes a cambio de la explotación mercantil de los yacimientos de metales preciosos. Al mismo tiempo un abanico de gentes e influencias procedentes de Europa acampaba en Cataluña y extendía sus brazos por las llanuras del norte. Oriente y Europa enriquecerán de este modo el proceso de mestizaje iniciado ahora y estimularán la divergencia cultural entre costa e interior, que se prolongará en la biografía de España hasta la conquista del ferrocarril en el siglo XIX.

La llegada de gentes indoeuropeas a la península Ibérica es un capítulo más en el vagar de los pueblos de Centroeuropa hacia el suroeste. A partir del siglo XI a.C. hombres y mujeres del sur de Francia, Suiza y norte de Italia se internaron por Oriente para barnizar el solar catalán con la cultura de los *campos de urnas*. Centurias más tarde, gentes del Rin y el suroeste francés se establecieron en el valle del Ebro, antes de continuar su periplo errante hacia la Meseta, donde no lograrían provocar grandes cambios debido a las barreras geográficas y las dificultades de comunicación entre ambos espacios. Desde el litoral catalán al valle del Ebro y la región valenciana, las nuevas corrientes culturales dejaron a su paso por los territorios del noroeste una estela de influencias. Los núcleos urbanos dispuestos en torno a una calle central en el Segre; las cerámicas desconocidas que sustituyen a las antiguas de origen autóctono; el ritual de la incineración de los cadáveres y los extensos campos de sepulturas o la técnica de fabricación del hierro son prueba de las novedades importadas por los forasteros que eligen la península Ibérica para establecerse y trabajar las tierras que les dan cobijo. Amplias llanuras despiertan ahora a la mano del hombre. Los fértiles valles del Ebro y el Segre despliegan una rica agricultura cerealística mientras las zonas más altas de la Meseta encierran su economía en una ganadería trashumante, caballar y porcina. Al unísono, en las tierras del sur, la industria del metal lograría superar la decadencia que padecía en el segundo milenio a.C. y alimentará la gula de plata y oro de lejanos aventureros del mar.

Habían dejado atrás las fabulosas ciudades del Oriente y las rutas marítimas que recorrían sus naves hacia las islas del Egeo o los puertos de Egipto para adentrarse en aguas mitológicas, allí donde las columnas de Hércules presagiaban el fin del mundo. Por sus mentes circulaban temores ancestrales, pero también la codicia de alcanzar la cuna de los metales que reclamaban sin desmayo los mercados de Asia. Abandonadas en su soledad de milenios, las costas mediterráneas de la península Ibérica ignoraban que una serie de cambios políticos y económicos en el Oriente Próximo empujaba a comerciantes asiáticos y griegos hacia el extremo opuesto de ese mar que habían explorado en busca de materias primas. Aquellos mercaderes de Oriente encontrarían muy pronto la meta de su odisea marítima en las minas de la Iberia arqueológica. Muy apreciados desde tiempos de El Argar, los yacimientos de las regiones andaluzas despertaron el apetito metalífero de aquellas gentes. Los notables andaluces, pero sobre todo los comerciantes y sacerdotes de Fenicia —región en la costa de Siria— se enriquecerán con el tráfico de plata y otros metales más o menos preciosos.

Durante los siglos VIII y VII a.C. las urbes fenicias de Sidón y Tiro financiarían la fundación de una cadena de factorías y colonias estratégicamente ubicada en las vías de navegación hacia el Atlántico y orientada a construir el monopolio del trasiego de minerales. Nacen así las ciudades portuarias de Cádiz, Málaga, Ibiza, que si bien centran su actividad en el mercado del metal hispano favorecerán igualmente un fenómeno de asimilación cultural al proyectar sobre las comunidades indígenas de la zona las formas de vida y tradiciones fenicias: el torno de alfarería, la producción artesanal con trabajos de marfil, el cultivo de la vid y el olivo o los primeros vestigios de la metalurgia del hierro.

Tanto las fuentes escritas como los descubrimientos arqueológicos destacan el contingente fenicio establecido en Andalucía. Cádiz ocupará un lugar privilegiado en el comercio de la Península con Asia. Apenas tres islotes dormidos en una siesta milenaria antes de avistar las primeras naves orientales, la pequeña factoría se convirtió con el tiempo en la capital de la plata del Mediterráneo y en la metrópoli de un territorio salpicado de diminutas colonias desparramadas por la costa andaluza. Con las riendas del negocio de la plata, el estaño y el oro o el marfil de Marruecos, Cádiz se llenó de gentes y mercancías mientras lejanos barcos descargaban valijas de perfumes exóticos, cerámicas griegas o telas de procedencia libanesa que enriquecían a los intermediarios gaditanos y despertaban el gusto oriental en las elites sureñas. Día a día, los jefes locales se beneficiaban del nuevo entramado económico y aumentaban su prestigio. Prueba de ello son las grandes tumbas excavadas en la roca, donde las comunidades indígenas enterraban a sus señores rodeados de joyas y lujosos ajuares.

Desde un primer momento, todo el proceso de mestizaje cultural originado por el contacto de los pueblos nativos con gentes venidas de Tiro o la colonia griega de Marsella tuvo su centro en la economía metalúrgica de los poblados de la región de Huelva, las aldeas levantadas sobre el espacio agrícola, ganadero y minero del valle del Guadalquivir o los valles de Extremadura. La leyenda y los textos griegos cuentan cómo todos estos núcleos unidos por una cultura y costumbres extranjeras quedaron adscritos a la monarquía de Tarteso mediante un sistema de alianzas y confederaciones. Es muy posible que la necesidad de regular el comercio y los suministros de metal fuera la razón primordial que colocara a los reyezuelos indígenas bajo la dependencia de un monarca. Tarteso alcanzaría su plenitud en tiempos del mítico Argantonio y destaparía la codicia de hombres de fortuna o inspiraría versos a poetas de Grecia.

Interesados en la riqueza minera de aquel reino, comerciantes y marinos griegos procedentes de Marsella frecuentaron también las costas de la Península y establecieron una corriente de intercambios con los lugareños que desbordó el espacio catalán e irradiaría por todo el Levante. Ampurias, fundada el año 600 a.C., fue el corazón del ensayo griego en suelo ibérico. En poco tiempo los mercaderes helenos fomentaron el comercio con las poblaciones indígenas de la zona, canjearon cerámica griega, vino o aceite, y helenizaron las costumbres nativas hasta crear un área permeable a las influencias mediterráneas. Pero Tarteso asistiría pronto a su propio sepelio y la colonia ampuritana se salvaría del hundimiento generalizado gracias a su relación con Marsella.

Estrenado el siglo VI a.C., el nuevo imperio de Nabucodonosor golpeaba con fuerza el sistema de intercambios creado por las ciudades de la costa libanesa. Inermes frente al expansionismo de las tropas babilónicas y afectadas en su principal fuente de riquezas, las urbes no pudieron costear sus relaciones con Occidente. Tras un prolongado asedio de trece años, Tiro caía en manos de Nabucodonosor (573 a.C.) y el desorden comercial se adueñaba del Mediterráneo. Para Tarteso el desbarajuste de los mercados metalíferos fue el fin. La crisis desvió el comercio hacia Marsella y provocó el colapso de Fenicia y las viejas factorías semitas de la Península. Junto al marasmo económico vino el caos social y político. A finales del siglo VI a.C. el reino se derrumbaba y desaparecía de los testimonios escritos. Atrás quedaba el delirio mercantil de Cádiz, perdida ahora entre la rapiña y las disputas de los reyezuelos de Andalucía. Habrá que esperar a que los marinos y soldados cartagineses desembarquen en la Península y recompongan las antiguas rutas marítimas para que el puerto gaditano y el resto de posesiones fenicias muestren de nuevo su epopeya de navíos y mercaderes sedientos de minerales.

Cartago, antigua ciudad fenicia del norte de África, recogerá el testigo de Sidón y Tiro en el Mediterráneo y convertirá la península Ibérica en su principal abastecedor de materias primas. Al mismo tiempo el matrimonio entre la magia del forastero —fenicios, griegos y púnicos— y la tradición histórica de cada zona alumbrará una comunidad de rasgos culturales. Levante, Cataluña y Andalucía en seguida formaron parte de ese mosaico de pueblos, creaciones y mentalidades que los conquistadores romanos denominaron cultura ibérica en tanto el interior se rendía a los influjos célticos. Muy pronto los historiadores latinos salpicarán sus crónicas con detalles de aquel mundo ibérico poblado de incógnitas, misterio y damas fascinantes, o de aquellos hombres de guerra abrasadora que venderían cara su derrota a las legiones romanas.

CAPÍTULO II

La historia en acueducto

El paso de las legiones

Después del descalabro fenicio, Cartago tomó el relevo de sus hermanos semitas en el norte de África, el Mediterráneo central y la costa andaluza. Gracias a su poderío militar y a las exploraciones oceánicas de sus marinos por aguas del Atlántico o camino del mercado del oro guineano, los gobernantes púnicos lograron recomponer las antiguas vías comerciales y ampliar el horizonte de sus actividades económicas. La costa malagueña, granadina y almeriense y, sobre todo, la bahía gaditana prosperan con la llegada de los cartagineses. Cádiz recupera en este período el monopolio de la plata de la Baja Andalucía y el estaño norteuropeo, y el poblado almeriense de Villaricos y la isla de Ibiza son durante un tiempo los centros redistribuidores de los nuevos colonizadores.

Garantizada la seguridad en el norte de África y la península Ibérica por la firma de una serie de tratados con Roma a lo largo del siglo IV a.C., los cartagineses se lanzaron a consolidar sus ambiciones comerciales en Egipto y Sicilia. A pesar de los pactos y del buen balance de la centuria que concluía, los intereses contrapuestos entre las dos potencias y la pugna por el control de las ciudades de la Magna Grecia no podrían desterrar la amenaza constante de enfrentamiento bélico. Entre los años 264 y 241 a.C. la política de guerra fría ensayada por Roma y Cartago se vio superada por la creciente rivalidad de ambas potencias y se resquebrajó bajo el peso de los ejércitos.

La primera guerra púnica arruinó las arcas de Cartago y obligó a sus dirigentes a pagar cuantiosas indemnizaciones al vencedor romano. Cuando todavía los militares africanos trataban de lamerse las heridas de la derrota, el grupo colonialista encabezado por el general Amílcar Barca logró imponer en el senado cartaginés sus ideas de apurar, al máximo, el control sobre la península Ibérica. Allí debía Cartago obtener los recursos necesarios para poner fin a las calamidades que acosaban al Estado.

Una vez puesto el pie en Cádiz ya nada podría detener el avance de los militares cartagineses. Desde Andalucía, la hegemonía púnica se extendió por todo el Levante. Amílcar y su sucesor Asdrúbal sometieron los pueblos autóctonos que se resistían a sus planes de conquista, reclutaron mercenarios nativos para su ejército y protagonizaron las primeras incursiones de castigo contra los pueblos célticos. Tras dominar los espacios más ricos de la península Ibérica, Cartago transformaría el sur y el Levante en una auténtica colonia de explotación, renovando las técnicas productivas y disfrutando de unos años de éxito comercial.

Bajo la dirección de los generales púnicos, los cotos mineros de Andalucía facilitan el renacer de la metrópoli; el valle del Guadalquivir se convierte en el granero de emergencia de África y se recuperan la pesca y las salazones del litoral gaditano y las playas de Málaga, Adra o Almuñécar. Cartagena sería la capital económica, política y administrativa del efímero edificio construido por los militares púnicos en la península Ibérica. En sus talleres se fundían metales, se fabricaban armamentos, pertrechos navales y militares, en sus muelles recalaban las flotas que volvían a la costa africana cargadas con el grano y los tesoros minerales de las tierras del sureste ibérico. Allí pasarían el invierno los ejércitos de Aníbal que después asaltaron la llanura itálica y en vano trataron de alcanzar Roma.

La República romana no vería con buenos ojos el creciente expansionismo cartaginés. No había sonado aún la hora de nuevas batallas cuando los ventajosos resultados de la aventura militar de Amílcar y Asdrúbal en Iberia encendieron las suspicacias de la aristocracia latina y sus aliados helenos. En vísperas de su ofensiva contra los galos, el año 226 a.C., Roma firmó con su rival un tratado que, por primera vez, ponía fronteras al ansia de conquistas del ejército cartaginés en la Península. Sensible a los intereses económicos de Marsella, el pacto fijaba este límite en el río Ebro, pero dejaba una red de localidades con población griega, como Sagunto, que estaba hermanada con Roma a través de fuertes lazos de amistad, en la zona de actuación púnica y, por tanto, a merced de los ejércitos africanos.

Convenio en mano, Aníbal descargó una serie de campañas de represalia contra los pueblos meseteños asentados en el sur del Guadarrama y dominó el antiguo camino tartésico de los metales. Ante los triunfos obtenidos, el general cartaginés emprendería la conquista de la franja costera del Levante, sin advertir que sus éxitos militares habían trastocado la estrategia de la República romana en el Mediterráneo. La destrucción de Sagunto por Aníbal fue aprovechada por Roma para arrastrar las legiones hacia los campos de batalla de la vieja Iberia. Había comenzado la segunda guerra púnica, que rotularía de sangre los valles de la Península.

El mismo año en que Roma declaraba la guerra a Cartago (218 a.C.), y pese a la amenaza que suponía la travesía de los Alpes por Aníbal, tuvo lugar la primera incursión romana. Sin embargo, el intento de las legiones por agujerear la retaguardia hispánica se saldó en fracaso. Sólo la llegada de Escipión el Africano al puerto de Ampurias y la conquista de Cartagena cambiarían el rumbo de la contienda. Con la derrota de los generales cartagineses y la sangre de los mercenarios púnicos, Escipión el Africano escribió el final de la aventura semita en el solar ibérico. Muy pronto los hombres de Aníbal, atrapados en la telaraña de las legiones romanas y los pueblos itálicos, empezaron a dar síntomas de cansancio. Obligado ahora a organizar la defensa al otro lado del Estrecho, el caudillo púnico tuvo que morder el polvo ante los estandartes romanos en la batalla de Zama, antigua ciudad africana. Era el réquiem del sueño imperialista de Cartago. Libre de rivales que pudieran disputarle el dominio del universo conocido, Roma se lanzaría a construir los pilares del futuro Imperio. La conquista de Hispania había dado comienzo.

Sin un plan concreto de invasión, los sucesores de Escipión dirigieron sus esfuerzos hacia Andalucía y Levante, las regiones que más contacto habían tenido con los viejos colonizadores, limitándose a garantizar la seguridad de las fronteras. Hubo que esperar más de un siglo para que la primitiva ocupación por razones estratégicas se transformara en una verdadera voluntad de permanencia, pese a lo costoso que resultaba mantener los ejércitos en suelo hispánico. Además, distintos acontecimientos probaron en seguida la imposibilidad de armonizar el interés de Roma con el de los pueblos indígenas. Desde los lejanos tiempos de la primera revuelta nativa y hasta los albores del Imperio, con la llegada de Octavio Augusto a tierras del Cantábrico, las tribus peninsulares mostraron su incapacidad para integrarse pacíficamente en el sistema político romano. Una y otra vez defenderían su independencia enfrentándose en el campo de batalla a la colosal maquinaria de las legiones. De nada sirvieron tantos años de resistencia. Tras dos siglos de sangrientas luchas y del exterminio o la esclavitud de millares de guerreros, Hispania terminó doblando la cerviz ante los estandartes romanos. La muerte de Viriato y las cenizas de Numancia frenaban las últimas embestidas rebeldes de importancia, aunque las brasas de la insurrección continuaron chisporroteando durante años, demorando la llegada de la paz. Entretanto, la oleada de conquistas de los generales romanos arrinconaba en la metrópoli los viejos modelos de gobierno y alentaba los primeros balbuceos de la dictadura y las injerencias del ejército en la vida pública. Incapaz de comprender la realidad de los nuevos tiempos, la República se tambalea con el estallido de las guerras civiles, cuya espiral de violencia no tarda en extenderse a las provincias.

Hispania tendrá un protagonismo decisivo en las contiendas intestinas que debilitan Roma a finales del siglo I a.C. Apenas se habían apagado los rescoldos de la conquista cuando los habitantes de la Península se veían empujados a una nueva guerra. En la época de las luchas de Sertorio y el dictador Sila (83-73 a.C.), el suelo ibérico se convirtió en el principal núcleo de resistencia armada al poder aristocrático asentado en Roma y en la base de operaciones para la conquista del gobierno. Tan sólo veinte años después volvería a ser campo de batalla. Esta vez era testigo del último enfrentamiento entre los restos del ejército de Pompeyo, asesinado en Egipto, y las tropas de Julio César. En los campos andaluces de Munda conseguiría César la más preciada de sus victorias y se apoderaría de las llaves de Roma. La guerra había terminado, pero Hispania no alcanzaría reposo hasta que Octavio Augusto tomara las riendas de la capital del mundo y decidiera someter las tierras cántabras y el Finisterre a su proyecto unificador. El paso del tiempo y la explotación de los cotos mineros de las comarcas norteñas confirmarían la apuesta del emperador por las expediciones de conquista, aunque fuese a costa de diez años de lucha y la intervención de siete legiones y abundantes refuerzos auxiliares.

Durante el período que transcurrió entre el desembarco de las legiones romanas en la segunda guerra púnica y el fin de las guerras cántabras, la cultura latina se filtró poco a poco en los modos de vida de las tribus autóctonas hasta imponerse como modelo de actuación y comportamiento social. Bajo la atenta mirada del primer emperador, Hispania abría definitivamente sus puertas a los adelantos del mundo clásico —el derecho, la lengua, el urbanismo, la arquitectura y la agricultura—, recibiendo una herencia cultural que sobreviviría a las ruinas del Imperio.

La cosecha de Occidente

Mientras los veteranos de las guerras de conquista y cientos de emigrantes latinos se dispersaban por los centros neurálgicos de Hispania en busca de las fértiles tierras del Levante y el valle del Guadalquivir o se establecían en las ciudades, Roma absorbía la geografía ibérica dentro de la maquinaria del Imperio. Pese a las diferencias de partida, cada uno de los espacios conquistados limará sus diferencias socioculturales. Sobre las dos Iberias, la mediterránea y la meseteño-atlántica, Roma impuso una política integradora y sembró la conciencia de pertenecer a un orden común, que logrará sobreponerse a los cambios históricos cuando la unidad imperial desaparezca y afloren nuevamente las tensiones centrífugas.

No obstante, la romanización no fue rápida ni sencilla. La variedad de culturas indígenas, la falta de directrices en la conquista durante el primer siglo o el retraso en la ocupación del territorio facilitaron la permanencia de especificidades en las distintas áreas geográficas. Aun así, Roma introducirá en tierras hispanas, unas veces por métodos represivos, otras por vía pacífica, todos los elementos de su organización social, política y cultural. Varios fueron los factores que colaboraron en esta tarea. La prolongada convivencia de las tribus hispanas con los ejércitos de conquista, la fundación de ciudades y colonias y el empleo del latín, lengua oficial del Estado y de las clases cultas, fueron los más importantes. El cristianismo habría de ser el último eslabón, ya que la Iglesia reanudó la labor romanizadora una vez que las legiones se convirtieron en una nostalgia de estandartes polvorientos.

De mano del Imperio, la península Ibérica conocería la paz y el despertar de las ciudades con su red de alcantarillado y su estampa de anfiteatros, foros, termas, acueductos y monumentos. Como en el resto del universo romano, la urbe pasa a ser protagonista de la vida económica y política de Hispania y, allí donde no llega, las minas y los latifundios, las guarniciones militares y los viejos poblados indígenas ocuparían su lugar.

> Roma nos trajo el árbol ya impreso en la columna,
> los dispersos instintos sujetos al Derecho
> y sometida el agua salvaje al acueducto
> y el grito al alfabeto.
> Nos diste la medida, el número, la forma;
> el verso, que es la espuma del aullido en la caza,
> y rosa de pudores nos desnudaste a Venus
> entre las pieles ásperas.
> Trajiste la comedia, la noble agricultura,
> el arado y la estatua, la oratoria y el vino;
> nos diste emperadores y en germen nos trajiste
> oculto a Jesucristo.
>
> AGUSTÍN DE FOXÁ, *Iberia romana*

Hasta la llegada de César no había existido en Hispania una racional política colonizadora y urbana. Durante la República, Roma se había limitado a fundar ciudades para buscar el acomodo de veteranos del ejército y defender el Guadalquivir de los saqueos lusitanos o el Ebro de las tribus norteñas. Nacían así grandes urbes como Tarragona, Itálica, Córdoba, Calahorra, Valencia o Pamplona. Dominada toda la Península, el emperador Octavio Augusto (25 a.C.) renovaría la labor de César y fundaría veinte colonias —Mérida, Zaragoza, Astorga, Lugo, Braga...—, convirtiendo las ciudades en la cabeza visible de una ambiciosa reforma administrativa que dividía Hispania en tres provincias: Bética, Tarraconense y Lusitania.

Con el viento a favor de la hegemonía militar, los gobernadores latinos extienden a lo largo y ancho de la península Ibérica una abigarrada malla de puentes y caminos, que derribaría las barreras de la geografía y permitiría a un ejército anónimo de soldados, funcionarios y comerciantes diseminar los avances del mundo clásico desde las regiones más cultivadas, como la Bética, la costa levantina, el valle del Ebro y Aragón, hasta el interior y la cordillera Cantábrica, donde la influencia romana disminuye. Si bien la política de infraestructuras había sido inaugurada por la República con los primeros tramos de la vía Hercúlea, será más tarde, con el ascenso de Octavio Augusto al poder, cuando se complete el mapa viario en Hispania. La imaginación de los ingenieros romanos salvó ríos y escollos geográficos y unió Hispania con el resto del Imperio. De este modo, la vía Hercúlea abría la Península al sur de Francia y el Mediterráneo a la Meseta en tanto la vía de la Plata unía Mérida con Astorga y recuperaba la antigua senda tartésica del estaño.

Hispania deslumbraría pronto a los dirigentes romanos por su riqueza metalífera. Una vez consumida la primera centuria a.C., la metrópoli emprendió la explotación sistemática de los yacimientos de la Península. Son tiempos de abundancia y esplendor. La riqueza fluye sobre las espaldas de los esclavos y el tráfico de metales preciosos desborda las arcas del Estado. Estrabón y Diodoro ofrecen testimonios de la variedad de productos minerales —plata, oro, estaño, plomo, cobre, hierro, cinabrio, alabastro, malaquita...— que la Península enviaba a Roma. Tras la conquista, los ejércitos extendieron las prospecciones hacia tierras a las que nunca habían llegado ni los fenicios ni los cartagineses, como los yacimientos de oro y estaño de Asturias y Galicia o los catalanes de hierro y sal. En los estómagos de las minas los romanos hicieron uso de toda su batería de conocimientos con la única ley natural de aumentar la producción. De esta manera pusieron en práctica técnicas expeditivas que causaban gran deterioro en el paisaje y contaminaban el aire y el agua de los ríos. La explotación de los yacimientos alcanzaría su techo productivo entre los siglos I y II, compensaría con la riqueza de la comarca onubense o los recursos extraídos de la panza asturgalaica el cansancio de los viejos cotos mineros del sureste, y poblaría la Meseta norte de multitud de fortificaciones que llevaron hasta aquellas tierras remotas los beneficios de la cultura y civilización romanas.

En el campo los repartos de suelo promovidos por la República y César favorecieron el renacer agrícola de la península Ibérica. Gracias a los progresos técnicos romanos —arado, acueductos, regadíos, canales, silos...— las regiones de la Bética y el valle del Ebro se convirtieron en la despensa cerealística de la metrópoli durante las épocas de crisis. Y en tanto el valle del Guadalquivir, la costa levantina y las orillas del Tajo se vestían de olivares, la ganadería adquiría una posición privilegiada en las regiones poco favorables a la agricultura, como la Meseta o las tierras de Extremadura. Aquellos campos de Iberia, poblados de gentes y ganado, bañados por las aguas del Tajo o el Guadalquivir, hechizaron de bellos recuerdos a Marcial, poeta aragonés de espíritu melancólico y pluma afilada, que evocaría desde su residencia de la metrópoli la vieja casa de su infancia y las tierras de Hispania, a las que regresaría para morir.

Estrabón y Plinio alabaron también los recursos pesqueros del litoral hispano y mencionarían diversas especies marinas que podían capturarse en sus aguas —pulpo, calamar, ostra, atún, morena, congrio...—. Gracias a la nueva coyuntura comercial auspiciada por Augusto, las factorías de Málaga, Almuñécar,

Cádiz y Cartagena impulsaron la producción de salazones con espectaculares beneficios para los comerciantes y arrendadores de las industrias conserveras. En cuestión de años, el *garum* —salsa elaborada con vísceras maceradas de atún o caballa— llegaría a convertirse en uno de los manjares más apreciados en los banquetes de la metrópoli. La exportación de salazones y otros productos impulsó además la demanda de envases y la actividad de las fábricas de cerámica de Córdoba o Lora.

Debido sobre todo a la extensión de las rutas marítimas y terrestres, Hispania participó de lleno en el comercio mediterráneo a partir del siglo I. Un incesante ajetreo de hombres y mercancías enriqueció a los poderosos de las ciudades portuarias —Cádiz, Tarragona, Ampurias— y esparció objetos de lujo y piezas de cerámica o tejidos por los concurridos mercados de las urbes hispanas o los núcleos administrativos y guarniciones militares asentadas en la Meseta y el noroeste. El sabroso *garum,* el aceite, el trigo, los vinos gaditanos o tarraconenses y los salazones cartageneros abrieron a Hispania los mercados de la metrópoli y conquistaron los puertos de Europa y África. Cádiz revalidó en poco tiempo su gloria púnica. Ahora era el aceite de las almazaras de Sevilla y Córdoba lo que se amontonaba en los muelles del puerto donde recalaban navíos procedentes de todo el Imperio. Hacia Roma, Italia y el límite germano partirían sus barcos cargados de ánforas de aceite andaluz, mientras otra parte de la flota gaditana llevaba los salazones a Palestina, Siria o Alejandría.

La abultada masa de exportaciones dio lugar al nacimiento de grandes fortunas en el seno de las familias dedicadas al comercio. De año en año las remesas monetarias procedentes del tráfico de metales preciosos o productos alimenticios financiaban la compra de objetos de lujo. Hasta los muelles de Cádiz o Tarragona llegaban navíos rebosantes de mármoles de Carrara y Grecia, tejas romanas, mosaicos orientales, sarcófagos y tejidos, perfumes o cerámicas de Pérgamo que pasaban a decorar las fastuosas mansiones de las elites locales. A lo largo del siglo las camarillas peninsulares ganarían prestigio en Roma, configurando durante la época de los Flavios el influyente *clan hispano*. En el año 98 lograba ascender al trono imperial el sevillano Trajano, primer emperador de origen hispano que activaría el comercio en la península Ibérica, embellecería las capitales con teatros y monumentos —Mérida, Itálica...— y renovaría la red viaria gracias a una ingeniería avanzada. Con su sucesor Adriano (117-138), Hispania llegaría a su apogeo.

Antes de concluir la centuria, sin embargo, la guerra civil desatada tras la muerte de Cómodo se adueñaría de las tierras ibéricas, asestando un durísimo golpe a los latifundistas y al comercio de la Bética. Eran las primeras señales del miedo a la nada, la antesala de una crisis que descapitalizaría todo Occidente, arruinaría la vida municipal y escribiría la última página de la Hispania romana.

Mortaja de Roma

Agotado el siglo III, la pesada herencia imperial vacilaba en el mundo conocido y Roma daba síntomas de cansancio. Había pasado cincuenta años en los campos de batalla (235-284), defendiéndose de las invasiones germanas y persas, las embestidas norteafricanas o el cáncer de las guerras civiles. Por todas partes el antaño exitoso orden romano estaba bajo amenaza, envejecido y arruinado. Lentamente la vieja Iberia se había ido alejando del cetro imperial; la cadena de transmisión de decisiones se pudría en manos de una burocracia muy costosa; el trasiego mercantil se veía aquejado de la crisis comercial que padecía todo Occidente y las escaramuzas bárbaras o norteafricanas, con su pleamar de razias y pillaje, despertaban en la población un profundo sentimiento de orfandad. Para colmo de males la peste desangraría la comarca del Ebro, dejando a su paso una larga estela de muertos.

Si el Imperio no se derrumbó al doblar el siglo III fue gracias al empeño de emperadores como Diocleciano y Constantino, cuyas reformas darían un último aliento de vida a Roma. Su condición de amos del mundo obligó a Diocleciano y a sus sucesores a grandes dispendios de hombres y dinero. Para acomodar las antiguas estructuras territoriales a las nuevas exigencias, el emperador multiplicó los ejércitos y dividió el poder central entre dos augustos y dos césares encargados de la defensa de cada zona. La reforma administrativa transformó Hispania en la *diocesis Hispaniarum*, cuyo ámbito abarcaba también el norte de África y estaba dividido en seis provincias. Si en el siglo II Trajano y Adriano habían activado el comercio y endomingado las capitales hispanas con bellos monumentos, la política diocleciana concentraría sus recursos en refortificar las ciudades y diseñar una red de torres y defensas para el control de los caminos.

Aunque el Imperio parecía reponerse de la crisis del siglo III, los esfuerzos burocráticos no lograron financiar los enormes gastos imperiales, y las ciudades, devoradas por la sangría tributaria, fueron incapaces de maquillar su decadencia. Los malos tiempos habían acampado en Hispania con la inestabilidad de las rutas mercantiles y el ocaso de los antiguos mercados urbanos, y se agravaban ahora, cuando el comercio hispano se desvanecía. La Hacienda arruinó a las oligarquías ciudadanas y el laberinto administrativo del Bajo Imperio cerró el paso a la iniciativa privada de las cofradías de navegantes, convirtiéndolas en guiñoles del Estado. Sólo pequeñas partidas de aceite de oliva y salazones, algo de minerales y trigo, cargamentos de textiles y caballos componían la remesa de exportaciones hispanas.

Para las viejas urbes hispanas la crisis del siglo III y las reformas del IV fue el final. Cada vez más sombrías, con el olor rancio de la soledad invadiendo el foro o los anfiteatros, rodeadas de murallas y empalizadas, las ciudades padecieron una hemorragia continua de gentes hacia las explotaciones agrícolas. Además perdían definitivamente aquella actividad mercantil que habían desempeñado durante siglos y les había hecho un hueco en el comercio de la metrópoli y los mercados de África. Tras años de penuria, la economía hallaría cobijo en el campo. Cientos de aristócratas y terratenientes, extenuados por los desembolsos en obras públicas defensivas o la voracidad tributaria, huyen en desbandada de sus responsabilidades municipales hacia sus residencias campestres. Había llegado el tiempo de las villas rústicas y la autarquía. No obstante, siempre hay quien saca provecho de los malos momentos. Esta vez fueron los grandes hombres del campo. En pleno crepúsculo del Imperio los propietarios rurales convierten sus tierras y mansiones en auténticos fortines, inaccesibles para las bandas de merodeadores y también para los recaudadores de impuestos. La crisis enriqueció su patrimonio a costa de la caduca clase urbana y de los pequeños labradores, a quienes acosaron sin desmayo y obligaron a malvender sus tierras.

A partir de ahora, la falta de mano de obra y el miedo a ver desatendidos los latifundios imponen la adscripción forzosa y hereditaria del campesino a la tierra. Los esclavos empiezan a escasear y los campesinos —comprados, vendidos y repartidos en herencia, o convertidos en colonos, soldados y guardianes de su señor— ocuparían su lugar en unas tareas que los terratenientes no podían abarcar personalmente. Roma ponía de este modo los cimientos de un nuevo orden social y político que terminaría por triunfar en los primeros siglos de la Edad Media con el sistema feudal. Dentro de aquel mundo de ruina y murallas, donde las diferencias sociales crecían al compás del sometimiento de los más pobres a los más poderosos, la Iglesia fortalecería su papel político, comprometida con el poder imperial por obra de los edictos de Constantino del año 313.

La crisis generalizada y la degradación social recrudecieron el bandolerismo y empujaron al pillaje a ejércitos de labradores cercados por el hambre. Desde el siglo II arranca la *bagauda*, chispa de furia campesina que tuvo como objetivo y bandera el ataque a los ricos latifundios y prendió con fuerza en tierras gallegas. Al mismo tiempo, el priscilianismo —herejía que denunciaba la alianza de la Iglesia con el poder— plantó sus raíces entre las capas populares, mal romanizadas, de Galicia, Duero y Tajo. Preocupados por la anarquía, la Iglesia y el Estado formaron muy pronto un frente común para silenciar a los disidentes. Prisciliano, obispo de Ávila, sería ejecutado por orden imperial en la ciudad alemana de Tréveris (385) y su credo profético reprimido mientras que el movimiento *bagauda* acabaría aplastado bajo el peso de las tropas germanas a sueldo de Roma.

Atentos al deterioro del mundo romano, precipitado al vacío por las guerras sucesorias y las luchas intestinas, los pueblos bárbaros perforarían las fronteras de Hispania, a la que esperaban años de encarnizados combates y saqueos. A principios del siglo V el edificio político de Roma se resquebraja por todas partes sin que la débil autoridad del emperador pueda poner freno a la crisis. Toda la Península es ahora una hoguera de pillaje y luchas entre rivales bárbaros por el control de los antiguos territorios de la vieja metrópoli. Atrás van quedando las urbes con su historia de ceniza y trágico teatro, los espectrales monumentos donde el mundo clásico había esculpido su gloria, las estatuas que alzaban su delirio, perdidas ahora, sonámbulas en sus mármoles de Italia. Muy pronto los visigodos derrotarían a sus hermanos germanos y, tras años de mirar al norte, volverían sus ojos hacia el patrimonio hispano, donde se erigirán en los herederos políticos y militares de Roma en Occidente.

Fuiste en la tierra creación conclusa
y libertad del hombre edificada,
distinta y sin futuro, al fin pasada
y desterrada al fin y al fin ilusa.
De un tiempo usó la eternidad tu musa,
mas fuiste con el tiempo amortajada
y la materia fue materia de nada
y ni aun recuerdo la razón confusa.

DIONISIO RIDRUEJO, *En Mérida*

Con la entrada de los pueblos bárbaros muere Hispania. A pesar de ello, siete siglos de presencia apuntalaron una herencia cultural que, a hombros del latín, el derecho y el cristianismo, se mantendrá viva hasta nuestros días. La plena integración de la Península en el mundo romano posibilitó que numerosos hispanos sumaran su nombre al elenco de grandes figuras de la cultura clásica. Los monumentos escritos de Séneca, Lucano o Marcial y la obra de los juristas Luciniano y Materno o el renovador de la retórica, Quintiliano, invadieron las bibliotecas del Alto Imperio. Pasado el esplendor del siglo II la crisis de Roma debilitaría el pulso de la actividad cultural en la metrópoli y sus provincias. Tras el vacío abierto en el siglo III, otra cohorte literaria tomaría el relevo. Prudencio o Juvenco escribirán sus obras en un tiempo muy distinto, lleno de convulsiones políticas y decadencia, donde la penuria de las ciudades y la agonía del Imperio habían fortalecido el papel de la Iglesia en la sociedad romana y el cristianismo dejaba su simiente en cualquier ensayo creativo. Mientras la política cedía paso a la religión y Prudencio protagonizaba el primer impulso épico de la literatura cristiana al escribir los Evangelios en verso, el catolicismo iría convirtiéndose en la más clara seña de identidad de la España que se presagiaba.

La cruz coronada

A comienzos del siglo V las tribus bárbaras se adueñaron de la península Ibérica. Los suevos ocupan Galicia; los alanos guerrean por la Lusitania y la Cartaginense, y los vándalos prueban fortuna en la Bética. Sólo la Tarraconense se mantiene fiel a los dictados del Imperio mientras en la cornisa cantábrica y las montañas leonesas renacen las costumbres indígenas y la semilla del miedo brota en todas las tierras de Occidente. Parecía entonces que la obra de Roma iba a quedar enterrada bajo el ímpetu bárbaro. San Jerómino advertía en sus escritos, vencido en el llanto y la fatiga, la herida abierta por el caos reinante.

> ...Largo tiempo he permanecido silencioso, persuadido de que estamos en el tiempo de las lágrimas.

Para proteger la riqueza del Mediterráneo y defender Hispania, los emperadores contrataron los servicios militares de un pueblo germano. A cambio de su ayuda, los guerreros visigodos recibieron raciones anuales de trigo y una porción de tierra en el sur de Francia. En su calidad de mercenarios entraron en Hispania y, con el apoyo de los hispanos y los restos del ejército imperial, limpiaron de enemigos las regiones más romanizadas de la Bética y el Levante. Doblada la mitad de la centuria, la insurrección *bagauda* y la ofensiva del reino suevo, que conquista la Meseta y Andalucía y llega a poner en jaque el valle del Ebro, abrirá de nuevo las puertas de Hispania a sus ejércitos. Rápidamente las tropas de Teodorico II, rey visigodo de Toulouse, frenarían las expediciones de los suevos, a los que arrinconan en Galicia, y conseguirían imponer la ley de sus armas sobre las bandas de desposeídos y salteadores *bagaudas*.

Una vez aplastados los deseos de expansión de los demás pueblos germanos en Hispania, los visigodos aprovecharían los problemas de sus aliados en Roma y se alzarían con el poder de Occidente. La agonía del Imperio les serviría en bandeja el control del Estado, despejándoles el camino hacia el Mediterráneo galo. Un acontecimiento inesperado los obligaría a cambiar sus planes. En el año 500 la oportuna conversión al catolicismo del pueblo franco ofrece a su rey Clodoveo una baza inmejorable para sellar la alianza con la nobleza galorromana y sacudirse la amenaza goda. Su proyecto se hace realidad en Vouillé, donde las tropas galas destrozan los ejércitos visigodos. Tras esta derrota y la consiguiente defunción del reino de Toulouse, los monarcas visigodos centrarían sus objetivos en la península Ibérica. Aquí intentarían recomponer la unidad de la vieja Hispania romana y fortalecer su seguridad frente a la amenaza del norte. La elección de Toledo como capital del reino confirmó años más tarde el definitivo traslado de sus intereses.

Al llegar al suelo hispano las gentes invasoras se encontraron con una tierra bañada por la romanización, la religión católica, las correrías de sus hermanos bárbaros y el renacimiento indígena de tribus norteñas como los astures, cántabros o vascones. En minoría respecto a la población hispana, los nuevos inquilinos concentraron su gente en las orillas del Ebro y el Tajo. Buscaban, sobre todo, espacios reducidos donde compensar la inferioridad numérica y defenderse del peligro de ser absorbidos por la mayoría nativa. Conscientes de este riesgo y de los enfrentamientos inherentes a cualquier reparto de tierras, unas cuantas partidas godas acampan en los paisajes despoblados de Segovia y las provincias cercanas. Aquí desarrollarían su tradicional actividad ganadera. Mientras tanto, efectivos militares y nobiliarios ocupan los enclaves estratégicos de Toledo, Mérida, Pamplona... y se asientan en las principales ciudades de Andalucía con el ánimo de recaudar contribuciones y vencer los recelos de los poderosos de aquella región.

Desde un comienzo, los dirigentes godos trataron de mantener su supremacía mediante una estricta separación entre los conquistadores y los habitantes hispanos. Aprobado con el beneplácito de los obispos y la nobleza hispanorromana, el *Breviario de Alarico* expone con claridad el espíritu del invasor y su deseo de implantar dos categorías de ciudadanos según su origen. El derecho romano seguiría aplicándose a los hispanos, en tanto que los godos se regirían por sus normas consuetudinarias. Para asegurar la preeminencia de la clase dirigente germana, las leyes prohibieron durante años —es verdad que sin éxito— la celebración de matrimonios mixtos. Simultáneamente, en las viejas urbes, donde la presencia de soldados podía enconar las relaciones con los notables, se establecieron dos jerarquías, cada una encargada exclusivamente de su etnia. Esta dosis de autonomía política y cultural permitió la conservación y progreso de la tradición romana en la Península.

El nacimiento del reino de Toledo apenas trajo alteraciones respecto al panorama social y económico heredado de Roma. Como entonces, la mala racha del comercio y el desfallecimiento de las ciudades hacen virar la economía hacia la autarquía y el refugio del campo. En una época en que la libertad es un privilegio de pocos y la adscripción de las personas a la tierra adquiere un tinte vitalicio y hereditario, los viejos terratenientes pactan con los recién llegados y conservan la mayor parte de sus haciendas. Pasado un tiempo, los grandes de la nobleza goda cambiarán sus criterios de preeminencia social sustentados en el caudillaje militar por otro dependiente de la posesión de bienes inmobiliarios. Se acercan de este modo a los intereses de la aristocracia hispanorromana, con quien a pesar de las prohibiciones legales de matrimonios mixtos comienzan a fundirse.

De nada sirvieron, por tanto, los ensayos segregacionistas de los primeros monarcas para preservar la pureza de razas. Pese al *apartheid* diseñado por los nuevos gobernantes, la cultura clásica acabaría triunfando sobre la del vencedor germano. La nobleza visigoda atará a la tierra a las capas más pobres de su pueblo; vencerá su repugnancia respecto a la Iglesia católica abrazando su credo religioso; e incluso dejará en el camino parte de su herencia consuetudinaria al aprobar una reglamentación estatal de fuerte tradición romana —*Liber Iudiciorum* (654)—, aplicable tanto a visigodos como a hispanorromanos.

Con su llegada al trono de Toledo en el año 573, Leovigildo aceleró la conquista de la herencia de Roma en Occidente. Firme ante cualquier estallido rebelde, el monarca reprimiría la desobediencia de los nobles, evitaría el triunfo de las tendencias disgregadoras y reanudaría la estrategia de unificación territorial diseñada por sus antecesores. El ímpetu militar del monarca convierte el reino suevo de Galicia en provincia visigoda y suelda bajo el cetro toledano la mayor parte de la vieja Hispania. Leovigildo trataría además de poner fin a los problemas de convivencia entre godos e hispanorromanos. En pleno proceso de mutación política y social derogaría las leyes prohibitorias de matrimonios mixtos y tendería puentes a los católicos —credo de la mayoría hispana— incentivando económicamente su paso al arrianismo, la herejía que había adoptado la comunidad germana en el siglo IV, cuando gozaba del apoyo imperial de Roma. Sin embargo, la iniciativa aumentó las tensiones entre ambos pueblos. La guerra civil rompería el difícil equilibrio del reino y rectificaría la apuesta del monarca. Aprendida la lección de su padre, Recaredo ensayaría la vía del catolicismo para atar definitivamente los lazos de la sociedad y cerrar las heridas. La conversión del monarca al catolicismo en el III Concilio de Toledo (589) puso fin al problema de la existencia de dos Iglesias rivales en el reino y señaló el sometimiento definitivo de los vencedores a la cultura de los vencidos.

> ¿Qué diré yo, en el tremendo día, al Juez Supremo, cuando me presente con las manos vacías, y tú aparezcas conduciendo toda una grey de fieles que por ti han alcanzado la verdadera fe?
>
> Carta del papa Gregorio Magno a Recaredo

El año 589 es un momento señalado para la Iglesia, enriquecida con la requisa de bienes arrianos y respaldada en sus pretensiones de poder social. Los obispos son desde ahora verdaderas autoridades del reino y desempeñan competencias en asuntos civiles, fiscales o judiciales. Nobles y prelados conviven en los concilios de Toledo mientras la alianza del trono y el altar emprende el largo camino por donde habría de discurrir la historia de España.

Como un mal presagio, la victoria del catolicismo sobre la herejía provoca una cascada de persecuciones que anega por igual los reductos de paganismo y las juderías. Amparada en el poder político y su capacidad coercitiva, la jerarquía católica hostigó a los hebreos exigiendo su conversión. Los reyes visigodos protagonizaron el primer intento del Estado por erradicar el judaísmo de la península Ibérica. Las leyes obligan a todos los judíos del reino a abjurar de sus creencias y censuran sus ritos; se los acusa, además, de conspirar contra el reino y en detrimento de su actividad comercial se les prohíbe viajar. La voluntad regia de liquidar el judaísmo no consiguió, sin embargo, rebasar la barrera del acoso continuo, que si bien contuvo su progreso, enajenó su ánimo contra la monarquía y le hizo confiar a los ejércitos islámicos su liberación.

Al mismo tiempo que los reyes se ejercitaban en el oficio de la intolerancia, Hispania recuperaba la antigua unidad que había alcanzado con Roma. Tras las campañas de Leovigildo y la anexión del reino suevo, sólo la provincia colonial que el emperador Justiniano había logrado establecer en Cartagena el siglo VI y unos pocos kilómetros, entre la cordillera cantábrica y el mar, se escapaban del propósito unificador de los godos. El deseo de Leovigildo se vería cumplido el año 624, cuando las tropas de Suintila, después de tomar Cartagena, ponían fin a la provincia bizantina. De ahora en adelante esta integridad recuperada no se pondrá en cuestión, siendo objetivo de las futuras insurrecciones, más que la disgregación territorial, el dominio absoluto de la Península entera.

La idea de España, cuyos límites geográficos habían sido prefijados ya en tiempos de Roma, nace también, aunque de forma precaria, en la época visigoda. Los escritos de san Isidoro de Sevilla ayudarán a difundir la noción de España más allá de las fronteras peninsulares. Sus obras invadirán las bibliotecas de la Europa occidental y alcanzarán la categoría de obra clásica en los cenáculos intelectuales de la Edad Media. En la cumbre de su producción intelectual, el prelado hispalense ensalzaría, embargado por la emoción, la excelencia de un reino que ha dejado de ser provincia de un Imperio para convertirse en soberano de su destino.

> Eres, ¡oh, España!, la más hermosa de las tierras que se extienden del Occidente a la India; tierra bendita y madre siempre feliz de príncipes y de pueblos. Eres ahora la madre de todas las provincias... Tú, honor y ornamento del mundo, la porción más ilustre de la Tierra.
>
> SAN ISIDORO DE SEVILLA,
> Prólogo a la *Historia de los reyes godos*

Todo progreso de los godos en la construcción de un Estado se oscureció, sin embargo, por su incapacidad de articular un método pacífico de sucesión al trono, con la monarquía y la nobleza siempre dispuestas a liquidar sus diferencias por la fuerza. Toledo fue la capital de un mundo autárquico e inestable, erosionado por las ambiciones nobiliarias, las acusadas diferencias sociales y el afán conspirador de una Iglesia empeñada en demostrar que su reino se hallaba en la tierra y no en el cielo. Las conjuras y regicidios asediaron el trono a lo largo de los siglos VI y VII mientras los sucesivos concilios de Toledo se esmeraban en realzar la figura del soberano y defender su vida, excomulgando a quien atentase contra él o su familia.

En vano la Iglesia trató de poner fin a las conspiraciones durante el ocaso del reino. Recién estrenado el siglo VIII, los jerarcas eclesiásticos no pudieron desterrar la amenaza de la sublevación y sus secuelas de anarquía y guerra civil. Las campanas que anuncian la muerte de Vitiza el año 710 presagian la desaparición del reino. Ante la vista de un trono vacío, las divergencias entre los partidarios de elegir el rey dentro del linaje del finado y la nobleza, que ya había escogido sucesor en la persona de don Rodrigo, vuelven a desatar el nudo de la guerra civil. Esta vez, sin embargo, la enconada batalla doméstica abriría las puertas de la Península a las tropas musulmanas del gobernador de Tánger. Siete mil soldados, la mayoría bereberes, atraviesan el Estrecho y se congregan al pie del peñón, bautizado Gibraltar en su memoria. Con el avance de los ejércitos de Tariq por tierras del sur daba comienzo la cuenta atrás de un reino cansado, anclado en la decadencia e incapaz de poner obstáculos a la marea invasora.

CAPÍTULO III

La historia en un castillo

En lo alto del alminar

Venían de Tánger, y una vez puesto el pie en Tarifa nada podría detenerlos. Venían con querencia de palacios, sueños de agua y ansias de conquista, como los visitantes cartagineses, romanos o godos. Por de pronto, el año 711, destrozan los anticuados ejércitos de don Rodrigo en Guadalete, entran en Toledo y controlan las llanuras y ciudades del sur. Más tarde, sellando pactos con los notables locales o explotando la energía de dieciocho mil hombres sin estrenar, lograrían someter la antigua Tarraconense, el valle del Ebro y amenazarían la soledad de las tierras de Galicia. En apenas tres años, todo el territorio peninsular, con la única excepción de las regiones montañosas del Cantábrico y los Pirineos, había caído a los pies de los ejércitos musulmanes. La destrucción del reino visigodo era una etapa más en la creación de un Imperio islámico gestado en el otro extremo del Mediterráneo. Espoleadas por sus triunfos hispanos, las tropas musulmanas prepararon el asalto a las Galias, sin caer en la cuenta de que los ejércitos francos se habían reforzado. Carlos Martel arruinaría en Poitiers (732) la ilusión de una Europa llena de mezquitas y alejaría a los árabes de los campos de Francia. Desde ahora los servidores de Alá concentrarían sus esfuerzos en la península Ibérica. Surgía entonces Al Andalus, nombre dado a la provincia hispana del islam.

El grueso de los musulmanes llegados a la península Ibérica era berebere procedente del norte de África, pero también había árabes, que ocuparon en seguida los puestos dirigentes. Muy pocos hispanos lamentaron la muerte del reino visigodo o el hecho de que los nuevos amos profesaran unas creencias tan distintas de las suyas. Los recién llegados atenuaron la presión fiscal, lo que provocó la adhesión de los campesinos, y respetaron los demás credos religiosos a cambio de un impuesto especial. Una buena parte de la población aceptó la religión musulmana, atraída por las ventajas sociales que suponía la conversión o la oportunidad de quitarse de encima el tributo religioso. Se los llamó muladíes. Otros, judíos y mozárabes —cristianos bajo dominio musulmán— conservaron sus creencias. Ambos grupos serían tolerados al principio, pero vivirían marcados por la desigualdad jurídica. Además de obligarlos a pagar impuestos especiales, las leyes musulmanas les prohibían construir nuevos templos, reparar los ya construidos o celebrar sus ritos en público. Pero a diferencia de los judíos, que se acomodaron a la nueva situación y hallaron en Al Andalus un clima de convivencia del que no habían podido disfrutar en el reino visigodo, los mozárabes encabezaron posturas de rechazo contra las autoridades musulmanas e incluso a veces buscaron el martirio. Conversos y no conversos, todos ellos vivieron una fuerte arabización, ya que las costumbres y el idioma de los nuevos inquilinos echaron raíces en el alma de los habitantes de Al Andalus.

La aristocracia visigoda también se dividiría ante el empuje del islam. Mientras algunos pastelearon con el ejército conquistador, una legión anónima de nobles y curas contrarios a la colaboración encontraría en su desbandada el refugio de los riscos del norte. La alianza con sus habitantes —astures, cántabros y vascones— permitiría a los resistentes zancadillear a los musulmanes en la escaramuza de Covadonga y restablecer en la corte de Oviedo un vínculo histórico con el difunto reino de Toledo.

Aunque con diversas variantes, la presencia del poder islámico perduró hasta finales del siglo XV. En un primer momento, Al Andalus estuvo gobernada por un emir o delegado de los califas omeyas, cuya sede estaba en Damasco. A mediados del siglo VIII, la lejanía de los centros de poder del Imperio, la honda grieta abierta por las guerras civiles a ambos lados del Estrecho y la eliminación de la familia omeya por la revolución abasí cuestionaron los lazos de dependencia de la metrópoli. La mecha la encendió Abd al-Rahman I, único omeya que había sobrevivido a la carnicería, cuando en el año 756 conquistó Córdoba e inauguró la primera entidad política del mundo musulmán completamente autónoma: el emirato independiente. El nuevo emir ponía fin a la dependencia política de Al Andalus con respecto a los califas abasíes, quienes habían trasladado la capital a Bagdad, aunque respetaba su autoridad espiritual.

Como en los tiempos de Augusto o Leovigildo, el afianzamiento del emirato dependía de la puesta en pie de una eficaz estructura que, al margen de la diversidad, terminara por integrarla y facilitara su control. No era fácil, sin embargo, imponer orden en un territorio descabezado por las ambiciones localistas y las revueltas sociales, ni resultaba sencilla la convivencia de árabes, bereberes, muladíes, mozárabes y judíos. Finalmente Abd al-Rahman I conjuró el peligro de disolución interna, estableció la administración en Córdoba y enderezó el rumbo político de Al Andalus. Los éxitos del emir fueron fracasos para las ambiciones del norte, encajonado en el desierto del valle del Duero y azotado por la rutina anual de las expediciones cordobesas de castigo. Pero su muerte destaparía de nuevo los conflictos y los descontentos que sólo un mandato de hierro había podido neutralizar.

La sucesión del rey musulmán provocó un estallido de separatismo en las regiones más alejadas de Córdoba. De año en año, de batalla en batalla, los emires trataron de evitar el desmoronamiento del Estado imaginado por Abd al-Rahman I y empeñaron sus fuerzas en recuperar el prestigio cordobés. La convivencia entre cristianos y musulmanes se oscureció en estos tiempos de crisis. A mediados del siglo IX, el clérigo Eulogio fue decapitado por arrastrar a los mozárabes cordobeses a la rebelión y una oleada de persecuciones alentada desde las mezquitas llevó a miles de cristianos a buscar refugio en las tierras del norte. Hubo también tensiones en las marcas fronterizas, situadas en torno a las ciudades de Zaragoza, Toledo y Mérida. Las rebeliones de los gobernadores musulmanes y el desplome de las fronteras estimuló, además, la ofensiva de los reinos cristianos, enardecidos por el hallazgo de la presunta tumba del apóstol Santiago.

Pudo Córdoba, sin embargo, resistir y los diversos movimientos secesionistas del siglo IX no hundieron el entramado administrativo de los omeyas. Con el cambio de centuria la España musulmana logró sacudirse la crisis y estrenó un período de esplendor gracias a las grandes dotes de gobierno de Abd al-Rahman III y un sostenido crecimiento económico. Al mando de un ejército de mercenarios y esclavos europeos, el nuevo emir desbarató pronto las ilusiones separatistas y puso paz en Al Andalus. Después, el año 929, se proclamó califa, lo que significaba que asumía la más alta dirección, tanto en las cuestiones políticas como en los asuntos religiosos. La adopción del nuevo título rompía los últimos lazos de Al Andalus con Oriente e incorporaba un trascendental elemento legitimador de la supremacía de Abd al-Rahman III sobre sus enemigos domésticos y los reinos autónomos norteafricanos. Él recuperará, a mediados de la centuria, la idea unitaria de Al Andalus, extendiendo su autoridad a casi toda la Península a costa de los belicosos reinos norteños y sorprendiendo a Europa con su poderío reflejado también en su cosmopolita corte. Levantado a las afueras de Córdoba, el embrujo arquitectónico de Medina Azahara guardaría entre sus paredes toda la grandeza del califato. Y en tanto Abd al-Rahman III disfrutaba de los jardines y fuentes de su nuevo palacio, los maestros musulmanes trabajaban en la joya del primer emir y daban los últimos toques de fantasía a la gran mezquita de Córdoba.

Los años de Abd al-Rahman III fueron los más fascinantes de la historia del islam hispano. Rendida a los cantos del almuecín, Córdoba se erigiría en la cabeza del reino más poderoso de Occidente. Por los salones, patios y jardines de la capital andalusí desfilaron emisarios de los disminuidos reinos cristianos del norte, embajadores de Oriente y mercaderes europeos. Todos buscaban el favor militar de las tropas de Abd al-Rahman III, garantías de protección o la rúbrica de apetitosos tratados comerciales. «Yo te saludo, oh rey de Al Andalus, a la que los antiguos llamaban Hispania», así se dirigió el embajador del emperador Otón a Abd al-Rahman III en los salones de Medina Azahara. Al unísono la libertad de pensamiento protegida por los califas desbordaba de ciencia y filosofía las estancias de la corte. Se abren escuelas, aumentan las compras de libros procedentes de Oriente y se incentiva la labor de traductores especializados. Pese a la resistencia de los alfaquíes, doctores del islam caldeados en un feroz integrismo, brota en estos años el árbol de la tolerancia a cuya sombra se protegen las corrientes de pensamiento no ortodoxas. Los filósofos se preguntan sobre el origen de la materia, leen y comentan las obras de Aristóteles y organizan sus conocimientos en tratados sistemáticos que atesoran los saberes de la Antigüedad.

Al Andalus registra también los progresos matemáticos y científicos de Oriente. Llega de la India el sistema numeral actual, que Córdoba dará a conocer a los reinos del norte, y la medicina reverdece con la traducción del tratado de Dioscórides, regalo del emperador bizantino al primer califa. Al margen de las ciencias y la filosofía, el cosmopolitismo de Medina Azahara atrae a poetas y escritores que alegran con sus tradiciones literarias el parnaso omeya y cantan las proezas de sus mecenas. Hechizado por las letras, la música y la poesía, Al Hakam II crea la mayor biblioteca de Occidente, que cobijaría todas las ramas del saber en sus más de cuatrocientos mil volúmenes. Son los años en que el poderío islámico tenía el control de la península Ibérica, acompañando así a la reputación de los sabios y científicos de Al Andalus el victorioso desfile de sus ejércitos.

¡Oh excelso muro, oh torres coronadas
de honor, de majestad, de gallardía!
¡Oh gran río, gran rey de Andalucía,
de arenas nobles, ya que no doradas!
¡Oh fértil llano, oh sierras levantadas
que privilegia el cielo y dora el día!
¡Oh siempre gloriosa patria mía,
tanto por plumas cuanto por espadas!
¡Si entre aquellas ruinas y despojos
que enriquece Genil y Dauro baña
tu memoria no fue alimento mío,
nunca merezcan mis ausentes ojos
ver tu muro, tus torres y tu río,
tu llano y sierra, oh patria, oh flor de España!

LUIS DE GÓNGORA, *A Córdoba*

La flor de España

Con el ímpetu del islam despertaron las urbes de Andalucía, Levante y valle del Ebro. A los árabes les gustaban las ciudades con sus mezquitas y zocos bullangueros, llenos de gente, mercaderes y puestos de seda, joyas, cerámicas y alfombras. Córdoba, Almería, Granada, Sevilla, Toledo, Zaragoza o Valencia son ciudades muy animadas en las que la afluencia de público y la riada de intercambios llena de algarabía las calles y cautiva a un sinfín de artesanos, tenderos y labradores ricos, poco amigos de la quietud del campo. Córdoba (100 000 habitantes) sería la más importante de todas ellas.

Durante los años de efervescencia política, los musulmanes revitalizaron el espíritu mercantil de las urbes hispanas, tan marchito en tiempos del godo. Su comercio se basaba en la abundancia de monedas de oro y de plata, y no se limitó a los zocos de las ciudades de Al Andalus. Caravanas de mercaderes comerciaron con la Europa cristiana, pero también con el resto del mundo islámico. En Oriente compraban libros, perlas, seda, materiales de construcción al mismo tiempo que naves procedentes del mediodía hispano descargaban en los puertos del norte de África sus excesos de aceite y regresaban con sus panzas llenas de cereales, oro y esclavos. Almería fue el puerto internacional de la aventura mercantil emprendida por los musulmanes en la península Ibérica, en cuyo muelle se agolpaban los navíos que cruzaban el Mediterráneo en busca de las mercancías y objetos de lujo de los mercados sirios, egipcios o bizantinos.

No puede explicarse, sin embargo, este florecer del comercio y las ciudades sin la prosperidad de la agricultura. Durante la dominación islámica el campo siguió conservando la llave de la economía. De Roma había heredado el campesino hispano los elementos primordiales para explotar la tierra, pero las técnicas árabes dieron un empujón definitivo a su productividad. Muy pronto las innovaciones en el regadío andaluz y levantino repercutieron en el aumento y calidad de las cosechas y en la recuperación de algunos suelos despreciados hasta entonces. Los musulmanes idearon un nutrido sistema de acequias, multiplicaron la construcción de norias, crearon un régimen administrativo para el reparto equitativo del agua e introdujeron nuevos cultivos. Aunque los agrios, el arroz, el algodón y el azafrán mejoraron notablemente los horizontes de las hoyas granadinas, las huertas murcianas y los campos levantinos, la producción continuó gravitando en torno a la tríada mediterránea: trigo, vid y olivo.

Tampoco la actividad artesanal se quedaría atrás, ya que pudo contar con la cobertura de un magnífico conglomerado industrial y el viento a favor de la renacida explotación minera. Los tejidos de seda fueron muy apreciados entre la aristocracia de los reinos cristianos del norte, y los brocados cordobeses, los tejidos de lino, las armas toledanas, la fabricación de papel, el trabajo del cuero o los metales preciosos escribieron un capítulo importante en el comercio y la economía de Al Andalus. A su vez, los musulmanes reanimaron la trama de comunicaciones heredada de Roma, semiabandonada bajo los visigodos, y acercaron el campo a la ciudad. Sin proponérselo, el influjo árabe ahondó la diversidad entre norte y sur, al enriquecer la vida de las gentes andalusíes, tan distinta del ruralismo de las grises comunidades del norte del Duero y los Pirineos. Los contrastes se agigantan en este tiempo de divorcio, donde la economía, la religión o los modos de vida de uno y otro lado se encaminan hacia rumbos opuestos.

¿Qué es de Córdoba en el día,
donde las ciencias hallaban
noble asiento,
do las artes a porfía
por su gloria se afanaban?

ABULBECA DE RONDA

El flanco débil de Al Andalus fue su ineptitud para establecer un modelo territorial que conjugara la unidad con la diversidad. En la cima de su poder, los califas crearon la maquinaria institucional de un Estado pero no supieron domesticar los riscos de la resistencia norteña ni borrar las ambiciones provinciales. Cuanto más lejos de Córdoba, menos presente se hacía la poderosa mano de los califas. Se puede decir que las marcas fronterizas de Al Andalus fueron entidades independientes hasta su conquista cristiana. El gobierno estaba en poder de jefes locales a cuyas órdenes se hallaban los séquitos militares que mantenían el territorio a salvo de las dentelladas del norte. Tal era el caso de Toledo o Zaragoza, cuyos dirigentes actuaron a su gusto, con absoluta independencia de sus soberanos cordobeses.

El año 971, sin embargo, el califato es un edificio ruinoso, cuyo poder se deteriora bajo la minoría de edad del sucesor de Al Hakam II y las intentonas golpistas. Sólo las dotes militares de un aguerrido general prolongaron durante un tiempo la vida de Córdoba. En el 978, después de una cuartelada sangrienta, Almanzor se adueña de la situación. De la noche a la mañana suplanta al califa, secuestra el poder y da rienda suelta al fanatismo de los doctores religiosos, que declaran pernicioso el debate erudito. Rápidamente la sombra de la censura se abate sobre filósofos y astrónomos, que deben continuar sus estudios clandestinamente. Se amordaza el pensamiento y, en un lamentable atentando contra la inteligencia, los soldados expurgan la biblioteca reunida por Al Hakam II. Miles de libros se pierden para siempre, reos de las llamas de la intolerancia. La mano de hierro de Almanzor alcanza también los reinos cristianos. Es una época triste para las poblaciones del norte. Reyes, clérigos y soldados ven cómo las tropas musulmanas saquean sus tierras y reducen a escombros iglesias y ciudades. León, Castilla, Barcelona y Santiago de Compostela, donde se llevan las campanas y puertas del templo como señal de victoria, recibieron la ingrata visita de los ejércitos cordobeses. Próximo el fin del milenio, de negros augurios para Europa, la cabalgada de Almanzor se funde en la mente de los guerreros cristianos con las imágenes de los cuatro jinetes del Apocalipsis.

Las terroríficas campañas que dirigió el visir contra los reinos del norte dieron oxígeno a un mundo que comenzaba a dar serios síntomas de cansancio. Su muerte, sin embargo, ratificaría la enfermedad incurable que padecía el orden cordobés. De inmediato las ambiciones localistas, exasperadas por conflictos étnicos y sociales y el oscurecimiento del poder central, echarían abajo el edificio califal. A comienzos del siglo XI, el tiempo de Córdoba era ya una nostalgia llevada por el canto del almuecín a todos los rincones de Al Andalus. Los esfuerzos de la aristocracia cordobesa por recomponer la unidad se estrellaron contra la ineptitud de los últimos califas, los deseos secesionistas y las conspiraciones de los poderosos. De pronto nadie era amigo de nadie y todos parecían sospechosos de traición. Ningún vínculo unía ya a las provincias y ciudades y cada una buscaba su independencia según su componente racial o la autonomía militar de sus gobernadores. En plena anarquía los notables de Al Andalus se reunieron el año 1031 para firmar el acta de defunción del califato y proclamar la época de las taifas musulmanas.

El triunfo de las taifas fragmentó las tierras de Al Andalus en un abigarrado tablero de estados independientes. Algunos, demasiado pequeños para sobrevivir al ataque de las tropas cristianas, fueron presa fácil de los reinos del norte. La mayoría de los feudos musulmanes, sin embargo, prefirieron comprar la benevolencia de los monarcas cristianos o el servicio de sus ejércitos mediante el pago de tributos y parias anuales. A cambio de oro esperaban que aquel mundo inestable no los sepultara en el olvido de la Historia. Pero si la decadencia política de

Al Andalus apaga lentamente la hegemonía militar musulmana en la Península, no puede decirse lo mismo del mundo de las artes. Roto el silencio padecido bajo la férrea tutela de Almanzor y la ortodoxia alfaquí, el sueño de la cultura fluye de nuevo en los jardines de las cortes musulmanas. El mecenazgo de los dirigentes de las taifas estimuló la creatividad y evitó que el llanto por el derrumbamiento de Córdoba empañara la mirada de los artistas. En la obra del poeta y erudito cordobés Ibz Hazm, en su palabra hecha música, rumor de agua, resonarán los latidos de aquella época dorada de la sabiduría, pronto golpeada por los aldabonazos religiosos de las tribus guerreras del norte de África.

De Covadonga a Castilla

La resistencia que protagonizaron las gentes del norte durante los años de predominio musulmán en la Península dibujó una doble frontera, política y cultural. Protegidos por las montañas, los guerreros cristianos taponaron a los ejércitos musulmanes el camino del norte a la vez que la geografía conspiraba contra la perdida unidad hispana, favoreciendo el nacimiento de diversos núcleos políticos. El más antiguo fue el reino astur, cuyo origen está unido a la oscura figura de don Pelayo, probablemente un noble godo que con la ayuda de las tribus norteñas frenó a las tropas islámicas en Covadonga el año 722. A comienzos del siglo IX, después de extender su dominio por la cordillera Cantábrica y ocupar los valles gallegos, los monarcas asturianos aprovecharían las revueltas que agitaban Al Andalus para reorganizar sus dominios y levantar en Oviedo la capital del reino a imagen y semejanza de la añorada Toledo. Su empeño se vio reforzado en el 813, cuando un acontecimiento singular dio nuevas alas a las aspiraciones de la monarquía. Ese año un ermitaño descubría en los confines del reino el sepulcro del apóstol Santiago. Poco importaría la autenticidad de los restos. Mientras los cronistas trabajaban duro para explicar el misterio de la aparición del cadáver en Compostela, tan lejos de Jerusalén, donde el apóstol había sido decapitado, y la noticia corría por el resto de la Península y prendía en todos los rincones de la Europa cristiana, los dirigentes asturianos levantaban la bandera de la *reconquista*, proyectaban su mirada hacia la cuenca del Duero y trasladaban su capital a León, nueva cabeza del reino.

Con el tiempo la complejidad de los dominios leoneses desembocó en la formación de dos realidades geopolíticas: León y Castilla. Esta última, en la frontera oriental del reino, era una región expuesta a los coletazos de Córdoba, una zona de llanuras, mística y guerrera, cuyos habitantes levantaban fortalezas y se forjaban en el cruento arte de la batalla. Tierra de ganaderos, campesinos, soldados y mercenarios, la amenaza de los ataques musulmanes retrasó durante un tiempo la llegada de la vieja nobleza visigoda y de los clérigos mozárabes, lo que haría de Castilla una comarca diferenciada del reino de León, sumisa a los intereses privados de sus condes y con ganas de romper la legalidad heredada. A mediados del siglo X, el equilibrio político logrado por Fernán González, autotitulado conde de Castilla y Álava, forjaría la unión de tierras de la actual Cantabria y Vizcaya en torno a Burgos y aligeraría la secesión definitiva, hecha realidad en el siglo XI. Desde ese momento León y Castilla vivirían un proceso de unión y desunión que sólo concluyó dos centurias después, cuando Fernando III recibió la corona de ambos reinos (1230).

> Pero de toda España Castilla es la mejor
> porque fue de las otras el comienzo mayor
> por honrar y temer siempre a su señor
> quiso engrandecerla así el Creador.

Aún Castilla la Vieja, según mi entendimiento
mejor es que lo otro, pues que fue su cimiento
y conquistaron mucho con poco poblamiento;
así lo podéis ver en el acabamiento.

ANÓNIMO, 1250, *Poema de Fernán González*

Al imperio franco también le preocupaban los movimientos de la Península. El peligro cordobés empujó a Carlomagno a extender la actividad de sus tropas hacia la zona occidental de los Pirineos, si bien su empeño por imponer una administración carolingia en Pamplona tropezaría con la oposición de los caudillos indígenas. Entre los asaltantes islámicos y las ambiciones francesas surgía el reino de Navarra, que avanzaría por las tierras bajas de La Ribera y La Rioja, parapeto de las batidas cordobesas contra Álava y Castilla. A su vez en los Pirineos centrales se formaba el condado de Aragón que, al igual que Navarra, se sacudió con rapidez el gobierno carolingio. Durante el siglo IX los primeros condes nativos hicieron de Jaca su modesta capital e impulsaron la empresa repobladora procurando preservar su personalidad política de las acechanzas navarras. Finalmente, después de pasar a poder de Pamplona, Aragón se desembarazaría de la tutela de su vecino y conseguiría erigirse en reino a finales del siglo XI.

La presión carolingia hallaría mejor resultado en tierras catalanas. Allí, unidos al Imperio francés por las cadenas del feudalismo, brotaron cinco condados —Barcelona, Gerona, Ausona, Rosellón y Urgel-Cerdaña—, que constituyeron a lo largo de dos centurias la vanguardia defensiva del Estado creado por Carlomagno. Sin embargo, la falta de ayuda ante los ataques cordobeses y la oleada de guerras fratricidas que protagonizaron los nobles francos debilitaron la herencia del emperador en aquellos campos estratégicos. Tras los saqueos musulmanes del año

985, la idea de dependencia dejó de cuadrar en el balance de los condes de la Marca Hispánica, que romperían entonces los últimos lazos con el Imperio carolingio. Con el paso del tiempo, Barcelona conseguiría aglutinar aquel mosaico de condados y consolidar su liderazgo en Cataluña.

Atentos a las revueltas sociales y a las querellas intestinas que debilitan el orden musulmán, los dirigentes norteños programan su expansión tímidamente. Todavía son muy débiles para medirse cuerpo a cuerpo con las tropas cordobesas, pero ensayan la misma estrategia de razias en busca de botín y disponen de una red de castillos para vigilar los ajetreos árabes. Familias sin medios de subsistencia, aventureros en busca de fortuna o mozárabes puestos a salvo de la intolerancia islámica formarían las primeras partidas de campesinos al asalto de los campos del Duero, la cuenca de Aragón y las tierras de Vic. Eran guerreros y labradores obligados a viajar por hambre o falta de trabajo. Ellos dilataron los dominios de los primitivos reductos cristianos al apropiarse y cultivar los solares vacíos o defender los nuevos dominios de las incursiones del Goliat andalusí, que desplegaba acciones demoledoras en la delgada línea fronteriza que separaba ambos mundos.

A impulsos de la personalidad propia de cada reino y en sintonía con el discurrir político nacieron un conjunto de manifestaciones lingüísticas, espejo del mosaico peninsular. Desgajadas del latín brotan diversas lenguas romances que ocupan en la comunicación popular el espacio dejado por el idioma de la antigua Roma. Únicamente el gallego, el catalán y el castellano, a costa de la fusión con los dialectos vecinos y del progresivo desplazamiento del árabe, rebasan las barreras del tiempo, mientras el vascuence subsiste en los valles vascos y navarros. Destinado a avanzar al compás de la conquista como una bisagra lingüística y debido, sobre todo, a su fonética innovadora y capacidad expansiva, el castellano, «un latín mal hablado por norteños» traspasará las viejas fronteras medievales, embarcando a reyes, eruditos y poetas en un mismo sueño, capaz de cruzar océanos, aglutinar razas y culturas, hermanar pueblos y escribir en el Siglo de Oro una de las páginas más brillantes de la literatura universal.

> Hermanos en mi lengua, qué tesoro
> nuestra heredad —oh amor, oh poesía—,
> esta lengua que hablamos —oh belleza—.
>
> DÁMASO ALONSO, *Nuestra heredad*

Durante este tiempo de divorcio, la sociedad y la economía de León, Castilla, Navarra, Aragón o Cataluña viven atadas al terruño y la aldea. En los enclaves del norte, donde Roma había fracasado cuando quiso imponer su trama ciudadana, la fisonomía de las capitales apenas se distinguía de la de los poblados. Oviedo, León, Jaca, Astorga, Lugo, Pamplona, Gerona o Barcelona no podían compararse con ninguna ciudad de Al Andalus y apenas cumplían con su función de sedes solitarias de la corte y la jerarquía eclesiástica. Mientras Córdoba miraba a Oriente y la vida laboriosa del norte se apiñaba en los campos, mientras los palacios andalusíes bebían de las fuentes clásicas y sus dirigentes apadrinaban la reflexión y la libertad creadora, la cultura de la España cristiana volvía a la infancia, adormecida durante siglos en las manos de la Iglesia. Es en los monasterios donde se refugia el saber. Allí monjes letrados copiaban sobre pergamino textos bíblicos y reglas monacales y estudiaban los escritos de san Isidoro de Sevilla o los *Comentarios al Apocalipsis* de Beato de Liébana. El rígido control de la cultura que mantiene la jerarquía eclesiástica, limitándola exclusivamente al campo religioso, impidió que los destellos del patrimonio andalusí penetraran en los monasterios, centros de conservación más que de creación del saber. La Iglesia sería también el guardián de la memoria de la Hispania romana y visigoda, y proyectaría durante la Edad Media la imagen de una Península unida, baluarte fundamental del cristianismo, que era necesario rescatar del islam.

Aletargados en el mundo rural y la cultura eclesiástica, los reinos de la cruz, el arado y la espada no tuvieron más salida que una agresiva política de expansión hacia el sur, capaz de recomponer y acrecentar su patrimonio, el único garante de sus clientelas, como ya ocurriera en el pasado visigodo. La caída del califato el año 1031 abrió los caminos a su actividad conquistadora. Con la defunción del orden cordobés se inaugura el tiempo de la prosperidad cristiana, del lento y continuado avance de las milicias norteñas hacia el sur, de las órdenes militares, los aventureros o los mercenarios aguerridos, como el Cid, que sirven por igual a cristianos y a musulmanes hasta lograr amasar grandes fortunas y convertirse en señores de regiones enteras. Ellos fueron los primeros en descubrir que Dios y Alá eran las dos caras de una misma moneda.

> Por todas aquellas tierras pronto corrían mandados
> que el Cid y Campeador, allí se había asentado,
> que vino a tierra de moros, saliéndose de cristianos.
> Por aquellas vecindades ya no se cuidan los campos.
> Alegrándose va el Cid, también todos sus vasallos.
> El castillo de Alcocer ya va sus parias pagando.
>
> ANÓNIMO, 1207, *Poema del Mio Cid*

El camino del sur

A comienzos del siglo XI la España islámica naufraga. Al Andalus se va quedando viejo y en los campos de batalla la caballería pesada y las nuevas tácticas militares empleadas por los guerreros del norte arrancan a los juglares tristes poemas que hablan de derrotas acontecidas en noches de media luna. Cada taifa lucha ahora por la supervivencia o por ampliar sus dominios a costa del vecino y en muchas ocasiones los dirigentes árabes no dudan en recurrir a la ayuda cristiana para hacer realidad sus ambiciones. Atraídos por las riqueza de las cortes del sur, los monarcas del norte aprendieron en seguida a sacar partido de las disputas musulmanas. Entre los reinos de la cruz fue costumbre sellar alianzas militares con los gobernadores musulmanes, a los que en más de una ocasión protegieron del empuje de sus hermanos cristianos. A cambio obtenían el pago de las parias. El envío de grandes cantidades de monedas de oro andalusíes desbordaría las arcas de nobles y reyes durante buena parte del siglo XI.

Gracias al cobro de las parias, Sancho III el Mayor (1000-1035) hizo de Navarra el primer gran Estado cristiano. Justamente cuando el califato cordobés se estaba desmoronando, el monarca navarro se apoderó de Castilla y Aragón, ensanchó el reino a costa de León, en cuyos asuntos interviene, e incluso obtuvo el vasallaje del conde de Barcelona. Sin embargo, no hay hegemonía duradera ni fronteras inmutables en la España de la Edad Media. Durante siglos la concepción patrimonial de la monarquía, según la cual el reino puede ser dividido entre los hijos como si se tratase de un bien privado, lleva el germen de su desmembración. La quiebra de la unidad, a la muerte de Sancho III, junto con la guerra que se desencadenó después entre los caudillos cristianos por centímetros de tierra, dio aliento a los temerosos reinos hispanomusulmanes y resultó fatal para Navarra, encajonada por la tenaz resistencia de las poblaciones islámicas del Ebro y el afán expansionista de Castilla y Aragón.

Tras el amago inicial de Navarra, Castilla sacará provecho de su posición de vanguardia en las fronteras islámicas. Aquella tierra de llanos plomizos, castillos y lomas plateadas, estaba llamada, por su situación geográfica y potencial humano, a convertirse en la cabeza de los Estados cristianos de la península Ibérica. Fernando I, hijo de Sancho III el Mayor y primer rey de Castilla, extenderá su influencia a las taifas de Zaragoza, Badajoz, Sevilla y Toledo, que para evitar ser asaltadas por el monarca castellano aceptan el humillante régimen de parias. Las ricas tierras del Ebro y los impuestos que la taifa zaragozana enviaba anualmente a Fernando I en reconocimiento de su vasallaje convirtieron a los ejércitos castellanos en los principales guardianes de la barrera islámica del Ebro, contra la que se estrellarían una y otra vez las tropas navarras, catalanas y aragonesas. Si el asalto al sur se retrasó durante años se debió en parte al fabuloso negocio que suponía el cobro de las parias y a las querellas continuas que enfrentaban a los protagonistas cristianos. Los Estados del norte pactan y se alían con las taifas musulmanas según sus intereses territoriales, se unen y desunen bañados en la sangre de violentas sucesiones y en su avance hacia el sur se ven bloqueados por la necesidad de repoblar las tierras conquistadas, único método de dar consistencia a las nuevas adquisiciones.

Desde el siglo XI el Camino de Santiago actúa de cordón umbilical entre España y Europa, facilitando la entrada de las corrientes políticas y religiosas consolidadas al otro lado de los Pirineos. Lentamente se perfila la ruta jacobea o *camino francés*, que es el medio idóneo para la repoblación interna de los enclaves cristianos. No es de extrañar por tanto que todos los reyes impulsen la construcción de puentes y caminos y concedan exenciones fiscales a cuantos campesinos, artesanos o mercaderes se asientan en las villas surgidas a lo largo del trayecto. Consecuencia del lento peregrinar desde sus tierras de origen, gentes procedentes de Europa llegan para establecerse y trabajar en las urbes del Camino de Santiago y engrandecer unos reinos que las reciben con los brazos abiertos y les dan cobijo. Los extranjeros que se asientan en las pequeñas villas o recorren la ruta jacobea animarán el comercio del norte de la Península con Flandes, Francia e Inglaterra. Al expirar la centuria, el Camino se había convertido en un rico espacio de producción orientado al consumo de los visitantes y al intercambio entre los mercados de Córdoba y Europa.

> ... Oh muy digno y muy santo apóstol,
> dorada cabeza refulgente de Hispania;
> sé nuestro protector y natural patrono...
>
> BEATO DE LIÉBANA

Con los peregrinos discurrían también nuevas ideas, modernos lenguajes artísticos y cambios eclesiásticos que dejan su huella en los monasterios y en la vida de los habitantes norteños. Rápidamente los monjes de la abadía borgoñona de Cluny introducen en la Península las corrientes culturales procedentes de Europa. Fruto del poderoso influjo cluniacense, el románico más puro de inspiración francesa conquista los sueños de la arquitectura y estalla en los capiteles del monasterio de Silos o en la catedral de Santiago, delirio monumental donde el Apóstol vela el sueño eterno de la Historia.

En contraste con el robustecimiento cristiano, los musulmanes hispanos se replegaron asustados por la crisis general del mundo islámico. La renovación religiosa alentada desde Roma y Cluny alumbra el espíritu de cruzada en un momento en que el empuje demográfico del norte busca nuevos suelos donde acomodar la abundancia humana que se desparrama por la antigua *tierra de nadie*, entre el valle del Duero y la sierra de Guadarrama. Envalentonados con el avance de los ejércitos y las concesiones regias, la Iglesia y la nobleza presionan para hacerse con las mejores propiedades. Las pequeñas parcelas de los labradores son presa de los señores, que se apoderan de tierras y bienes comunales, demostrando por la fuerza la supremacía de la actividad guerrera y su aptitud para crear nuevas exacciones. Sólo allí donde la frontera estaba cercana, la guerra lograría retrasar el sometimiento de los más débiles. Obligados a viajar por la ambición de la nobleza y la Iglesia, las gentes del norte buscarían en los solares enclaustrados entre el valle del Duero y el Tajo, tierras desarboladas en el pasado por los continuos ataques de Badajoz y Toledo, una ilusión de vida y libertad. Alfonso VI sería quien abriera aquella puerta a la esperanza con la toma de la antigua capital goda.

Antes, sin embargo, Alfonso debería acceder al trono tras una sangrienta disputa con sus hermanos. La guerra fratricida comenzaba el año 1065, cuando la nueva partición de León y Castilla a la muerte de Fernando I enfrentaba a los herederos del monarca en los campos de batalla. Al final, y después del asesinato de su hermano Sancho II frente a las murallas de Zamora, Alfonso VI logró apaciguar el territorio y unir los estados paternos con la ayuda de su hermana Urraca, cuyo inconformismo ante la manera en que había dispuesto Fernando I el reparto del reino recreó con prodigalidad la épica juglaresca y el romancero.

> Mandastes las vuestras tierras / a quien se vos antojara...
> ¡y a mí, porque soy mujer, / dejaisme desheredada!
> Irme he yo de tierra en tierra / como una mujer errada;
> mi lindo cuerpo daría / a quien bien se me antojara,
> a los moros por dinero / y a los cristianos de gracia;
> de lo que ganar pudiere, / haré bien por vuestra alma.

Como ya hiciera su padre, Alfonso VI mantuvo fuertes lazos con los monjes de Cluny, quienes a cambio de donativos aportaron una aureola santa a la tarea de combatir musulmanes. Después de absorber las tierras al este del Ebro y extender su influencia a La Rioja, Álava, Vizcaya y Guipúzcoa, el monarca castellano-leonés volvió los ojos al sur. Era allí donde se hallaban las fuentes de riqueza, necesarias para mantener su preeminencia sobre la nobleza y la Iglesia, pagar sus ejércitos y superar al resto de monarquías cristianas. Toledo resultaba esencial en los nuevos planes, pero su conquista suponía perder los jugosos cargamentos de oro que aquella taifa enviaba a Castilla gracias a un vasallaje cada vez más vergonzoso. Antes de embarcarse en cualquier aventura, el monarca puso La Rioja y las comarcas del norte bajo la tutela de familias fieles. Animado por el éxito de la maniobra, Alfonso VI dejó las tierras portuguesas en manos de magnates adictos a su persona, poderosos linajes que actuaban como reyes sin corona y que, con el paso del tiempo, fomentarían sentimientos de rebeldía contra la monarquía castellana.

Una vez aseguradas las fronteras más frágiles, el monarca impuso a Alcadir un simulacro de negociación que abriría las puertas de la plaza toledana a los ejércitos castellano-leoneses. Alfonso VI se sentaría en el trono de Toledo y a cambio se comprometía a instalar al reyezuelo en Valencia, además de respetar a la población islámica que reconociera su autoridad. Al día siguiente, cuando los musulmanes se despertaron, sus posesiones y vidas pertenecían a un rey cristiano. Tras años de espiar los movimientos de un títere con corona e intervenir en los momentos clave de la azarosa vida política de aquel reino, Alfonso VI paseaba el año 1085 por el alcázar y convertía en realidad el viejo sueño de los monarcas leoneses. Allí respiraría los aires de cosmopolitismo y refinamiento cultural que habían hecho de la villa toledana uno de los centros eruditos más brillantes de la España musulmana de las taifas, asilo de poetas y sabios.

> Estaba puesta en la sublime cumbre
> del monte, y desde allí por él sembrada
> aquella ilustre y clara pesadumbre,
> de antiguos edificios adornada.

De allí con agradable mansedumbre
al Tajo va siguiendo su jornada
y regando los campos y arboledas
con artificio de las altas ruedas.

GARCILASO DE LA VEGA, *Égloga tercera*

La caída de Toledo, la mayor ciudad existente en el campo cristiano, estimuló las pretensión alfonsina de convertir Castilla en la cabeza de los reinos peninsulares. Por de pronto Alfonso VI se proclama *imperator totius Hispaniae,* y hasta los intelectuales y burócratas islámicos aceptan tal situación, asignándole la dignidad de *emperador de las dos religiones.* Al avance castellano se suma Aragón, que absorbe el reino de Navarra, conquista Barbastro, proyecta su expansión hacia el valle del Ebro y toma Cuenca. Es el ocaso definitivo de Navarra pues, aunque vuelva a recuperar su independencia en el siglo siguiente, siempre se verá apresada entre las dos superpotencias vecinas.

Concluido el asalto a Toledo, Alfonso VI incorporó a los dominios castellano-leoneses la extensa zona situada entre el Duero y el Tajo. Campesinos de las comarcas norteñas, caballeros y clérigos procedentes de Europa, que se acercaban a Santiago, perseguían la vinculación de la Iglesia hispana a Roma o llegaban atraídos por la abundancia de botín, el afán de combatir al infiel o el deseo de aventuras, repueblan la región. Todos son bienvenidos con tal de que se comprometan a establecerse en aquellas tierras al menos durante un año. Todos gozan de exenciones fiscales que compensan la amenaza existente al otro lado de la frontera, siempre borrosa e inestable. Muy pronto, los señores que disponían de caballo y espada, curtidos en el oficio de la guerra, afirmarán su hegemonía y se reservarán en exclusiva el gobierno de los municipios, recortando los derechos del labrador, que se ve obligado a engrasar con su sudor los ejes de una sociedad feudal.

La mejor batalla

No contento con la toma de Toledo, Alfonso VI acosa Murcia y envía lugartenientes a las taifas de Sevilla, Granada, Badajoz, Valencia y Zaragoza con ánimo de tenerlas bajo su control. Agobiados por el empuje cristiano, los reinos de taifas confiarían su salvación a los almorávides, tribus camelleras del Sahara que habían cocinado su imperio en el norte de África. El último día de junio de 1086, ante las peticiones de socorro que recibía el emir almorávide Yusuf, los ejércitos norteafricanos desembarcan en Algeciras, bajan los humos de los ejércitos cristianos y toman las riendas de la España musulmana. Granada, Córdoba, Badajoz, Zaragoza... son engullidos por el imperio norteafricano, que depone a los reyezuelos hispanomusulmanes y reconstruye la unidad de Al Andalus.

En las aguas revueltas de Toledo, la resurrección del peligro musulmán rompió el latido de la convivencia. Entre la espada de la conversión forzosa y el exilio, muchos creyentes de Alá abandonan la ciudad. El éxodo de muchedumbres islámicas con la ilusión de un regreso victorioso empujó a Alfonso VI a convertir la mezquita toledana en catedral, proporcionando una bandera a las tropas cristianas que defendían la ciudad. Una vez restaurada, Roma se volcaría en la diócesis toledana y reconocería su primacía sobre todos los obispos de España, como había ocurrido en el pasado. Mientras tanto, la cabalgada almorávide obligaba a las mesnadas cristianas a multiplicarse para proteger la vieja urbe, salvada a duras penas de la brillante ofensiva musulmana. Pudo aguantar Alfonso VI los zarpazos almorávides, pero las derrotas militares, la muerte de Sancho Alfónsez, heredero al trono de Castilla, en el campo de batalla y la rebeldía de Portugal convirtieron sus ambiciones en una pesadilla de sangre y lágrimas.

Al tiempo que el engranaje político construido por el monarca castellano se venía abajo, la nueva moral impuesta desde las mezquitas atizaba las brasas de la persecución religiosa por todo Al Andalus. Desde un primer momento, los dirigentes norteafricanos, caldeados en la más dura ortodoxia islámica, reprochan a los jefes hispanomusulmanes su escaso celo religioso y su tolerancia hacia cristianos y judíos. Son años de intransigencia y cacerías humanas, alentadas por los dictámenes de alfaquíes, que exigen la destrucción de iglesias y defienden una lectura integrista del islam frente a los filósofos. Miles de cristianos son deportados como esclavos a Marruecos y muchos otros se ven obligados a emigrar para salvar la vida. Los cantos del almuecín se llevan ahora el último aliento de aquellas culturas urbanas donde se mezclaba el refinamiento, la libertad de pensar, la poesía y una interpretación laxa del Corán. Poco a poco, sin embargo, la estrella almorávide se marchita. La inestabilidad de su imperio al otro lado del Estrecho y las tensiones con la población hispanomusulmana, que despreciaba su rudeza, los dejarían solos ante la recuperación de los ejércitos cristianos, encabezada por las campañas del rey navarro-aragonés Alfonso I el Batallador.

En 1109 la muerte de Alfonso VI había trasladado la supremacía en el campo cristiano al reino de Aragón. Por un momento Alfonso el Batallador, que se había casado con la hija del finado, Urraca, amasó la ilusión de tomar las riendas de Castilla y reconstruir bajo su autoridad la unidad de la mayor parte de la vieja Hispania romana. Pero los problemas de alcoba y la guerra civil desatada por la nobleza castellana, reacia a los planes del rey navarro-aragonés, hicieron naufragar sus propósitos. Una vez abandonadas sus aspiraciones respecto al reino vecino, el monarca navarro-aragonés desviaría sus intereses al valle del Ebro. La conquista de Zaragoza reflejó la fuerza del reino de Aragón, capaz de repoblar el valle del Ebro o plantarse a las puertas de Granada y Córdoba. Con su atrevida expedición militar por el corazón de Al Andalus, Alfonso el Batallador dejaba entrever los primeros síntomas del cansancio almorávide. No obstante, Aragón conservaría por poco tiempo la delantera en el avance cristiano. El fallecimiento del Batallador el año 1134 y la apertura de su sorprendente testamento, que otorgaba sus dominios a las órdenes militares, rehicieron el panorama de los estados peninsulares. Navarra se independiza; Alfonso VII se consolida en el trono castellano; el matrimonio entre Petronila, heredera del reino de Aragón, y Ramón Berenguer IV, conde de Barcelona, alumbra la Corona de Aragón, y Portugal se desgaja del tronco castellanoleonés, formando un nuevo reino que tallará su propia zona de expansión en la zona atlántica.

> Tierra de pan y vino
> (vendrán la sed y el hambre cuando el Hado
> con espuma del mar trace el camino
> por el que uno camina desdoblado)
> tierra desnuda y de tamaño tal
> que albergó juntos Viejo Mundo y Nuevo...
> que da cobijo a España y Portugal
> y a la alada locura de su pueblo.
>
> MIGUEL TORGA, *Poemas ibéricos*

En seguida, Alfonso VII devolvería a Castilla la hegemonía política de la Península. Navarra, Aragón y Zaragoza rinden vasallaje al monarca castellano-leonés, que se proclama *emperador de toda España*, como había hecho su abuelo en el pasado. Su aventura por tierras del Tajo y Andalucía inaugura el crepúsculo almorávide y la aparición de las segundas taifas, de características similares a sus predecesoras y tan poco capaces como ellas de enfrentarse al poder creciente de los reinos cristianos. El año 1147 caía en manos de Alfonso VII Almería, joya del comercio hispanomusulmán en el Mediterráneo y llave de la estabilidad de todo el Levante frente a los almohades, nuevo peligro norteafricano. La campaña de Almería fue la mayor operación militar realizada en el siglo XII. Naves de las repúblicas de Génova y Pisa, tropas aragonesas y navarras se unieron a los ejércitos de Alfonso VII para hacerse con el dominio de aquella plaza. Pronto la Corona de Aragón y Portugal se interesan por los despojos musulmanes. Los ejércitos lusos toman Lisboa y Ramón Berenguer IV abre la ruta del Ebro entre Aragón y Cataluña con la ocupación de Tortosa y Lérida, redondeando así las conquistas logradas años antes por Alfonso I.

Frente a la amenaza cristiana, las nuevas taifas se vieron en el dilema de someterse a los señores del norte bajo un asfixiante régimen de parias o solicitar ayuda de aquellos vecinos africanos que detestaban. Eligieron la segunda opción y los almohades, montañeses del Atlas que habían desmantelado en África el imperio almorávide, pusieron el pie en Tarifa. Al principio parecía que esta opción era la acertada. Los almohades vencieron la resistencia de la población andalusí, sometieron las taifas almorávides y arrancaron a Castilla la conquista almeriense en 1157. Ese mismo año moría Alfonso VII, cuando cabizbajo y con la ilusión herida encabezaba la retirada de sus ejércitos.

Tras la muerte de Alfonso VII y la nueva separación de Castilla y León languidecía la idea de unidad de los reinos del norte frente al islam. Los viejos rencores, sólo dormidos durante el reinado de Alfonso VII, despiertan y las milicias cristianas se pasan la vida en los campos de batalla, arrancándose las conquistas unos a otros. Leoneses y castellanos luchan por el dominio de la Tierra de Campos; los reyes de Castilla y Aragón pelean por el control de Navarra, que basculará entre unos y otros para salvaguardar su independencia, y las tropas leonesas, portuguesas y castellanas se enzarzan en el cíclico juego de la guerra en las Extremaduras, entre el río Duero y el Sistema Central.

Las diferencias entre los reinos cristianos beneficiaron a los ejércitos norteafricanos, que contaron con la neutralidad castellana en sus ataques a León y con el respaldo leonés para saquear Portugal y Castilla. Imágenes de fortalezas asaltadas se funden con las noticias que llegan de Jerusalén, donde los ejércitos musulmanes golpean a los cruzados europeos, que abandonan la ciudad el año 1187. El asalto almohade se estrelló, no obstante, contra la resistencia de las órdenes militares, que actuarían de dique de contención de la marea norteafricana.

Al consumirse la centuria, las columnas del imperio almohade parecían bastante sólidas. Sevilla, capital de Al Andalus durante estos años de dominio norteafricano, fue embellecida con la mezquita, cuyo alminar vigilaría desde las alturas todos los sueños de la ciudad. Los estudios filosóficos, ahogados por la marea almorávide, también obtienen su recompensa y reverdecen con la obra del cordobés Averroes, que traducida al latín llevará el embrión del pensamiento aristotélico a toda Europa. Pero la libertad de pensamiento auspiciada por los califas norteafricanos no se prolongaría demasiado en el tiempo. En plena guerra contra los reinos cristianos del norte, los dirigentes almohades creyeron oportuno congraciarse con los alfaquíes, quienes al frente de una nueva ofensiva integrista minan el camino de las enseñanzas filosóficas y eclipsan los últimos destellos de la cultura andalusí. Averroes es desterrado y sus obras se prohíben y se queman entre espirales de humo e intolerancia. El filósofo cordobés moriría en Marruecos mientras sus discípulos salvaban de las llamas los monumentos escritos que santo Tomás de Aquino estudiaría y comentaría cincuenta años después. Desde Sevilla la ola de intolerancia sumerge Al Andalus bajo el terror de las persecuciones religiosas. Miles de mozárabes buscan refugio en el norte y dan aliento a las monarquías cristianas en una época de crisis demográfica y falta de brazos. Tampoco los judíos permanecieron a salvo del acoso almohade. No fueron pocos los que recorrieron el triste camino del exilio para escapar del dilema muerte o conversión predicado desde las mezquitas. Muchos emigrarían al norte, donde dieron a conocer su herencia cultural musulmana, tanto en el campo de la filosofía como en el de la ciencia o la técnica.

Frenadas por los ejércitos almohades en el campo de batalla, las fuerzas cristianas contemplan ahora las urbes musulmanas como fortalezas inexpugnables que hacen pensar en el parón forzoso de la expansión hacia el sur y debilitan las monarquías. A causa del malestar de la nobleza, los reyes van a depender cada vez más de las riquezas que el comercio atesora en las ciudades y buscarán en éstas un aliado para poner freno a las demandas nobiliarias. Los burgos atenderán gentilmente a las peticiones reales, pero a cambio exigirán contar con representantes en los órganos consultivos, dando lugar a las primeras Cortes europeas. La asamblea celebrada en León en 1188 será la predecesora de todas ellas, aunque la institución no cuajará en los reinos peninsulares hasta el siglo XIII, cuando se produzca una asistencia regular de procuradores urbanos con capacidad para discutir con la monarquía.

La nueva centuria traería además nuevos campos de batalla. Había llegado la hora de la unidad frente al *enemigo común islámico*, abanderada en todos los rincones de la cristiandad por el papa Inocencio III y el arzobispo de Toledo, Rodrigo Jiménez Rada, cuya obra *De Rebus Hispaniae* transpira nostalgia de la España goda sin fronteras. En la Europa de la guerra contra el islam, teñida de intolerancia y hogueras, cientos de aventureros y mercenarios aceptaron con entusiasmo el reto de la cruzada hispánica. La alianza entre los reinos del norte hallaría su recompensa el año 1212 en las Navas de Tolosa, cerca de Despeñaperros, donde guerreros venidos del otro lado de los Pirineos, y soldados de las tierras de Castilla, Navarra y Aragón enterraban para siempre la amenaza almohade.

El mapa perdido

El colapso musulmán abrió paso a la más fabulosa expansión territorial de los reinos cristianos. Las conquistas llevadas a cabo por los monarcas cristianos durante el siglo XIII pondrían en manos de la aristocracia amplios latifundios en Andalucía y Levante, señalarían el ocaso definitivo del mundo islámico en la Península y perfilarían definitivamente los dos actores principales de la historia medieval española: Castilla y Aragón. Castilla fundida a León en una sola corona tras la investidura de Fernando III, y ampliada con los territorios vascongados de Álava, Guipúzcoa y el señorío de Vizcaya, se compromete a cumplir el sueño asturleonés de recomponer la *antigua unidad perdida*, incorporando las nuevas conquistas como una parte más de sí misma. Por el contrario, la Corona aragonesa jamás conseguiría eliminar las fronteras internas que, a causa de los antagonismos de sus oligarquías, separaban a catalanes, aragoneses y valencianos.

Culminada con la toma de Sevilla en 1248, la conquista de Andalucía por Fernando III convirtió la Corona de Castilla en dueña de un vasto territorio, superior al de todos los otros estados peninsulares juntos, que años más tarde Alfonso X declararía indivisible. Mientras tanto, Jaime I remataba la construcción de la Corona aragonesa con el asalto a Mallorca y la ocupación de Valencia. Al tomar la taifa valenciana, el monarca cerraba el capítulo de las conquistas catalanoaragonesas en la Península, ratificado el año 1244 por el Tratado de Almizra, que marcaba los límites de expansión de cada monarquía y dejaba el reino de Murcia dentro de la órbita castellana. Veintidós años después, Alfonso X ocupaba la plaza murciana, amenazando la soledad del reino nazarí de Granada. Fernando III el Santo, Alfonso X el Sabio y Jaime I el Conquistador ultimaron prácticamente la conquista de la Península pudiéndose dedicar a una labor organizativa y legisladora capital para la construcción del Estado y el desarrollo de la economía en el ocaso de la Edad Media.

Empujada por el comercio y dueña de las Baleares, la Corona de Aragón buscará en adelante la expansión mediterránea, aventura imperialista heredada luego por la monarquía española. Castilla, debilitada por la crisis demográfica y las querellas intestinas, tendrá que esperar antes de embarcarse en nuevas empresas. De ahí la pervivencia del reino nazarí de Granada, cuyo paso por la historia de España quedaría reflejado en la canción de agua labrada de la Alhambra.

El avance hacia Andalucía, Valencia y Murcia introdujo en las sociedades cristianas una gran diversidad étnico-religiosa, sustrato de no pocos conflictos sociales y culturales en el futuro. Fernando III y Jaime I permitieron a través de capitulaciones que una parte de los musulmanes permaneciera en los territorios recién adquiridos. No se trataba de un rasgo de magnanimidad y tolerancia por parte de los monarcas norteños, sino del reconocimiento de su incapacidad para sustituir la población musulmana por otra cristiana o de explotar los nuevos territorios sin la ayuda de los hombres y mujeres islámicos. Los vencedores hubieron de transigir, pues, con los viejos habitantes, respetando su cultura a cambio del sometimiento y el pago de una cantidad de dinero.

Dedicados sobre todo a la artesanía o al campo, los mudéjares —musulmanes bajo dominio cristiano— constituyeron una parte importante de la fuerza de trabajo de Castilla y Aragón. Vivían en morerías, barrios situados extramuros de la ciudad, y conservaron su religión y sus costumbres sin excesivos roces, aunque la pesada carga tributaria y las vejaciones que debieron soportar fueron origen de peleas y disturbios. En 1264 los abusos cometidos por los vencedores en Andalucía agotaron la paciencia de los mudéjares de aquellas tierras recién conquistadas lanzándolos a una sublevación sangrienta e inútil. Tras dos largos años de luchas y no pocas penalidades, Alfonso X conseguiría ahogar las esperanzas de la comunidad musulmana y decretaría su expulsión de Andalucía. Derrotados, algunos buscarían refugio en el reino de Granada; otros aceptarían desperdigarse por Castilla, despidiéndose así de los campos que habían labrado con su esfuerzo. Su marcha haría escasear la mano de obra en Andalucía y contribuiría a propagar el latifundismo en los campos del sur. Al margen de estas sombras de violencia, los campesinos mudéjares lograrían conservar su religión en la España cristiana hasta que en el ocaso de la Edad Media el cardenal Cisneros plantara la mala hierba de las conversiones forzosas.

La otra minoría, la población judía, no correría mejor suerte. Los hebreos vivían en las ciudades, en barrios apartados, las juderías; debían vestir y peinarse de forma que no se los confundiera con sus vecinos cristianos; tenían prohibido celebrar sus ritos en público, y desempeñaban profesiones muy variadas, pero destacaban los expertos en el mundo de las finanzas. Durante centurias habían hecho valer su oficio de intermediarios entre los enclaves cristianos del norte y los reinos musulmanes en el ámbito del comercio y la cultura, y su gran preparación les procuró un papel protagonista en la burocracia financiera de los estados y las labores de traducción. Sin embargo, la animadversión contra los prestamistas y recaudadores de impuestos, oficios desempeñados por judíos, extendería el odio popular contra toda la comunidad. Poco a poco, en consonancia con la negra noche que empezaba a cubrir Europa, fue creciendo la hostilidad de las masas populares hacia los hebreos, excitadas por predicadores fanáticos y leyendas sobre rituales celebrados para infamar la religión cristiana. No obstante, la población semita disfrutaría de la protección de los reyes, necesitados de su dinero y habilidades administrativas, durante todo el siglo XIII. Aquélla debió de ser una Edad del Oro en comparación con las desventuras que les reservaban los siglos XIV y XV.

Pese a la discriminación que padecen las minorías, la coexistencia de musulmanes, cristianos y judíos supuso un rico trasvase de elementos culturales entre estos grupos. Los monarcas castellanos y aragoneses permitieron el diálogo de las tres culturas manteniéndose el prestigio de las formas estéticas y de vida árabes. Toledo apresaría este torrente de intercambios gracias al desarrollo de la Escuela de Traductores, fundada a comienzos del siglo XII y consagrada bajo el mecenazgo de Alfonso X el Sabio. Las concurridas estancias del ateneo toledano fueron la meta de monjes e intelectuales europeos, que llegaban a la ciudad hechizados por el señuelo de los tratados filosóficos de la Antigüedad y los estudios científicos árabes, pero sobre todo por el enorme legado cultural de Aristóteles. Allí descubrieron las obras de los sabios musulmanes y de los griegos, hindúes o persas, traducidos previamente al árabe, al latín, y, en tiempos de Alfonso X, al castellano. Tal era el prestigio de Toledo en los círculos de la intelectualidad europea que allí podían escucharse las lecciones de los más sabios filósofos del mundo.

Al ritmo de las grandes conquistas tuvo lugar una importante revisión del sistema cultural cristiano. Las nuevas escuelas no se concentran ya sólo en las catedrales o los monasterios y los estudiantes se desplazan de un lugar a otro en busca del saber de los grandes maestros. Con el tiempo, los cambios sociales agrietaron el monopolio docente de la Iglesia y las viejas escuelas monacales y catedralicias dieron paso a corporaciones novedosas, llamadas Estudios Generales y luego Universidades. La más antigua fue la de Palencia, muy pronto eclipsada por el esplendor de la universidad de Salamanca (1218), puerto de estudiantes peninsulares y extranjeros que acudían a la ciudad del Tormes atraídos por el conocimiento que sólo sus aulas podían proporcionarles. A las primeras escuelas universitarias se sumó en seguida Valladolid y, en la centuria siguiente, las universidades de Lérida y Huesca. Simultáneamente el estilo gótico sedujo la imaginación de los arquitectos hispanos y decoró con singular belleza las catedrales de Burgos o León.

Entretanto, los juglares, a veces poetas y músicos, a veces actores, danzantes o saltimbanquis, recitaban en las calles y plazas o en los salones de los castillos las hazañas de los antepasados, epopeyas al estilo del *Poema del Mio Cid,* que evoca las hazañas de Rodrigo Díaz de Vivar en la polvorienta estepa castellana del siglo XI. Las lenguas romances irrumpen ahora en el ámbito de la creación. El castellano obtiene su reconocimiento en la obra poética de Gonzalo de Berceo o de intelectuales como Alfonso X, que reúne todo el saber de la época en el idioma hablado por sus súbditos y redacta obras jurídicas, las *Siete Partidas*, o historiográficas, *Crónica general de España*, relato que revienta el corsé de las barreras regionales y describe una España idealizada, de raíces múltiples, bañada por la sabia de romanos, visigodos, cristianos y árabes. Al unísono, el gallego se convierte en la lengua poética por excelencia y su vitalidad queda patente cuando Alfonso X escribe las *Cantigas,* su obra lírica. Y si Castilla goza con la poesía del monarca, la literatura catalana vislumbraría su Siglo de Oro en la crónica escrita por Jaime I o en las meditaciones filosóficas del políglota Ramon Llull, que al recuperar la obra del murciano Ben Arabi tiende puentes entre la mística islámica y la cristiana de san Juan de la Cruz y Teresa de Jesús en el siglo XVI. Como los acordes de una música enterrada, con la esperanza que sobrevive en el verso para salvarse, lo que originariamente se concibió en árabe, pronto se alimentaría en catalán para desbordarse luego en la inspiración de unos carmelitas castellanos, por cuyas venas corría sangre hebrea. De esta forma, cuando a finales del siglo XV los guardianes de la pureza cultural desenvainen la espada de la intolerancia, el cántico universal de los poetas rescatará la fuerza aglutinadora y mestiza de lo hispano.

Arados y merinos

Después de que las grandes conquistas del siglo XIII permitieron dejar de pensar sólo en la guerra, la ganadería pasó a ocupar la mente y los brazos de los hombres del medievo. Sin el agobio de la pelea, ovejas, cabras, caballos y cerdos podían ser trasladados de los pastos al interior de los castillos. Los rebaños empujaron a los grandes concejos a sacar partido de sus términos municipales, en una época de mano de obra escasa, que hacía impensable roturaciones, a gran escala, del campo. Visto el éxito de la ganadería, los nobles y los monasterios lucharon por adueñarse del negocio y, con los intereses concentrados en la libre circulación de sus rebaños o el arriendo de los pastos a otros ganaderos, arrebataron a las comunidades campesinas los ricos prados comunales. Así ocurriría en el sur de la Península, donde las órdenes militares, el arzobispado de Toledo y los magnates compiten por hacerse con los mejores pastizales en los repartos de la Corona.

Pronto la ganadería se organizó y surgieron pequeñas asociaciones locales de pastores, que el año 1273 unificó Alfonso X en la Mesta. Con el tiempo los privilegios acumulados por el nuevo organismo convirtieron las cañadas en las vías de comunicación más importantes del reino y favorecieron el comercio de la lana, abriendo el camino a una exportación de gran calado, dirigida sobre todo a los centros consumidores de Inglaterra y Flandes. El enorme interés de la monarquía por los rebaños, los arriendos a bajo precio de los pastos o la prohibición de la labranza en los comunales noquearían la agricultura, empantanada de por sí en técnicas y aperos de labranza que recordaban en exceso a los patentados por el campesinado romano.

> ¡Castilla, España de los largos ríos
> que el mar no ha visto y corre hacia los mares;
> Castilla de los páramos sombríos,

Castilla de los negros encinares!
Labriegos trasmarinos y pastores
trashumantes —arados y merinos—,
labriegos con talante de señores,
pastores del color de los caminos.

ANTONIO MACHADO, *Desde mi rincón*

A mediados del siglo XIII los reinos cristianos se asoman a la economía de las ciudades. Lentamente el Camino de Santiago perdió su afortunada posición en beneficio de las rutas transversales que unían el norte y el sur. En la región meseteña, siglos atrás despoblada, las ferias de Burgos, Valladolid o Medina del Campo conjugan pronto sus desvelos económicos con las villas fundadas en la costa del Cantábrico y la savia mercantil y artesanal de Sevilla, Córdoba y otras ciudades recién arrancadas a los musulmanes. Mientras tanto, en la Corona de Aragón, las urbes de Barcelona y Valencia celebran su esplendor comercial y la aventura expansionista por las islas del Mare Nostrum. Al expirar la centuria, las actividades comerciales de los reinos hispanos esbozarían los grandes ejes que sustentarán la economía peninsular del tiempo venidero: las urbes de Barcelona, Valencia, Sevilla y la ruta que enlaza Burgos con los puertos adolescentes del Cantábrico.

Férreos guardianes de sus intereses, los comerciantes de Barcelona explotaron la veta de la expansión catalanoaragonesa en el Mediterráneo. La conquista de Mallorca y Menorca por Jaime I de Aragón animó la aventura de los mercaderes y armadores catalanes por las aguas mediterráneas y abrió seguras vías a la posterior expansión en Sicilia y Cerdeña, causante de los enfrentamientos con las ciudades de Pisa y Génova. A finales del siglo XIII Barcelona logró introducir una cuña en los intercambios comerciales que las repúblicas italianas mantenían con Asia. Hacia los puertos de Oriente, los mercaderes catalanes enviaban paños, miel, vidrio, artículos de lujo y de allí traían cueros, tintes, esclavos, perfumes y especias que luego revendían con sustanciosas ganancias en Italia, África o Europa. Los malos tiempos llegarían en el siglo XV, cuando la guerra civil catalana marchitara la estrella de su dominio marítimo.

Sevilla también gozó de fama en el tráfico de mercancías, anticipando la brillante empresa comercial que dirigirá en los siglos posteriores. La ciudad del Guadalquivir es ahora una colonia de florentinos, venecianos y genoveses, que habían establecido sus sedes en los puertos por los que Castilla se proyectaba al Mediterráneo. Mientras tanto, las villas del Cantábrico nacían al calor de la irrupción de la Corona en los circuitos comerciales de la Europa atlántica. Por Laredo, Santander, Castro Urdiales, San Sebastián, Bilbao... la Castilla agraria y ganadera lanzaba a Europa sus excedentes de materias primas. En las panzudas bodegas de sus navíos, los marinos del norte transportaban las remesas de lana, hierro, aceite o vino hacia los puertos de la fachada atlántica europea y de allí regresaban con las naves cargadas de armas, paños, ámbar báltico y pequeños retablos de estilo flamenco o abundantes figuras de alabastro de procedencia inglesa.

Aun cuando las ciudades recuperan en la Baja Edad Media el latido artesanal y mercantil, la economía de los reinos hispanos no cambiaría de rumbo ni las costumbres de la población se despegarían del mundo agrario. Los campos y los ganados seguirían siendo el gran patrimonio de una sociedad esclava de la tierra y sujeta a la voracidad de la nobleza y la Iglesia.

> Conmigo vais, campos de Soria,
> tardes tranquilas, montes de violeta,
> alamedas del río, verde sueño
> del suelo gris y de la parda tierra,
> agria melancolía...
>
> ANTONIO MACHADO

Concluida la época de las grandes conquistas, la escasez de botines empujó a los reyes a buscar en las ciudades su fuente de ingresos y hacer concesiones a las Cortes, que en los casos más flagrantes de debilidad de la Corona impusieron la teoría del pacto entre el rey y sus súbditos, obligando al monarca a gobernar con el consentimiento de la asamblea. Durante el siglo XIV, los parlamentos medievales descubrirían en toda su crudeza cómo las conquistas políticas alcanzadas venían acompañadas por el sometimiento de los más débiles y el monopolio, en los gobiernos municipales, de los caballeros, que siempre confundieron el bien común con sus propios intereses. Las Cortes medievales participaron también en los progresos de unificación peninsular. En la Corona de Castilla, la tendencia a la fusión dio un gran paso cuando el año 1325 Alfonso XI unió en una sola asamblea a los representantes castellanos y leoneses. Una verdadera cohesión necesitaba cuanto antes la unidad parlamentaria. Con la ayuda de un derecho común sobre la base de las *Siete Partidas* de Alfonso X y el envío de corregidores —agentes que representaban la autoridad del rey— a las ciudades se terminaba de escribir un episodio sobresaliente de la historia de la integración española. Mientras tanto, la Corona de Aragón continuaba presa de unas elites divididas y enfrentadas, que harían de la alianza del comercio y las instituciones del pasado la mejor trinchera contra cualquier cambio.

Al estrenar el siglo XIV llegaron a la península Ibérica los males que atenazaban a Europa. Las coronas de Castilla y Aragón no pudieron desterrar de sus reinos las epidemias ni las embestidas de las malas cosechas. Los problemas de abastecimiento mermaron la población española, castigaron los estómagos de las clases populares, muy afligidas en sus bolsillos por la presión fiscal, y desangraron el campo y la cabaña. Con el fondo sombrío del hambre, la peste bubónica, importada en barco de

Europa, ponía el pie en las Baleares el año 1348 y se extendía a través de las rutas comerciales que llevaban a Castilla. Como si el negro abrazo de la peste no fuera desgracia suficiente, los intereses económicos y territoriales arrastraron los reinos hispanos a los campos de batalla, prolongando las penas de los españoles durante años. Las guerras entre Castilla y Aragón (1356-1365) y la contienda civil castellana (1365-1369) convirtieron la Península en un escenario más de la guerra europea de los Cien Años y afianzaron la preponderancia nobiliaria en ambos reinos.

Pedro el Ceremonioso de Aragón tuvo que ceder a las presiones de las Cortes cuando las ofensivas castellanas revelaron el peligro de la invasión. Ante las incursiones de los ejércitos vecinos por tierras aragonesas, los catalanes lograrían arrancarle la creación de la Diputación General de Cataluña, organismo encargado de recaudar los impuestos y controlar su gasto. Una y otra vez las deudas reales y la expansión mediterránea obligarían a la Corona a depender de las Cortes, fiel espejo de los intereses de las ciudades. En Castilla, mientras tanto, el asesinato de Pedro I el Cruel puso fin al conflicto armado y aupó al trono a su hermanastro Enrique de Trastámara. Después de pagar con enormes privilegios a quienes le habían ayudado en la conquista del cetro real, el rey trataría de alejar a la nobleza del gobierno mediante concesiones generosas. Pero con el triunfo militar llegaron nuevas amenazas. La invasión de tropas inglesas al servicio del duque de Lancaster y el empuje de los ejércitos portugueses, viejos aliados del finado, obligaron a Enrique y a su sucesor, Juan I, a conceder nuevas mercedes a los más poderosos, que en breve domarían las Cortes y evitarían la consolidación de cualquier poder ajeno al conjunto de la nobleza.

Entre batalla y batalla, las disputas de los reinos más poderosos de la Península quebraron también los débiles cimientos que sustentaban la convivencia entre cristianos y judíos. Los agobios económicos y los males de la guerra convirtieron la comunidad hebrea, cuyos máximos representantes habían llevado las riendas de la administración de Pedro el Cruel, en el chivo expiatorio de una época de epidemias y miseria. En consonancia con el sentimiento que recorría Europa, el problema desembocó en los terribles estragos de Sevilla de 1391, donde una marea de gente caldeada en el odio arrasó las aljamas de la ciudad. Un tiempo de persecuciones se abate sobre la población hebrea y lleva a una oleada de matanzas y abordajes a juderías en toda España con la estela de las conversiones en masa. Las persecuciones provocaron también el éxodo judío de las ciudades más peligrosas, dejando maltrechos la artesanía y el comercio.

El cambio de centuria no apaciguaría el panorama político. A lo largo del siglo XV los reinos peninsulares se tambalearon en los campos de batalla, envueltos en crisis dinásticas, guerras civiles, tensiones entre la monarquía y la nobleza, luchas nobiliarias o intervenciones políticas y militares en los reinos vecinos. En medio de aquel mundo turbulento y confuso, la idea de unión entre los dos reinos más fuertes de la Península parece abrirse paso cuando Martín I de Aragón fallece sin herederos y, en el compromiso de Caspe (1412), una comisión de electores entrega la Corona a Fernando de Antequera, nieto de Pedro el Ceremonioso y regente de Castilla. Firme en el trono, el de Antequera reforzó los vínculos de castellanos y aragoneses al consolidar el poder de los Trastámara en Aragón y, al mismo tiempo, intrigar en la corte castellana para colocar a sus hijos en el trono. El viejo proyecto habría de esperar, sin embargo, a 1469, año en que Isabel de Castilla y Fernando de Aragón, primos entre sí, prefiguran con su matrimonio la monarquía hispana. Incluso entonces la unión dinástica tardaría en hacerse realidad, ya que Isabel debería vencer las resistencias dentro de su corte. La futura reina de Castilla sólo conquistaría la Corona tras una cruenta guerra civil que arrastraría a los campos de batalla a sus partidarios y a los defensores de su sobrina Juana la Beltraneja, apoyada también por los ejércitos portugueses.

Hallazgo de América

En 1479, Fernando accedía al trono aragonés. Un año más tarde los ejércitos de Isabel lograban imponer la paz a Portugal y asfixiaban las esperanzas de Juana. Era la hora de la unión, de reforzar los lazos entre los dos grandes territorios peninsulares. Fernando de Aragón e Isabel de Castilla superaban al fin el desgarramiento de sus dominios. Por el momento la unidad es frágil. Tiene un mero carácter dinástico y patrimonial, pero con la previsión de compartir un monarca común en el futuro. La España nacida ahora es una ilusión arraigada todavía en la tradición medieval, un proyecto inmaduro que no podrá evitar las constantes recaídas ocasionadas por la desigualdad de ambas coronas, con los poderosos de cada reino a la defensiva.

Aragón y Castilla mantienen instituciones, aduanas o monedas separadas y conservan su identidad y normas jurídicas. No obstante, la voluntad real de caminar más allá de la unión personal quedaría reflejada en la política exterior de las dos Coronas y la decisión de trasvasar recursos de una a otra. Frente a la dividida y exhausta Corona aragonesa, que había visto cómo el ánimo de los monarcas se diluía al no poder dominar a la nobleza, Castilla —desde las tierras gallegas o vizcaínas a los campos andaluces— redondeaba en estos años su éxito en la lucha contra la aristocracia y ofrecía una imagen de unidad, robustecida con su pujanza demográfica y sus buenas expectativas económicas. De ahí que la política de los Reyes Católicos, título otorgado por el papa valenciano Alejandro VI, se diseñara en la Meseta, aunque sin descuidar en ningún momento los objetivos de sus socios catalanoaragoneses.

Una vez afianzada la paz, Isabel y Fernando, fabricantes de modernidad y al mismo tiempo prisioneros del pasado medieval, empeñarían sus esfuerzos en forjar un Estado nuevo, embrión de las monarquías absolutas que muy pronto alumbraría Europa. Con este propósito los Reyes Católicos domesticarían las aspiraciones políticas de la nobleza y asumirían la práctica totalidad de la acción de gobierno en sus reinos. En consonancia con su espíritu reformador, la nueva monarquía no vaciló en adueñarse de la fortaleza ideológica de la Iglesia, colocando a la jerarquía eclesiástica bajo su autoridad y acaparando el derecho a presentar candidatos a los obispados españoles.

Después de consolidada la unión dinástica, la victoria sobre el último bastión musulmán en la Península se convirtió en un asunto de Estado. Deseosos de ofrecer una salida a la nobleza recién sometida, Isabel y Fernando desviarían toda la agresividad de la vieja sociedad militarista sobre las vegas de Granada. La conquista del codiciado reino nazarí, una guerra dura y costosa, sirvió también a la voluntad de reforzar, mediante la exaltación de la fe, la unidad de la nueva monarquía, y arrancó el apoyo de los súbditos de ambas Coronas. Sobre el solitario reino de la media luna, los Reyes Católicos descargaron todo el peso de unas tropas que a lo largo de once años de campaña conjugarían las gestas heroicas de la Edad Media con el uso de la artillería.

Los dirigentes islámicos resistieron tenazmente, pero las disputas internas que carcomían el orden nazarí y el avance de las tropas cristianas desmantelaron poco a poco el engranaje defensivo de sus fortalezas. Ronda caía a los pies de los ejércitos castellanos en 1485 y más tarde le llegaba el turno a Marbella, Málaga y Baza. Dominados los territorios sureños, los Reyes Católicos asediaron las torres de la Alhambra. El 2 de enero de 1492, Boabdil entregaba las llaves de Granada después de arrancar a los conquistadores la promesa de que respetarían a la población musulmana. Derrotado, hundido ya en la lejanía, el rey musulmán partía rumbo al exilio y, en un último acto desesperado, con ojos que pasaban del espejismo a la tristeza, volvería la mirada hacia aquella urbe antigua y hermosa y diría adiós a la Alhambra que perdía para siempre. Los suspiros de la España islámica se extinguían en aquella mirada de Boabdil.

> ... Hablan las aguas y lloran,
> bajo las adelfas blancas;
> bajo las adelfas rosas,
> lloran las aguas y cantan,
> por el arrayán en flor,
> sobre las aguas opacas.
> ¡Locura de canto y llanto,
> de las almas, de las lágrimas!
>
> JUAN RAMÓN JIMÉNEZ, *Generalife*

Vencida la resistencia nazarí, los Reyes Católicos imaginaron una España sin mezquitas ni sinagogas y renovaron el valor de la religión católica como fermento de la unión política de sus reinos. La construcción de un Estado cimentado en la exaltación del credo único, heredero de la conquista de Granada y las tensiones antisemitas de los siglos XIV y XV, había empezado a cobrar realidad el año 1478, cuando Isabel y Fernando apresaban una idea que flotaba en el ambiente de sus dominios y obtenían del papa Sixto IV los medios necesarios para crear y controlar la Inquisición. De esta manera los Reyes Católicos ponían al día un artefacto represivo que la Europa de la Edad Media había empleado para combatir la rápida difusión de las herejías y alimentar las hogueras con la vida de quien se atreviera a desafiar el dogma católico. Bajo su atenta mirada, la Inquisición se erigió como un eficaz sistema de información y represión que permitió desterrar de los viejos reinos las voces contrarias a los intereses de la monarquía. A partir de ahora la misión pastoral de los obispos, elegidos por la Corona, y el celo uniformador de los tribunales inquisitoriales, para los que no existen las fronteras interiores, colaborarían con los reyes en la labor integradora de los territorios peninsulares.

Tan común en la Europa de la época, el cáncer de la intolerancia se complica en España por el mestizaje de siete siglos de vida en común. Después de la conquista de Granada, la unidad religiosa camina eliminando a los diferentes, a quienes sólo se ofrece la gracia del bautismo para continuar en sus tierras. La población judía es la primera en padecer el hostigamiento de las autoridades. A finales de abril de 1492, los Reyes Católicos seguían el ejemplo de Francia e Inglaterra y disponían la expulsión de todos los judíos de sus reinos. Una gran parte de la clase dirigente elegiría el bautismo como tabla de salvación. Otros tomarían la senda del destierro.

De la noche a la mañana miles de judíos perdían todos sus bienes. De la noche a la mañana tenían que abandonar la tierra donde habían nacido, las ciudades y calles que amaban, y se veían obligados a errar por Europa y África. Tras de sí dejaban el sueño de *Sefarad*, perdido para siempre en la bruma del recuerdo, y una economía abatida por su marcha, necesitada de su actividad financiera y comercial. Entre la nostalgia y el rencor, las comunidades sefarditas del norte de África conservarían vivo el castellano de la época, último vínculo de unión con aquel país que durante siglos habían soñado suyo. Tampoco hallarían descanso aquellos que decidieron quedarse, ya que vivirían bajo la sombra alargada de la Inquisición. La renuncia a su fe y las conversiones en masa nunca ahuyentaron el peligro de ser acusados de herejía. Cualquiera podía ser detenido y encarcelado. Los delatores guiaban la mano de los inquisidores de blancos hábitos y su ejército de licenciados, notarios, guardianes y verdugos, que durante centurias combatirían esforzadamente la herejía, la blasfemia, el judaísmo, las desviaciones sexuales, la poligamia o el protestantismo. Un trabajo riguroso, maniático, que mantuvo los calabozos del Santo Oficio siempre provistos de pobres diablos, enemigos políticos o enajenados mentales. El deseo de los Reyes Católicos de soldar las relaciones de sus súbditos mediante la unidad religiosa cayó también, con todo su peso, sobre las espaldas de la población musulmana. Muy pronto el cardenal Cisneros convirtió en letra muerta los pactos firmados con los musulmanes granadinos y blandió la espada de la intolerancia obligándolos a aceptar el bautismo en contra de sus creencias. La persecución levantó en armas a los musulmanes de la Alpujarra granadina y marchitó la posibilidad de una convivencia entre las dos religiones. Concluida la represión militar, el cardenal impuso la conversión obligatoria de todos los musulmanes granadinos, extendiendo después la medida al resto de la comunidad islámica del reino de Castilla. Los mudéjares castellanos desaparecían ahora, dando paso a los moriscos, mientras los catalanoaragoneses lograrían resguardarse del temporal hasta 1525, año en que Carlos V decretará su bautismo. Desde lo alto, las torres labradas de la Alhambra contemplaban mudas el avasallamiento.

Justo cuando los judíos españoles se disponían a abandonar sus hogares para siempre, los Reyes Católicos recibían a Cristóbal Colón en Granada. Los monarcas se volvían a encontrar con el aventurero genovés después de haber rechazado unos años antes su proyecto de alcanzar las costas de Oriente a través del océano Atlántico. Entonces las alegaciones de varios expertos consideraron erróneos los cálculos del futuro almirante y desaconsejaron invertir tiempo y dinero en una fantasía marítima que ningún barco podría hacer realidad. Además, según los consejeros reales, la expedición no haría sino deteriorar las relaciones con el reino portugués, que defendía con gran celo sus derechos de exploración en el Atlántico. El mismo rechazo había obtenido Colón en una corte portuguesa que estaba a punto de alcanzar el comercio oriental bordeando África. Pero el marino seguía empeñado en alcanzar su meta bajo cualquier bandera. La reciente toma del reino nazarí y la euforia de los Reyes Católicos, en seguida dispuestos a iniciar nuevas audacias, favoreció el acuerdo entre el explorador y los monarcas.

Al mando de tres carabelas, Colón partía de las playas de Huelva dispuesto a desentrañar los misterios de un mar que gracias a la obra de marinos avezados, cartógrafos y constructores de naves pronto dejaría de inspirar temor. En su mente se mezclaba un idealismo ávido de aventuras y una gran ambición de poder, plasmada en las Capitulaciones de Santa Fe. Por fin, después de más de dos meses de travesía, un continente ignorado emergía desde los confines del océano. América estaba allí, el 12 de octubre de 1492, adivinada desde sus costas misteriosas. Pese a la futura repercusión del descubrimiento, la mayor parte de los españoles de la época permanecerían ajenos a la expedición y Cristóbal Colón moriría convencido de haber arribado a las costas asiáticas por la espalda, sin comprender que su afán emprendedor había multiplicado asombrosamente el mundo. No llevarán su nombre las tierras descubiertas, sino el del florentino Américo Vespucio, navegante y maestro de pilotos. Pero ha sido él, Cristóbal Colón, quien ha encontrado ese deslumbrante color que no existía en el Viejo Continente.

El hallazgo de América señalaría un nuevo rumbo a la historia de España. De pronto el suelo ibérico hace de puente entre la vieja Europa y un continente virgen, insólito, con una geografía exuberante y unas civilizaciones inéditas y ricas. La Iglesia no se haría rogar para dar carácter sagrado a la hazaña del descubrimiento. Con el papa Alejandro VI de su lado, Isabel y Fernando recibieron el regalo de las bulas pontificias que daban una cobertura legal a la impredecible expansión colonial de Castilla y erigía a los Reyes Católicos en soberanos de todas las tierras descubiertas y por descubrir. En 1494 el Tratado de Tordesillas eliminaba las desavenencias con Portugal y dividía el globo terrestre entre las dos potencias marinas. El singular documento ratificaba la hegemonía ibérica de los océanos y trazaba una nueva línea de demarcación que separaba los dominios de ultramar de portugueses y castellanos, dejando vía libre a los primeros en Brasil.

> ... por los claveles
> de la tierra andaluza y la Alhambra del moro;
> por la sangre solar de una raza de oro;
> por la armadura antigua y el yelmo de la gesta;
> por las lanzas que fueron una vasta floresta
> de gloria y que pasaron Pirineos y Andes;
> por Lepanto y Otumba, por el Perú, por Flandes,
> por Isabel que cree, por Cristóbal que sueña
> y Velázquez que pinta y Cortés que domeña...;
> por el león simbólico, y la Cruz, gracias, Sire.
> ¡Mientras el mundo aliente, mientras la esfera gire,
> mientras la onda cordial aliente un sueño,
> mientras haya una viva pasión, un noble empeño,
> un buscado imposible, una imposible hazaña,
> una América oculta que hallar, vivirá España!
>
> RUBÉN DARÍO, *Al rey Óscar*

Cuando el descubrimiento del Nuevo Mundo y la incorporación de las islas Canarias y Melilla a la Corona de Isabel la Católica hacían pensar en un desembarco americano o norteafricano, los intereses en el Mediterráneo, herencia medieval de Aragón, atrajeron la atención hispana y metieron a Castilla en Europa, enfrentándola con Francia en el campo de batalla. Curtidas en el asalto de Granada, las tropas españolas emergieron como uno de los ejércitos más temibles de Europa y bajo el mando de Gonzalo Fernández de Córdoba, el Gran Capitán, derrotaron a los franceses en la península italiana. Las victorias militares entregarían a la Corona de Aragón las riendas del Rosellón, la Cerdaña y Nápoles y empujarían a Fernando el Católico a lanzar la ofensiva final sobre Navarra, que es ocupada por los tercios del duque de Alba el año 1512. En las Cortes de Burgos, el viejo reino navarro sería agregado a Castilla, donde la monarquía tenía más margen de maniobra que en Aragón.

Las guerras de Italia convirtieron la unión dinástica en una gran potencia europea. Al mismo tiempo que Maquiavelo se refería a Fernando el Católico como rey de España y las expresiones como monarquía o Corona de España cautivaban la tinta de numerosos intelectuales, el dominio de Italia obligaba a planificar una política de acción permanente en todo el Mediterráneo, destinada a contener el empuje francés y la amenaza turca. De ahí que Fernando de Aragón desplegara un sistema de alianzas internacionales que, sustentado en los matrimonios de sus hijos con los herederos de las más poderosas monarquías europeas, reforzaran la defensa y la seguridad españolas: boda de la infanta Isabel con el rey de Portugal, doble casamiento del príncipe Juan y la infanta Juana con los hijos del emperador Maximiliano I y enlace de Catalina con Enrique VIII de Inglaterra. La consecuencia de aquella enrevesada política matrimonial, de cualquier modo imprevisible, sería nada menos que el nacimiento de la España imperial de los Habsburgo.

Y mientras los tercios derrotaban a los ejércitos franceses en Italia, el mundo de la cultura reverdece con la irrupción de las ideas humanistas que, procedentes de las cosmopolitas repúblicas italianas, penetran como una ola renovadora en la corte de los Reyes Católicos. El gusto por las humanidades, las lenguas clásicas y los saberes de la Antigüedad queda reflejado en la universidad de Alcalá de Henares, donde bajo los auspicios del cardenal Cisneros se pone en marcha la edición de la *Biblia Políglota*. Unos años antes la imprenta abría nuevos horizontes a la efervescencia cultural del momento y en 1492 el andaluz Antonio de Nebrija publicaba la primera Gramática de la lengua castellana, muy pronto lanzada a la conquista de América. La literatura también paladea nuevos tiempos y se deja hipnotizar por un ideal que conjuga las armas con las letras, la destreza militar con el refinamiento cultural. Un legado que heredaría más tarde la España del Siglo de Oro. Arrancadas del dolor por la muerte de su padre brotan las *Coplas* de Jorge Manrique, poeta y guerrero que perdería la vida frente a un castillo de Cuenca, mientras defendía con las armas los derechos de Isabel al trono de Castilla.

Recuerde el alma dormida
avive el seso e despierte
contemplando
cómo se pasa la vida,
cómo se viene la muerte
tan callando,
cuán presto se va el placer
cómo, después de acordado,
da dolor;
cómo, a nuestro parecer,
cualquiera tiempo pasado
fue mejor.

JORGE MANRIQUE,
Coplas por la muerte de su padre

Al margen de la poesía, la lengua castellana viva y popular desborda la prosa de Fernando de Rojas, que el año 1499 entregaba a la imprenta *La Celestina*. La pluma de este descendiente de hebreos nacido en Toledo fascinó a los lectores de su tiempo con la sabiduría de una vieja alcahueta, archivo de refranes y sentencias populares, espejo de aquellas hechiceras de boca desdentada y oscuros trapicheos que poblaban las ciudades de la Baja Edad Media. Ella inaugura la espléndida galería de arquetipos universales de la literatura española, enriquecida con la filosofía popular de Sancho Panza, el idealismo alucinado de don Quijote, la picardía de Lazarillo de Tormes o la pasión enferma de don Juan.

De año en año, de sueño en sueño, España sale del medievo como un Estado unido, vagamente consciente de su identidad, dueña de una cultura rica y diversa, bañada por el influjo árabe, semita o europeo y amenazada por los brotes de intolerancia y los tribunales del Santo Oficio. Gracias a su temprana normalización y al poder político y demográfico de Castilla, el idioma castellano se ha convertido en la lengua franca no sólo peninsular sino también internacional que tiene su espaldarazo en 1498 cuando el embajador de los Reyes Católicos, el padre del poeta Garcilaso de la Vega, rompe la costumbre de dirigirse al Papa en latín para hacerlo en el habla de Berceo y Juan de la Cruz... Atrás quedan los siglos de *reconquista* y la división de los reinos peninsulares; por delante, América comienza a mostrar las verdaderas dimensiones de la gesta colombina y, en Europa, los tercios españoles dejan oír con fuerza los argumentos de los reinos coligados de Isabel y Fernando. Durante los siglos XVI y XVII, en manos de los Habsburgo, la monarquía hispánica se convertirá en el primer imperio universal de la Historia.

CAPÍTULO IV

La historia navegante

La lucha por Europa

Por una veleidad del destino, al concluir el siglo XV, la Corona hispana toma el rumbo de Flandes, donde un príncipe borgoñón, nieto de los Reyes Católicos, crece ajeno a los desvaríos de su madre, Juana la Loca. Agobiado por los problemas de Castilla y las zancadillas de Felipe el Hermoso, Fernando el Católico se retira momentáneamente de escena, para volver cuando desaparece su yerno y entregar a aquel niño que se criaba en Gante un mosaico de estados agrupados en torno a los dos grandes reinos españoles. Bajo gobierno habsburgués, los territorios de Castilla y Aragón conservarán sus peculiaridades legales y organizativas gracias a la inercia de la historia y al brusco salto de la España de los Reyes Católicos al Imperio universal. Aunque no había llegado todavía la hora de una mayor integración y armonía, durante los siglos XVI y XVII los reinos peninsulares estrecharán los lazos económicos, culturales y políticos que pronto harán posible superar la vieja división heredada de la Edad Media.

Al producirse la muerte del viejo monarca, Carlos desembarcó en la península Ibérica rodeado de una enorme expectación. El primer destino del joven heredero al pisar España sería la villa de Tordesillas, donde permanecía recluida la reina Juana.

Tras la visita, Carlos obtendría el consentimiento de su madre para reinar junto a ella, asumiendo él las tareas de gobierno. Juana la Loca, presa de fantasmas, encerrada en su pena, quedaba atrás mientras Carlos I entraba por derecho propio en la historia de España, no sin provocar antes la desconfianza de castellanos, aragoneses y catalanes, que asistirían perplejos a la coronación de un rey extranjero. Llegaba el nieto de los Reyes Católicos acompañado de un aparatoso cortejo flamenco, sin saber una palabra de español ni conocer las costumbres y las leyes de sus súbditos. Al poco tiempo los modos autoritarios traídos de Europa y el séquito de flamencos rapaces a los que el monarca adolescente recompensaba otorgándoles obispados, títulos y cargamentos de oro, despertó el aletargado espíritu conspirador de los nobles castellanos. El conflicto entre el rey y sus súbditos se enquistó cuando, a la muerte de su abuelo Maximiliano, Carlos recorrió las tierras peninsulares para solicitar a las Cortes nuevos subsidios con los que poder entrar en la puja final a la Corona del Imperio alemán, remate de sus posesiones europeas en Austria.

Contrariados por la idea de sufragar con sus bolsas una aventura personal ajena a sus intereses, los representantes urbanos elevaron el nivel de sus protestas contra Carlos I, exigiendo que el monarca no se ausentase de la Península y alejara a los consejeros extranjeros de la corte. Las quejas irrumpieron con violencia en cuanto Carlos I, más preocupado por el viejo sueño de los césares que por la subida de tono de las reclamaciones castellanas, abandonó España en busca del cetro imperial y dejó como gobernador a su preceptor flamenco, el cardenal Adriano de Utrecht, en seguida Papa. La ausencia de un monarca que parecía preferir Alemania provocó en Toledo una oleada de levantamientos que se extendió por todo el reino, arrastrando a su paso las principales urbes de Castilla. Segovia, Zamora, Salamanca, Ávila, Madrid y otras muchas más se sumaron a la protesta de la ciudad del Tajo y erigieron la bandera del pacto entre el rey y las urbes en réplica al credo absolutista de Carlos I. De todas las grandes ciudades tan sólo Burgos guardaría fidelidad al monarca por las concesiones a los comerciantes laneros y sus vínculos con Flandes.

Escoltado por tropas toledanas y salmantinas, Juan de Padilla entra en Tordesillas con la esperanza de que la reina Juana la Loca recogiera para los insurrectos el cetro abandonado y se pusiera a la cabeza del movimiento comunero. Su fracaso malograría la ventaja obtenida por las ciudades sublevadas justo en un momento en que la nobleza, asustada por el aliento igualitario que tomaba la rebelión en manos de campesinos y artesanos, se ponía a la cabeza de las tropas reales. La alianza del trono y los nobles era la ocasión esperada por el cardenal Adriano, que el año 1521 lograba aplastar los argumentos de las milicias ciudadanas en Villalar. Bajo la lluvia que había atrapado a los ejércitos rebeldes, entre los vencidos, yacía también Castilla, primera víctima de la empresa imperial.

Por las mismas fechas del alzamiento castellano, artesanos y pequeños comerciantes tomaban el control de Valencia para poner freno a los abusos de los señores y dejar oír su voz en el gobierno de los municipios. A la luz de las hogueras, lo que en principio parecía una simple revuelta urbana se propagó velozmente por la costa levantina, contagiando Játiva, Alcoy, Castellón, Elche y Mallorca. Mientras en las ciudades una muchedumbre ardorosa asaltaba los palacios, más allá de las últimas casas, en las huertas, legiones de campesinos desahogaban su furia sobre los desvalidos mudéjares, hombres y mujeres a los que su actitud servil había colocado en el punto de mira de los rebeldes del campo. Dispersados, perseguidos, obligados a elegir entre la conversión o el cuchillo, la minoría musulmana regaba con su sangre las tierras que antes había labrado con su esfuerzo. Tal y como ocurriera en Castilla, la alianza de la aristocracia con el alto clero y el refuerzo de tropas reales consiguieron doblegar la resistencia valenciana y mallorquina. Después de la represión, la Corona, deseosa de limar asperezas entre sus súbditos, aprovecharía el interés de los rebeldes por cristianizar las huertas levantinas para poner punto final al problema musulmán. En 1525 la religión musulmana era declarada ilegal en todas las tierras de España, condenada a partir de ahora a desaparecer o malvivir en las catacumbas de los hogares moriscos.

Una vez comprada la voluntad de los príncipes electores con el dinero adelantado por banqueros alemanes, la proclamación del nieto de los Reyes Católicos como emperador del Sacro Imperio Romano Germánico cambió para siempre la historia de España. Carlos I, convertido ahora en el emperador Carlos V, dueño y señor de España, Alemania, Austria, Nápoles, Sicilia, los Países Bajos y el inmenso Nuevo Mundo, llenará la primera mitad del siglo XVI con tal plenitud que su obra oscurecerá la labor organizadora de Isabel y Fernando. El intento de resolver personalmente los problemas de una herencia tan inmensa e inmanejable, obligó al monarca a embarcarse en créditos sobrehumanos y lo empujó a viajar de un reino a otro y de campo de batalla en campo de batalla, como antaño lo habían hecho los reyes medievales. Carlos V sólo pasaría en la península Ibérica dieciséis de los cuarenta años que duró su reinado, pero su odisea guerrera por tierras de Europa y el Mediterráneo, delirio y ruina de Castilla, convertiría España en el centro del mundo.

La obsesión del emperador fue articular la unidad política de la cristiandad bajo una monarquía universal por él gobernada. Este sueño le llevó a defender la fe católica en una Europa convulsionada por la herejía de Lutero y el poderoso empuje de las naciones. Henchido de ideales universalistas, Carlos V no repararía en el alto precio de sus metas y tras la derrota de los comuneros castellanos tampoco los españoles pondrían obstáculos a sus empresas, sobre todo después de que los nobles empezaran a ver en el monarca el mejor garante de la paz interna y el orden socioeconómico establecido.

Ya se acerca, señor, o ya es llegada
la edad gloriosa en que promete el cielo
una grey y un pastor solo en el suelo,
por suerte a vuestros tiempos reservada.

Ya tan alto principio, en tal jornada,
os muestra el fin de nuestro santo celo
y anuncia al mundo, para más consuelo,
un Monarca, un Imperio y una Espada.

HERNANDO DE ACUÑA, *Al rey nuestro señor*

Mientras Carlos V se convertía a los diecinueve años en el hombre más poderoso de la historia, Martín Lutero clavaba a martillazos, en la puerta de la iglesia del castillo de Wittenberg, sus 95 tesis. La herejía de aquel fraile agustino descubrió a los príncipes germanos, pronto armados con las prédicas de la Reforma, el camino a seguir para preservar su poder territorial frente al emperador. Enfrentado a Lutero, Carlos V intentó taponar la brecha religiosa y aplazar la Historia con la celebración de un concilio ecuménico que restableciera la unidad religiosa en Europa. La ambigüedad o la clara oposición de algunos papas al emperador retrasaron la convocatoria del concilio, cuyas primeras sesiones se celebrarían en Trento el año 1545. Para entonces las ideas protestantes habían arraigado en Alemania hasta el punto de llenarse de contenido bélico y ofensivo en la liga de Smalkalda, y la posibilidad de un acuerdo era una meta inalcanzable. Ocupado en detener la marea turca que amenazaba desbordarse en el Danubio y en la lucha con Francia por la hegemonía continental de Italia, el emperador esperaría un tiempo antes de abrir un nuevo frente de batalla.

Durante su reinado, Carlos V mantuvo una enconada disputa con Francisco I de Francia por el control de Navarra, Borgoña e Italia. La batalla de 1525, que desparramó por los campos de Pavía a la nobleza francesa, fue sólo el arranque de una avalancha de combates que acabaría arrastrando a su paso la Ciudad Eterna. Paradojas de aquella época, el defensor de la fe, el emperador que luchaba denodadamente contra la extensión del protestantismo, no titubeó a la hora de lanzar un ejército de mercenarios contra Roma y acallar con el estrépito del saqueo a un Papa que desafiaba su derecho a exhibirse como el más poderoso de los monarcas italianos. El eco de Roma unido a la exhibición de fuerza de los tercios españoles llevó a Francisco I a envainar por un tiempo la espada y a Clemente VII a proclamar a Carlos V Emperador de Romanos. No duraría mucho la tranquilidad, ya que los ataques berberiscos en las costas peninsulares y las invasiones turcas obligaron al emperador a batirse en nuevos campos de batalla.

Lejos de la Alhambra, donde Carlos V había celebrado la imposición cristiana sobre el islam con un bello palacio, Solimán el Magnífico, amo de Oriente y señor de la flota más poderosa que jamás había surcado el Mediterráneo, gestaba un gran imperio. Mientras la guerra con Francisco I absorbía las fuerzas del emperador, la ola procedente de Asia sumergía los Balcanes, avanzaba hacia Centroeuropa y en 1532 se presentaba a las puertas de Viena, salvada a duras penas de la invasión por los ejércitos imperiales. Contenido el islam en Austria, el emperador reemprendió la vía mediterránea: pesaban en su ánimo la historia catalanoaragonesa y, sobre todo, la necesidad de dominar las rutas navales que garantizaban la defensa de las posesiones italianas. Túnez es ocupado, pero los desvelos de Carlos V por eclipsar la creciente media luna turca en el Mediterráneo se estrellaron en las murallas de Argel.

Tras años de lucha incesante, la paz impuesta a Francia en

1544 y la tregua firmada con el Imperio otomano dejaron a Carlos V las manos libres para preparar la ofensiva contra los príncipes protestantes. Por fin el emperador tomaba la iniciativa y avanzaba hacia las fortalezas rebeldes al mando de los tercios. Junto a las riberas del Elba, en el vado de Mühlberg, Carlos V emulaba las gestas heroicas del césar romano y pulverizaba las tropas protestantes. «Vine, vi y Dios conquistó», exclamaría absorto en los restos del ejército de los príncipes germanos, poseído por la idea de que la sangre de los soldados enemigos había escrito en 1547 el último capítulo de la Alemania protestante. Nada estaba más lejos de la realidad. El emperador no consiguió redondear la victoria al no lograr la integración de los luteranos en su proyecto y la hegemonía católica en Alemania fue un espejismo. Tan pronto como pudieron, los príncipes protestantes regresaron a los campos de batalla y no descansaron hasta ensombrecer la derrota de Mühlberg con el reconocimiento de la división religiosa del Imperio. Era el triunfo de los príncipes sobre el monarca, de las incipientes naciones sobre la idea de una cristiandad unida.

Carlos V veía declinar el sueño de una Europa católica. Sólo América, multiplicada en el transcurso de su reinado por los conquistadores, sonreía al emperador. Hernán Cortés descubrió México con un reducido ejército de jinetes, lanceros, ballesteros y escopeteros y, tras ordenar la destrucción de las naves españolas en la costa de Veracruz, iluminado su rostro barbudo por el crepúsculo de las llamas... los barcos y la ilusión de regreso a la Península yéndose a pique, conquistó el Imperio azteca gracias a la ayuda de los pueblos indígenas sometidos a Moctezuma. La mar conducía al pasado y la tierra al oro, a los espléndidos tesoros aztecas, al misterio y la laguna de la rica Tenochtitlán. Cortés se abre paso entre humo y cadáveres, conquistando el reino grande como Europa que había descubierto, y Pizarro y Almagro parten hacia el sur y asaltan Cuzco, la capital del Imperio inca. Los conquistadores van tierra adentro, hacia las sierras, las montañas y los bosques inmensos, van a caballo, a pie o en viejos barcos, volcados sobre las aguas de ríos ignotos, muertos de hambre, hinchados por las plagas o el miedo... Ellos son quienes dan nombre a las tierras desconocidas, dibujan en el aire conventos y plazas o protagonizan las expediciones perdidas a la caza del mítico Dorado. Cruzaba el Atlántico la Castilla guerrera, hija de la *reconquista*, decidida a adueñarse por la fuerza del Nuevo Continente, y unas Indias legendarias tomaban el camino de vuelta para alimentar la avidez de riqueza y primacía social de los desheredados y segundones de la Península. Europa asistía asombrada a las aventuras y proezas de los marinos y expedicionarios de Carlos V. En 1522 llegaba a los muelles de Sevilla Juan Sebastián Elcano, un castellano de Guipúzcoa. Junto a Magallanes, que ahora era un trofeo de carroña en manos de los indígenas de Filipinas, y al mando de un grupo de soldados y marinos, Elcano se había abierto paso entre los océanos y, cruzando mares y tierras que no tenían nombre todavía, había completado el más largo viaje jamás realizado: la vuelta al mundo.

Son Arias, Reyes, Rojas, Maldonados,
hijos del desamparo castellano,
conocedores del hambre en invierno
y de los piojos en los mesones.

¿Qué miran acodados al navío?
Cuánto de lo que viene y del perdido
pasado, del errante
viento feudal en la patria azotada?

PABLO NERUDA, *Canto General*

América contempla ahora el fin de una época. Las expediciones españolas despojaron a los nativos de su riqueza mientras las enfermedades de la vieja Europa desembarcaban en las playas y avanzaban con los conquistadores tierra adentro. Otras maneras de ser, jóvenes, prometedoras, fueron arrancadas de su tallo por el descubrimiento, pero con las carabelas llegarían también la religión cristiana y la lengua castellana, la organización política y administrativa de la monarquía hispana, la imprenta y los primeras universidades. El Viejo Continente envió sus animales domésticos al tiempo que el trigo, el arroz, la cebada, la vid y el olivo tomaban las ricas tierras mexicanas y argentinas. América compensó sobradamente estas aportaciones al salvar la economía del norte de España en el siglo XVII con el maíz y la vida de no pocos pobres con la patata. Para los más pudientes quedaría el cacao y el tabaco, que pronto permitirá lucrativas transacciones de los comerciantes hispanos en Amsterdam y Londres. Los envíos de oro y plata de las Indias proporcionarían además los medios necesarios para que Carlos V y sus sucesores pudieran cabalgar por Europa, aunque al mismo tiempo ahorcarían la economía española al someterla a constantes alzas de precios.

A medida que las armas se apoderaban del continente americano, un grupo de teólogos, abogados y erasmistas salieron al paso de los atropellos cometidos en América. La lucha por la justicia en el Nuevo Continente recorrió todo el siglo XVI y las denuncias de Bartolomé de Las Casas y otros defensores de los nativos hallaron eco en la corte y las cátedras universitarias. Las Leyes de Indias, impregnadas de un espíritu de justicia que no se halla en las normas coloniales de otros países, tratarían de poner freno a los abusos, aunque a menudo el ardor de los aventureros convertiría en ceniza las buenas intenciones. Durante los años en que el poderío de Carlos V conquistaba el mundo, las universidades españolas vivieron su momento de gloria. Alcalá de Henares, Granada, Santiago de Compostela, Sevilla y las veteranas, Valladolid y Salamanca, contaron con un gran número de estudiantes. Los pensadores de la Universidad de Salamanca, plaza mayor del saber de la época, tratarían de explicar los fundamentos morales de la conquista de América y dar respuesta a los graves problemas políticos, económicos y religiosos suscitados por las empresas de la monarquía en Europa o la Reforma luterana. Discusiones que tenían siempre en la teología el único camino para estudiar al hombre y que, con Francisco de Vitoria a la cabeza, enriquecieron el pensamiento universal, derivándolo hacia cuestiones jurídicas, origen del moderno derecho internacional y de gentes.

> Tormes, de bellos álamos ceñido
> que le sirven de sombra, y él a ellos
> de espejo claro y puro
> sobre pizarras frágiles tendido
> corriéndole cristales los cabellos,
> con que de Salamanca ilustra el muro,
> cuyas islas de arena
> canté llorando mi amorosa pena;
> estudiante de amor en sus riberas
> más que de sus escuelas celebradas,
> flores del tiempo en nieves transformadas,
> invierno ya de verdes primaveras...
>
> LOPE DE VEGA, *El laurel de Apolo*

Al final de su vida, Carlos V tuvo que reconocer el fracaso en su empeño de desterrar las prédicas de Lutero de Europa y mantener una cristiandad unida. Los debates de Trento no lograron atraer a los protestantes al redil del catolicismo y la derrota frente a los príncipes alemanes, unida a la vuelta a la carga de los ejércitos franceses en Italia, arruinaron las últimas fuerzas de un emperador que estaba cansado para seguir luchando. Había pasado su vida en los campos de batalla, defendiendo ideas caballerescas que ya no cuadraban en una Europa dividida por los conflictos religiosos y el auge de los Estados. En 1556 llegaba el tiempo del descanso y el emperador arribaba a Laredo camino de Yuste. Los pies, inflados de gota, ya no caminaban y, mientras los últimos reflejos del sol enrojecían las sombras del monasterio, quien había sido monarca de medio mundo buscaba, al cabo de tanta guerra, la paz de la plegaria. Felipe II, su hijo, no heredaría el título imperial de los Habsburgo, ya que Carlos V había puesto el Sacro Imperio Germánico en las manos de su hermano Fernando, pero, aún así, será dueño de un patrimonio territorial aún más vasto que el de su antecesor, cuyo centro incuestionable sería Castilla.

La silla del rey

Tras la abdicación de Carlos V, el rey Felipe II tuvo la oportunidad de reorganizar un imperio que se extendía más allá de lo que cualquier otro monarca de su tiempo pudiera soñar: Castilla y Aragón, Países Bajos, Franco Condado, Nápoles, Milán, América, Oceanía y, desde 1580, Portugal y sus ricas posesiones ultramarinas. Los territorios de aquel Estado plurinacional mantendrían su autonomía no sólo porque ésta se adecuaba a las ideas políticas de la época sino también porque facilitaba la labor de gobierno de la Corona, al completar su plantel burocrático con las elites locales. Pero el autonomismo habsburgués tenía sus límites, el poder incontestable del soberano. Encerrado en un laberinto de papel, Felipe II construyó una compleja maquinaria de administración y gobierno que permitió allegar recursos para la política exterior o controlar ideológicamente a los súbditos de la Corona, transformando el Estado de Carlos V en el más sofisticado sistema de gobierno de la Europa del siglo XVI.

Doblada la mitad de la centuria, mientras Flandes e Inglaterra embellecían sus capitales con bellos monumentos, el mayor imperio del mundo conocido no disponía de escenario adecuado para una monarquía deseosa de representar su papel de primera figura. La carencia de un núcleo urbano desde donde extender su poder y la administración llevó al rey burócrata a romper la tradición itinerante de la corte de los Reyes Católicos y Carlos V. Pese a que Toledo y Valladolid parecían destinadas por la historia a ser cabezas del Imperio, en 1561 el soberano español se fijó en la zona sur del Guadarrama, trasladando el corazón de su sede a Madrid. El aposentamiento de la familia real cambió de golpe la fisonomía de la villa madrileña, ya que arrastró tras de sí los Consejos, la Inquisición, la hacienda, las embajadas... y a innumerables servidores del Estado. De resultas de la mudanza, la población aumentaría de forma aparatosa, pasando de poco más de nueve mil habitantes a los ciento cincuenta mil de 1621. Tan desmesurado flujo de población planteó problemas de abastecimiento y exigió realizar nuevas construcciones y procurar el ornato y aseo de una ciudad en plena expansión. Por cualquier rincón asomarían las torres de las iglesias y los monasterios o los palacios de la nobleza, pues tanto los religiosos como los grandes aspirarían a tener su residencia junto al monarca, fuente de toda merced. El traslado a Madrid de los nobles, auténticos soberanos en sus feudos regionales, favoreció una mayor compenetración entre los intereses locales y la Corona, dando un nuevo impulso al proceso de fusión de los territorios peninsulares.

Oh madre de gente extraña,
madre, punto y excelencia
de la real circunferencia
con que te corona España.

TIRSO DE MOLINA, *El caballero de Gracia*

Y si Madrid refuerza los cimientos de la futura unidad *nacional* al ofrecer un lugar de encuentro a las elites españolas, Sevilla se enriquece a manos llenas gracias a la Casa de Contratación, establecida a orillas del Guadalquivir por orden de Carlos V. De Sevilla partían, rumbo a los puertos ultramarinos, los galeones españoles cargados de vino, aceite, herramientas, armas, tejidos... y allí atracaban, después de una travesía llena de peligros, los tesoros de las minas peruanas y mexicanas que financiaban las compras en el extranjero y las campañas militares de Felipe II. El monopolio de las Indias convirtió Sevilla en la mayor y la más rica urbe hispana. Hasta 1610 los intercambios comerciales crecieron sin parar y atrajeron a numerosos mercaderes extranjeros al tiempo que un ejército anónimo de hombres venidos de todas partes de España, fugitivos del hambre, la soga y la pobreza, se daba cita en los muelles en busca de la promesa americana. No sólo aventureros y comerciantes llegaban a Sevilla, sino que procesiones de pillos y vagabundos, tentados por la miel de las limosnas, aparecían en todas las esquinas antes de pasar a la historia de la literatura bajo el rostro desvergonzado de la novela picaresca. En el muelle de piedra de Sevilla, clavadas las lentes en la profundidad verde del río, encontraría Quevedo el destino que merecía su buscón llamado don Pablos.

> ... gran Babilonia de España,
> mapa de todas las naciones,
> donde el flamenco a su Gante
> y el inglés halla su Londres;
> escala de el Nuevo Mundo,
> cuyos ricos escalones,
> enladrillados de plata,
> son navíos de alto borde.
> Con sus grandezas Sevilla

diez días nos tuvo o doce,
y dejámosla al fin de ellos
pagada en admiraciones.

LUIS DE GÓNGORA, *Gran Babilonia de España*

Aquel Imperio rico tenía, sin embargo, una metrópoli pobre. Aunque la grandeza de los triunfos militares levantara una burbuja de prosperidad cada vez más hinchada, Felipe II había heredado una Corona hipotecada y exhausta. La división de la herencia de Carlos V le ofreció la oportunidad de deshacerse del pasado, aliviando a España de unas guerras que pulverizaban la Hacienda y los tesoros de las Indias. Para desgracia de Castilla, los muertos pesaban en la conciencia del monarca más que los vivos y Felipe II lucharía por conservar su herencia europea a toda costa, abanderando una política de altos vuelos que tenía como meta preservar el viejo orden legado por Carlos V. Mientras el sol se ponía por tierras de Flandes, el monarca se alzaba en Europa como el más fervoroso guardián del catolicismo y abatía sus ejércitos sobre los turcos y los centros de la herejía protestante, extendida luego a Francia, Holanda e Inglaterra. Como su padre, Felipe II despilfarraría en los campos de batalla las partidas de oro y plata de las Indias, esfumadas en manos de los prestamistas flamencos e italianos que adelantaban el dinero para sufragar los gastos de las guerras en defensa de la religión católica o del concepto patrimonialista de la Corona habsburguesa.

Nace en las indias honrado,
donde el mundo le acompaña,
viene a morir en España
y es en Génova enterrado.

FRANCISCO DE QUEVEDO,
Poderoso caballero es Don Dinero

Traída por una infancia de vagabundos, ciegos y mendigos, la voz remota del Lazarillo de Tormes arrastró tras de sí cuanto de sombra y miseria oscurecía aquella España del siglo XVI. Las descarnadas correrías del pícaro desmitificaban la imagen del Imperio revelando a los ojos curiosos de Europa las lacras de una sociedad obsesionada por la nobleza, la hipocresía religiosa y el ridículo sentido del honor. Entretanto, solo en una celda de Valladolid, desgarrado, los ojos fijos en la luz de la vela, el poeta Fray Luis de León mojaba la pluma en el tintero y sobre una hoja desnuda escribía su *Oda a Santiago*, presagio de los tormentos que reserva la historia al Imperio habsburgués. Todavía suenan tristes ruidos en la cárcel. El maestro de Salamanca, absorto en los versos que inundan su mente, no los oye.

> Y tú, España, segura
> del mal y cautiverio que te espera,
> con fe y voluntad pura
> ocupa la ribera;
> recibirás tu guarda verdadera.
> Que tiempo será cuando
> de innumerables huestes rodeada,
> del centro real y mando
> te verás derrocada,
> en sangre, en llanto y en dolor bañada.
>
> FRAY LUIS DE LEÓN, *Oda a Santiago*

Nada más recibir el poder, Felipe II debió poner en marcha sus ejércitos contra Francia. El éxito de las tropas hispanoflamencas en la batalla de San Quintín confirmó la hegemonía española en Italia y permitió al soberano español reconciliarse con el eterno rival de su padre. Poco duraría la paz, ya que las invasiones turcas en el Mediterráneo y las razias de los corsarios berberiscos en las costas peninsulares, siempre a la caza de botines y cautivos, reclamaron la atención del monarca. Tampoco Venecia, histórico rival de la monarquía hispánica en la aventura mediterránea, podía permanecer tranquila mientras los navíos turcos perturbaran sus intereses económicos en Oriente. Después de interminables negociaciones, el papa Pío V logró que Felipe II uniera sus fuerzas a la escuadra veneciana para formar una gran flota que pusiera freno a la ofensiva islámica. Oriente y Occidente se encontraban de nuevo, frente a frente, en el Mediterráneo, ambos pretendían dominarlo, como Roma y Cartago en la Antigüedad, y el choque era inevitable. La batalla por el control del viejo mar se decantó pronto a favor de la armada cristiana, que a las órdenes de don Juan de Austria arrasó la flota turca en Lepanto. Pudo haber pensado Felipe II en dar el golpe de gracia al Imperio otomano, pero la muerte del pontífice y la división de intereses entre venecianos y españoles disolvieron la alianza e impidieron sacar partido a la victoria.

> Cantemos al señor, que en la llanura
> venció del mar al enemigo fiero.
> Tú, Dios de las batallas, tú eres diestra,
> salud y gloria nuestra.
>
> FERNANDO DE HERRERA,
> *Canción por la victoria de Lepanto*

Agotados por años de esfuerzo, la monarquía hispánica y el Imperio turco decidieron congelar aquel campo de batalla. El monarca español desvió entonces la mirada hacia el Atlántico, donde habría de afrontar el reto más doloroso de su reinado: la crisis de los Países Bajos.

Felipe II, llevado por la voz de sus consejeros más intransigentes, contestó desafiante a las demandas de la aristocracia flamenca que, atada a Madrid para equilibrar los presupuestos, reclamaba la autonomía arrebatada por el emperador Carlos V. La insensibilidad del monarca ante los problemas de Bruselas convertiría lo que era un simple levantamiento oligárquico contra el poder central en una guerra de proyección internacional, enconada por la difusión del calvinismo en las Provincias del Norte y las estrecheces financieras de la Hacienda española. Victorias y fracasos se suceden en Bruselas hasta que los agobios de la burguesía comercial, la hambruna y la fuerza de los grupos calvinistas estallan en la furia iconoclasta que en 1566 arrasa los conventos y las iglesias de Gante y Amberes. No podían haber elegido los rebeldes flamencos peor manera de comenzar el alzamiento. Más de sesenta mil hombres al mando del duque de Alba invaden Flandes, derrotan a los insurrectos e inician la represión. La tempestad de sangre no consiguió, sin embargo, limpiar la herejía ni sofocar los deseos autonomistas de las Provincias del Norte, y el posterior intento de arreglo pacífico se vino abajo cuando los tercios españoles se amotinaron por falta de salario y saquearon Amberes.

A finales de los años setenta la herencia borgoñona se tambaleaba en el campo de batalla y la guerra se tragaba todos los recursos humanos y financieros de una monarquía poco dispuesta a hacer concesiones en materia de religión o soberanía. No obstante, las remesas de plata y la habilidad de Alejandro Farnesio dejaron oír con fuerza los argumentos de Felipe II, permitiendo la reacción española con la reconquista de parte del territorio rebelde y la toma de Amberes. Todo se derrumba, sin embargo, cuando el monarca exigió de sus ejércitos más de lo que podían rendir: anexión del reino portugués, invasión de Inglaterra e intervención en la guerra religiosa de Francia en defensa de la Liga Católica sin ceder un palmo de tierra en Flandes. Mientras las tropas y el dinero peninsular partían hacia los nuevos frentes de batalla, el asalto al corazón del poderío holandés pasaba a un segundo plano.

El año 1580 es testigo del mayor triunfo del soberano español. A la muerte del rey Sebastián de Portugal, Felipe II reivindicó sus derechos a la Corona. Don Felipe era hijo de Isabel de Portugal y contaba con el prestigio de su imperio y el dinero de los comerciantes lusitanos de origen judío para comprar la voluntad de la aristocracia. Aun así el monarca debería vencer dudas y enemigos y abrirse paso hacia el trono vecino con el peso de sus ejércitos. Completado el asalto a Lisboa por la fuerza, Felipe II culminaba el sueño de los clérigos mozárabes del siglo VIII y rehacía la unidad de la península Ibérica, desaparecida desde la caída del reino visigodo.

Del atlántico mar en las orillas
desgreñada y descalza una matrona
se sienta al pie de sierra que corona
triste pinar. Apoya en las rodillas
los codos y en las manos las mejillas
y clava ansiosos ojos de leona
en la puesta del sol; el mar entona
su trágico cantar de maravillas.

MIGUEL DE UNAMUNO, *Portugal*

La campaña de Portugal animó al rey a emprender nuevas empresas militares. Hacía ya tiempo que la rivalidad comercial en América, la ayuda prestada por la flota inglesa a los rebeldes holandeses, las continuas agresiones de los corsarios británicos a los galeones españoles y la ejecución de María Estuardo, reina católica de Escocia, habían enconado las relaciones entre Isabel I de Inglaterra y Felipe II. Idea del marqués de Santa

Cruz, el monarca español planeó en su despacho la invasión de Gran Bretaña con una enorme escuadra que burlando la vigilancia de los almirantes ingleses cruzara el canal de la Mancha rumbo a las islas. La superioridad técnica de los buques británicos, puestos al corriente del proyecto español gracias a los informes enviados desde Madrid por los espías ingleses, convirtió la gran ilusión del monarca en una pesadilla de tempestades y barcos destruidos (1588). Flotan en las aguas, a la deriva, astillas que fueron naves. La armada española se va a pique en su viaje de regreso. Laredo acogería impotente los restos de la Invencible, tragada por la furia del mar. Con todo, el Imperio no quedó desatendido en el mar y la flota se renovó rápidamente, con lo que las comunicaciones con América continuaron abiertas.

A pesar de la actividad bélica de Felipe II, España a duras penas conseguiría mantener su posición en el mundo, obteniendo como único consuelo la agregación de Portugal a la ya larga lista de Estados de Felipe II. En su contra se confabularon las deudas, las bancarrotas y su intransigencia político-religiosa, culpable de la liquidación de un cristianismo intelectual y humanista inspirado en Erasmo y del alejamiento del país de las corrientes del pensamiento moderno. Víctima de la obsesión religiosa y entregada a la Inquisición, España se pliega sobre sí misma en torno a una fe militante, recompuesta por sus teólogos en el Concilio de Trento. Son los tiempos recios de santa Teresa y los de la primera expansión por el mundo de la Compañía de Jesús, cuyo fundador, Ignacio de Loyola, había guerreado al servicio de la Corona de Castilla. Felipe II alimenta las llamas purificadoras de la Inquisición con la vida de los protestantes ejecutados en Valladolid y Sevilla y, en plena manía por el control del saber, impide la construcción de puentes que hubieran facilitado el encuentro con la Europa protestante. Mientras el alma hispana más libre encontraba el consuelo en los arrebatos poéticos de la mística, los hidalgos vascos esgrimían el turbio negocio de la limpieza de sangre con la intención de desembarazarse de la competencia de los escribientes conversos, los únicos que podían disputarles el dominio de la administración creada en torno a la capital madrileña. En un país donde casi todos tenían algún antepasado judío o musulmán, la obsesión por la limpieza de sangre, hábilmente manipulada por los autoproclamados cristianos viejos, empujó a miles de hijos de conversos a emigrar de ciudad y encubrir su vergonzante condición.

«Bailar tengo al son de todos, dure lo que durare», explica Guzmán de Alfarache, diestro en el oficio de la florida picardía, y como su personaje, el novelista Mateo Alemán, inclinado sobre las aguas verdosas del Guadalquivir, allí donde sueñan los huérfanos del Imperio con navegaciones y las mujeres con regresos, decide mudar de traje, de nombre y de ciudad e inventarse un cristianísimo linaje para obtener un pasaje a las Indias y escapar así de la pobreza.

Lejos de los frentes de Europa, las tierras de la Península disfrutan de un período de paz, interrumpido solamente por las sublevaciones en Granada y Aragón. Desde la prohibición de la religión musulmana, la convivencia entre los cristianos viejos y los herederos del islam no había resultado fácil. El ímpetu avasallador de las formas de cultura hispana y las imposiciones del monarca encresparon el problema, que la Nochebuena de 1568 reventó en la sublevación de las Alpujarras. A lo largo de dos años de lucha cruenta, los tercios de don Juan de Austria reprimieron la insurrección y más de ochenta mil moriscos fueron deportados a otras tierras de Castilla, hundiéndose en el tropel de los pordioseros y delincuentes. La misma política represiva empleará el monarca cuando las autoridades aragonesas desafíen su autoridad prestando cobijo al antiguo secretario de Felipe II, Antonio Pérez, acusado de inspirar el asesinato del hombre de confianza de don Juan de Austria. Buen conocedor de las leyes forales, que otorgaban inmunidad a los residentes del viejo reino, Antonio Pérez aprovechó la sospechosa libertad de movimientos de que disfrutaba y se refugió en Zaragoza. Felipe II decidió entonces movilizar la Inquisición, cuya larga mano pasaba por encima de fronteras y cortapisas forales. Por un momento la situación parecía controlada, pero la intervención de Juan de Lanuza, justicia mayor de Aragón, y el alzamiento popular de 1591 obligaron al rey a lanzar sus ejércitos a fin de apresar al fugitivo y abortar una crisis institucional en el corazón mismo de su fortaleza ibérica.

La invasión de las tropas reales trajo negativas consecuencias para Aragón, que hubo de decir adiós a sus fueros. Mientras el viejo reino se castellanizaba, el traidor Antonio Pérez alcanzaba la frontera francesa y escribía demoledores panfletos contra Felipe II, hábilmente publicitados por Guillermo de Orange y Francia como parte de la Leyenda Negra. Una imagen guerrera y salvaje de España, devorada por la intolerancia y la religión, se expande por Europa a causa de los atropellos cometidos por los conquistadores en América, la actividad de la Inquisición, la política internacional del monarca hispano, la misteriosa muerte del príncipe Carlos y la pluma venenosa de unos rivales políticos que vieron en ese conjunto de sombras un proyectil utilizable contra la hegemonía habsburguesa en Europa. La España de Felipe II no fue, sin embargo, diferente del resto de monarquías de la época. A lo largo de la centuria, Francia e Inglaterra también se vieron contagiadas por la belicosidad de sus reyes o el virus de los conflictos espirituales que sumergían el continente en una marea continua de guerras. La herida abierta por la Reforma religiosa y la mano dura empleada en la conquista y sometimiento de Escocia e Irlanda, con sus frecuentes estallidos de violencia, rotularon de sangre los verdes campos de las islas Británicas en tanto la guerra entre católicos y protestantes junto con las muertes violentas de Enrique III y Enrique IV —ambos fueron asesinados— desvertebraron Francia durante más de treinta años.

En contraste con la imagen de España que recorre el solar europeo, El Escorial irradiaría una atmósfera de cultura cosmopolita, representada en su rica biblioteca, donde alternan las obras científicas con las literarias, las cristianas con las islámicas, las teológicas con las astronómicas. Dominante sobre la sierra de Guadarrama, el palacio-panteón custodiaría una de las mejores colecciones de arte de la época. La pasión por la pintura nunca abandonaría a un monarca que durante sus treinta años de reinado no cesaría de adquirir obras y ampliar su pinacoteca. Estimulados por los encargos eclesiásticos o el mecenazgo real, los artistas españoles reflejaron en centenares de cuadros el lenguaje de la fe y el éxtasis místico, llevado a su máximo lirismo en la pincelada arrebatada del Greco. La piedra, el bronce o el lienzo actuaron de pregoneros del esplendor de los Habsburgo, a cuya inmortalidad contribuyó el pintor Tiziano, el escultor Berruguete o la sobria arquitectura de El Escorial.

Agua esculpida eres,
música helada en piedra.
La roca te levanta
como un ave en los aires;
piedra, columna, ala
erguida al sol, cantando
las palabras de un himno,
el himno de los hombres
que no supieron cosas útiles
y despreciaron cosas prácticas...

LUIS CERNUDA,
El ruiseñor sobre la piedra

Al sentir aproximarse su hora, enfermo de gota y vencido, Felipe II se encierra en El Escorial. Tras décadas de sostener la mitad del mundo sobre sus hombros, el más alto prisionero de su propio Imperio quiere descanso y olvido. El fracaso de su intervención en las guerras religiosas de Francia se suma a las pérdidas de la aventura inglesa y la quiebra de la Hacienda, que hace tambalear la fortaleza de los tercios en Europa. Para desatascar el problema de los Países Bajos, Felipe II nombra a su hija Isabel Clara Eugenia y al esposo de ésta, Alberto de Austria, príncipes soberanos de Flandes. Pero la autonomía concedida en 1598 se frustraría al no cuajar esta tercera dinastía habsburguesa de Bruselas y revertir su herencia a la Corona española.

Sonetos de la decadencia

Cuando en 1598 Felipe II cierra los ojos al mundo en El Escorial, la grandeza que había exhibido el Imperio español comienza a derrumbarse. A pesar de que han de transcurrir muchos años todavía para que la monarquía pierda su envidiada posición de gran potencia mundial y la corte madrileña deje de atraer las miradas de Europa, los malos augurios parecen conjurarse contra España. La población, que no había dejado de crecer en los reinados de Carlos V y Felipe II, empieza a estancarse. Debilitada por la sangre derramada en los campos de batalla, el segundo golpe lo asesta el desembarco de la peste en el puerto de Santander, una vieja conocida a la que los reyes no habían podido desterrar. La plaga, que ya había diezmado el país en diferentes ocasiones, campeará a sus anchas durante todo el siglo, como si con su cortejo de víctimas quisiera prolongar el luto de los españoles por el fallecimiento del rey.

Tampoco la economía perdona en el siglo XVII los errores de una concepción del mundo que ya nada tiene que ver con los proyectos políticos, religiosos y culturales que empiezan a señalar en Europa el alba de la modernidad. Muy castigada ya por la continua subida de los precios, la industria española moría al nacer, presa de la falta de tradición y el retroceso demográfico. La conquista de los mercados peninsulares por los productos extranjeros convirtió la metrópoli del mayor imperio del mundo en una simple colonia de comerciantes venidos de Europa. Por abandono o incapacidad, América pasó también a ser un negocio extranjero. Holandeses, genoveses, franceses, alemanes e ingleses rompieron el espejismo del monopolio español y comenzaron a dominar el mercado de las Indias. Para colmo de males, la caída de los rendimientos del campo y las sucesivas bancarrotas daban el golpe de gracia al ya de por sí maltrecho sistema productivo español.

El sepelio de Felipe II señalaba la travesía de una monarquía que se había creído elegida por Dios para dominar el mundo a otra víctima del infortunio, abandonada a su suerte por la divinidad. Un español podía pasearse todavía por el mundo sin pisar tierra extranjera, pero el Estado de los Austrias era el más caro de Europa: producía cada vez menos y la continua emisión de monedas agravaba la enfermedad de su economía. Mientras los nobles, señores de palacios y latifundios, vivían de sus rentas a la sombra de la Corona y los hidalgos tenían por campo de batalla las alcobas, los nuevos ricos, especuladores y mercaderes, compraban tierras y títulos como bien seguro y salvoconducto hacia el ennoblecimiento. Al estrenarse el siglo XVII, Castilla, corazón y despensa de la monarquía, estaba agotada. Eran demasiados años de guerras, de búsqueda de fortuna en América o de pan y tranquilidad tras las rejas de los conventos como para que la población castellana no comenzara a notar los síntomas del cansancio. Las malas cosechas, las oleadas pestíferas y las embestidas del hambre desangraron el campo, lanzando a las ciudades un batallón de gente errante obligado a mendigar su sustento a las puertas de las iglesias y monasterios o malvivir en los centros de caridad. Hijos de la quiebra y la miseria, muchos de los desposeídos de España viajarán a las colonias, enrolados en los ejércitos o en la burocracia del Estado.

La hemorragia de gentes hacia América ahondó la crisis interna de una sociedad decaída por la amargura de los fracasos militares. De la dieta estricta forzada por la crisis económica y demográfica florecieron los arbitristas, hombres de Estado, pensadores o autores de rigor a veces que tratarían de llamar la atención sobre los males de la monarquía y entregar al rey la receta milagrosa para enderezar el rumbo vacilante de España. Los ensayos económicos, sociales y políticos circularían por las imprentas y los despachos de Madrid, poniendo el dedo en la llaga de un imperio que empezaba a resquebrajarse en los campos de batalla de Europa. Abundaban los que proponían quimeras, pero no faltaban análisis lúcidos que acertaban a desenmarañar los problemas del momento —la despoblación, la dependencia comercial, las catástrofes monetarias y fiscales— adelantándose a los proyectos ilustrados del siglo posterior.

> Porque te veo andando entre zarzales
> por todos los caminos rezagada
> con una cruz al cuello y otra al hombro,
> durmiendo en las cunetas de la gloria
> para soñar perdidas carabelas
> con ojos anegados de ceniza.
> Porque te veo escuálida y desnuda,
> comiendo el pan moreno de tu vientre,
> bebiéndote el gazpacho de tu sangre...

ÁNGELA FIGUERA AYMERICH,
Canto rabioso de amor a España en su belleza

Para mantener un ejército en permanente lucha, una burocracia tan extensa y unos gastos incontrolados, los Austrias deberían haber renovado por completo la Hacienda de su Estado. Al no hacerlo hipotecaron el futuro de una Corona que parecía incapaz de sostener el peso del gobierno, mucho más complejo tras la gestión del rey burócrata Felipe II. Por abulia o cansancio, Felipe III dejó las riendas de un imperio que le sobrepasaba en manos del duque de Lerma. Había llegado el tiempo de los validos, instancias intermedias entre el trono y la burocracia que irrumpen en las cortes de toda Europa. Dueños de la economía y el Estado, señores de palacio y los ejércitos, los validos mantendrían la marcha de la administración en las horas más delicadas de la dinastía habsburguesa.

A comienzos del siglo XVII, el acuerdo con Inglaterra permitió al duque de Lerma concentrar todos los recursos humanos y económicos de la Corona en el atolladero de los Países Bajos, donde hacía tiempo que el poderío naval holandés y las estrecheces del erario español despertaban el miedo a la derrota. Amansadas las aguas del Atlántico, el talento militar de Spínola aprovechó los nuevos envíos de plata para cambiar el sentido de la guerra y deshacer entre columnas de humo los ánimos de las tropas holandesas. Hasta pudo Felipe III haber soñado en algún momento con la idea de sofocar la rebelión flamenca por la fuerza, pero una nueva bancarrota pulverizó las exitosas campañas de Spínola. No habiendo dinero suficiente, el monarca se vio obligado a renunciar a la política ofensiva demostrada en el siglo anterior y buscar una salida negociada al conflicto. Finalmente, después de más de cuarenta años de guerra ininterrumpida, la tregua de los Doce Años (1609) abría un período de calma en los Países Bajos.

Cuando se apagaron las hogueras en los campos de batalla de Flandes, la amenaza de los ejércitos franceses, alentados por el belicismo de Enrique IV, alarmó al duque de Lerma, que veía cómo se le venían abajo sus recientes triunfos diplomáticos. Para evitar la ruinosa aventura de una guerra con Francia, el valido llamó en su auxilio a los católicos franceses, a quienes Felipe II había respaldado durante los conflictos de religión del siglo anterior. Sus deseos de paz se hicieron realidad el año 1615, después de que al morir asesinado el monarca francés las casas de Borbón y Habsburgo aprobaran un tratado de alianza dinástica sin precedentes en la historia. Lamentablemente, el militarismo español y el francés malograrían el esfuerzo desplegado en los despachos.

Víctimas de un clima internacional enrarecido, de búsqueda de paz y firma de treguas imposibles, los moriscos valencianos y granadinos se convirtieron en un problema político de primer orden. Desde la revuelta de las Alpujarras, el miedo a que fueran manipulados por Francia o el Imperio otomano y pudieran resucitar el fantasma de la guerra había irrumpido con fuerza en la mente de los españoles. La idea de expulsión recorrió los salones de la corte de Felipe II, pero entonces el monarca no se dejó vencer por las presiones y rechazó la propuesta. Todo lo contrario que su sucesor, quien no opuso resistencia alguna a que la única minoría étnico-cultural que había logrado sobrevivir a la ola de intolerancia europea recorriera el camino del destierro, repitiendo la tragedia que más de cien años antes había quebrado la ilusión de miles de judíos. De nada sirvió que la nobleza levantina y los señores aragoneses se movilizaran en defensa de la minoría morisca. Felipe III aprovechó el respiro concedido por la mejora de la situación internacional para poner orden en casa y, ante el peligro real o imaginario de una sublevación, en 1609 ordenó a los moriscos abandonar España. El destierro de aquellos hombres y mujeres odiados por ser distintos de los demás, por conservar sus viejas costumbres y tradiciones, tenía también mucho de maquillaje que intentaba disimular las arrugas de la crisis económica y ofrecer un triunfo que compensara la sensación de derrota provocada por la paz firmada con los Países Bajos.

Cuando aún no se habían curado las heridas de la peste, la población se desangraba nuevamente con la expulsión de la minoría morisca. Para Castilla esta salida de gente en plena crisis demográfica no resultó dolorosa, ya que constituía una parte mínima de su potencial humano. Sin embargo, en Aragón y, sobre todo, en Valencia, aquellos hombres y mujeres representaban un grupo demasiado importante de la población como para que su marcha no desgarrara las venas de su débil demografía y pusiera en peligro los sistemas de explotación y riego del campo. En el trabajo de aquella mano de obra se fundamentaba la agricultura levantina, y en ésta, la riqueza de la aristocracia y aun de la Iglesia y la burguesía valencianas.

Cien mil moriscos salieron,
cien mil casas dejaron,
las haciendas que se hallaron,
¿en qué se distribuyeron?
La moneda que subieron,
causa de pena y de lloro,
el subir también el oro
con tan poco fundamento,
arbitrio al fin de avariento
para aumentar su tesoro.

CONDE DE VILLAMEDIANA,
Aconsejando a la Majestad de Felipe III contra los privados y ministros

La expulsión de los moriscos arrancó el llanto de las acequias y acabó por desorganizar la economía española al desencadenar la crisis de la producción agraria valenciana y la ruina de los propietarios agrarios y prestamistas. Valencia, que había sido en la centuria anterior la ciudad más dinámica de la zona oriental de la Península, se hundió en la desgracia. Como un hacha fría, las medidas de Lerma contra los moriscos ahondaron la brecha que separaba el centro de la periferia y pusieron al borde de la quiebra a la nobleza valenciana y aragonesa, que se salvaría en el último momento por las concesiones económicas del rey. La Corona veía ahora estrecharse la dependencia de Valencia respecto de Madrid, pues a los aristócratas se les hará difícil sobrevivir sin la ayuda real en unas tierras huérfanas de los sufridos moriscos.

Al tiempo que los puertos valencianos y alicantinos despedían a los herederos españoles del islam, una estirpe de escritores iluminaba España con el oro de las letras. La permanente búsqueda de la belleza, la combinación de lo antiguo y lo moderno, lo foráneo y lo *nacional*, la defensa de unas tradiciones que iban perdiendo su sitio en Europa o la reflexión minuciosa sobre la decadencia española impregnaron la tinta de los mejores escritores de todos los tiempos. Cervantes descubre el doloroso conflicto entre la realidad y la bambolla en la triste odisea de don Quijote de la Mancha; Lope de Vega revoluciona la escena y se convierte en el más acérrimo defensor de la ideología tradicional y los valores casticistas; Góngora busca el refugio de la belleza en una travesía poética que sigue la ruta trazada por el fluir melancólico de Garcilaso de la Vega; Baltasar Gracián asombra con su dominio del concepto y el lenguaje; Calderón pregona el espíritu religioso de la Contrarreforma mientras Quevedo, puro de sangre y con espada y pluma de mucho filo, desentraña las contradicciones del barroco y entrega a la imprenta algunos de los versos de amor más hermosos y conmovedores de las letras españolas,

> serán ceniza, mas tendrá sentido;
> polvo serán, mas polvo enamorado.

La literatura del Siglo de Oro fascinó a Europa y paseó el prestigio del idioma español por medio mundo en un momento en que los tercios empezaban a renquear en las tierras del Imperio.

Llegado 1618, las sátiras sobre la gestión del duque de Lerma y las críticas a la corte hicieron mella en el monarca. Presa de los remordimientos, Felipe III decidió sustituir a su favorito y en los últimos años de su vida trató de corregir los males que deterioraban el Imperio, tambaleante pero aún poderoso. Lentamente se hundiría en la enfermedad, cada vez más ausente del mundo, más incapacitado para gobernar una monarquía que al sofocar la revuelta de los protestantes bohemios se precipitaba sin saberlo hacia una guerra que devastaría Europa a lo largo de treinta años. La muerte en 1621 es como una liberación para el monarca que entrega España a su hijo Felipe IV, cuyo reinado marcado por el ímpetu arrollador del conde-duque de Olivares, se abre con grandes proyectos para la monarquía.

La patria herida

Cuando Felipe IV se sentó en el trono, el poderío español se conmovía en sus cimientos. Por más que el conde-duque de Olivares intentara retener el esplendor político de épocas pasadas y el monarca se dejara conquistar por los sueños de gloria de su primer ministro, las nuevas potencias que emergían en el tablero europeo harían imposible la hegemonía hispánica. Durante el reinado de Felipe IV, la mermada capacidad ofensiva de los tercios fue contestada por la siempre acechante y marítima Inglaterra, la burguesa y mercantil Holanda y la arrolladora Francia de Luis XIII y Luis XIV. Olivares llegó al poder con un solo proyecto político en la cabeza: defender los bienes heredados del siglo anterior, considerados por el rey como una especie de mayorazgo indivisible, y renovar el prestigio de la monarquía habsburguesa en el continente. La ininterrumpida secuencia de conflictos —guerra en los Países Bajos, guerra de los Treinta Años...— apolillaría las ya exhaustas finanzas de la Hacienda real y abocaría al fracaso la desmesurada política de Olivares.

Aunque el Imperio comenzaba a hundirse en Europa y los ingresos fiscales no daban más de sí, Felipe IV se divertía en la corte mientras su valido soportaba todo el peso de la gobernación de España. Ni las estrecheces de la Hacienda ni las inevitables bancarrotas consiguieron moderar su gusto por la ostentación, que le hizo levantar un nuevo palacio para solaz de su alma en Madrid. La construcción del sitio del Buen Retiro era la muestra expresiva del esfuerzo por hacer del arte un medio de propaganda de la monarquía cuando su poderío declinaba en Europa. Allí, ajeno completamente a los problemas que debilitaban su cetro imperial, perdido en los jardines y la música melancólica de las fuentes, disfrutaba el rey del teatro o entretenía su ocio con fiestas y veladas musicales. Como su abuelo, Felipe IV sentía una profunda pasión por la cultura y las artes plásticas. El rey poseía la mayor y más relevante pinacoteca conocida en Europa, que no cesaba de crecer gracias a su mecenazgo de los artistas españoles, las compras de los embajadores y los regalos de otros príncipes y aristócratas. Contaba además con la paleta de Velázquez, proveedor de retratos y alegorías, y el genio creador de Zurbarán, Ribera o Murillo.

Enséñame a escribir la verdad,
pintor de la verdad.
Ponme la luz de España entre renglones,
la impalpable luz que tiembla
en tus telas.
Dirígeme los ojos hacia abajo:

gente humillada y despreciada
de reyes, conde-duques e inocencios.

BLAS DE OTERO, *Diego Velázquez*

A los pocos años de gobierno, el conde-duque de Olivares tenía bien claro que era urgente remediar el cansancio de Castilla, para lo cual ideó una contribución económica más equitativa de los diversos territorios peninsulares a las causas comunes. En su mente hervía el deseo de centralizar la monarquía hispánica y formar un ejército de 140 000 hombres, la *Unión de Armas*, reclutado y mantenido por todos los reinos de los que se componía España en proporción a sus habitantes y su riqueza. Los planes del valido chocaron frontalmente con la oposición de Aragón y Cataluña y la negativa de Portugal, justo cuando los desastres europeos y la amenaza de la intervención francesa en la guerra de los Treinta Años más necesaria hacían su ayuda. Nada se había perdido todavía en 1628, pero los sucesivos reveses militares terminarán por interiorizar el miedo al fracaso, la precaria realidad de un imperio exhausto, víctima de los delirios de grandeza y la esclerosis económica del centro rector.

Sólo Olivares parecía mantener la cabeza fría. Al borde del naufragio, el conde-duque preparaba la maquinaria militar ante una inminente confrontación abierta contra la poderosa Francia de Richelieu y la guerra le facilitó un excelente pretexto para derivar hacia Cataluña uno de los frentes de combate y vencer así las resistencias de las gentes del Principado a integrarse en los proyectos de la monarquía. Conforme a su estrategia, Olivares planeó un asalto al país vecino, pero el empuje inicial de los ejércitos reales se desvaneció en todos los campos de batalla y la resistencia a las innovaciones del valido arraigó en Cataluña. Francia no desaprovecharía el desconcierto. El cardenal Richelieu consideró entonces llegado el momento de asestar el golpe de gracia a la desgastada hegemonía habsburguesa y lanzó sus ejércitos sobre Guipúzcoa, sitiando por tierra y mar Fuenterrabía. La noticia de que España había sido invadida por primera vez en más de un siglo levantó una ola de indignación que se coló en todos los rincones del país. Únicamente el movimiento de patriotismo suscitado por el arrojo de los soldados vascos y los mercenarios irlandeses que defendían Fuenterrabía consiguió evitar la tragedia y elevar fugazmente la moral de la monarquía. Poco habría de durar la alegría del triunfo, ya que a partir de ese momento las derrotas se sucederían imparables. España no podía estrujar más su maquinaria y el astuto Richelieu comprendía la inutilidad de atacar a la monarquía habsburguesa por la leal Guipúzcoa.

La tragedia está a punto de consumarse con la rebelión de Cataluña y la secesión portuguesa, que pondrán en peligro la propia supervivencia de la Corona e inclinarán definitivamente la balanza militar en contra de la España de Olivares. En Cataluña los continuos abusos cometidos por las tropas reales que combatían a Francia despertaron la ira de los payeses, provocando una cadena de altercados que culminaron con la sublevación general del Principado. Muy pronto liderada por las clases acomodadas, la revuelta representaba el acto final de una larga resistencia contra el proyecto de unificación patrocinado por el favorito del rey. Ante una sublevación que distraía fuerzas necesarias en Europa, el valido optó por la represión militar para arrancar de raíz el problema. Sin embargo, la falta de dinero demoró en exceso la puesta en pie del ejército encargado del castigo y los insurgentes pudieron entablar negociaciones con Francia, que no desaprovechó el flanco abierto para introducir el caballo de Troya en la casa de su rival.

La brecha de la desintegración peninsular era la oportunidad que esperaba un sector de la nobleza portuguesa para dar otra vuelta de tuerca a la crisis de la monarquía hispana. Cuando Olivares aún no había digerido la insurrección catalana, el duque de Braganza encauzaba un hábil golpe de Estado y proclamaba la secesión de Portugal (1640). En el levantamiento se combinaban la hostilidad de una porción de la aristocracia contra las intenciones centralizadoras del valido, el odio hacia los banqueros judíos, dueños de la finanzas reales, e injustas acusaciones contra Castilla de no defender los intereses portugueses en Asia y América. Desde el Rin hasta el Danubio, desde los Pirineos hasta el mar del Norte, la imagen de un Estado tambaleante recorrió Europa en un momento en que los desequilibrios sociales y el temor de los reinos periféricos a hundirse en la ruina de Castilla ocasionaron estallidos de violencia en Nápoles, Sicilia, Andalucía y Aragón.

Pronto la ocupación francesa de Cataluña y la rebelión portuguesa consumaron el desprestigio de Olivares y Felipe IV. Veinte años de proyectos comunes y secretos compartidos llegaban a su fin en 1643, cuando el monarca decidió prescindir de su valido. Unos meses más tarde el desmoronamiento interno hallaba su reflejo en los campos de batalla de Europa, donde Francia confirmaba su rango de primera potencia terrestre. Encajonado entre los estallidos insurreccionales de Cataluña y Portugal, obsesionado por la culpa y el miedo a dejar en la ruina el edificio político construido por sus antepasados, el rey mendiga la paz en Europa y concentra las energías de la monarquía en la recuperación del Principado. Había llegado el momento de asumir la responsabilidad de su elevado cargo y hacer frente a la crisis que carcomía los pilares de la monarquía.

La caída del conde-duque de Olivares y el aumento de las cargas exigidas por el amo francés para alimentar su tropa abrieron una posibilidad de acuerdo entre Cataluña y la corte. Al estrenarse el año 1644, Felipe IV se ponía al frente del ejército que combatía en la frontera de Aragón y Cataluña con la promesa de una reconciliación basada en el respeto a las tradiciones regionales. Tras la reconquista de Lérida y la jura de los fueros, el monarca se presentó como un soberano benévolo y paternal ante unos catalanes deseosos de quitarse de encima a los nuevos ocupantes y colaborar con los ejércitos de Felipe IV. Finalmente, en 1652, Barcelona se rendía a las tropas de don Juan José de Austria y la oveja rebelde volvía al redil español. Mientras tanto, en Europa, la paz de Westfalia (1648) escribía la última página de la guerra de los Treinta Años, aunque la tranquilidad no llegaría a Madrid hasta la firma del Tratado de los Pirineos, un acuerdo que durante mucho tiempo sería motivo de elegía para los poetas.

Miré los muros de la patria mía
si un tiempo fuertes, ya desmoronados,
de la carrera de la edad cansados,
por quien caduca ya su valentía.

Salíme al campo: vi que el sol bebía
los arroyos del hielo desatados;
y del monte quejoso los ganados
que con sombras hurtó su luz al día.

Entré en mi casa; vi que, amancillada,
de anciana habitación era despojos;
mi báculo más corvo y menos fuerte.

Vencida de la edad sentí mi espada,
y no hallé cosa en que poner los ojos
que no fuera recuerdo de la muerte.

FRANCISCO DE QUEVEDO,
Enseña cómo todas las cosas avisan de la muerte

Después de más de treinta años de lucha ininterrumpida, el soberano español sellaba la paz con Francia en la isla de los Faisanes, en la desembocadura del Bidasoa. Dejando por un momento sus pinceles y en el ejercicio de sus funciones de aposentador real, Velázquez había dispuesto hasta los últimos detalles el escenario de la entrevista. Nada podía fallar dada la importancia que para España tenía el abrazo entre Felipe IV y Luis XIV. Para don Felipe era tiempo de despedidas. Con el convenio impuesto en Guipúzcoa, el rey reconocía el ocaso del poderío español, entregaba a Francia los condados del Rosellón y la Cerdaña y como refrendo de la paz despedía a su hija María Teresa, que salía hacia París para contraer matrimonio con Luis XIV. La boda de la infanta y el monarca galo, pese a la renuncia de éste a sus derechos a la Corona española, daría a Versalles, en el futuro, la llave del trono madrileño.

Con el Tratado de los Pirineos en la mano, la recuperación de Portugal ocupó la mente de Felipe IV. La devoción del monarca a la memoria de su abuelo le hizo descargar todo el peso militar sobre Lisboa, pero para entonces los portugueses secesionistas habían conseguido levantar un ejército y contaban con la poderosa alianza de Inglaterra y Francia. Los desvelos del soberano consumieron las últimas fuerzas de la monarquía, poniendo de manifiesto lo agotada que había quedado España después de tantos años de guerrear en Europa. Cuestión sólo de tiempo, la derrota de las tropas reales en 1665 arruinaba definitivamente la ilusión de una Iberia unida bajo la debilitada corona de los Habsburgo mientras se extendía por la sociedad española un cierto desdén hacia los portugueses, presente ya en la obra de Lope de Vega. Ese mismo año moría Felipe IV y el cetro real quedaba en manos de un monarca niño, Carlos II, y de una enredadora reina madre, Mariana de Austria.

De nada sirvió que la corte tratara de maquillar la realidad. Lentamente, los españoles se iban dando cuenta de que la monarquía española estaba enferma. Presa del desconcierto económico, Castilla pagaba los excesos de Felipe IV mientras los asaltos de Luis XIV a las posesiones españolas en Europa, la toma inglesa de Jamaica, la sanguinaria era de los bucaneros en el hemisferio de las Indias y el reconocimiento final de la independencia de Portugal no hacían sino complicar los dolores de la monarquía. En medio del desasosiego don Juan José de Austria se erigió en la esperanza de muchos. Vino el príncipe revestido de la aureola de sus triunfos en Nápoles y Cataluña, y el adolescente Carlos II le entregó las riendas del Estado y las de su propia persona, encargándole de su educación y de concertar su matrimonio. La temprana muerte del valido le impediría llevar a cabo muchos de sus proyectos, aunque la lucha contra la inflación monetaria acabaría dando los resultados pretendidos.

En breve tiempo, la devaluación decretada por don Juan José de Austria y los reajustes de la paridad de los metales preciosos aliviaron la economía a la par que se estrenaba una ambiciosa política fiscal de reducción de gastos y deudas que desahogaría a los castellanos. Lastrada por la presencia de un rey incapaz, la maquinaria del Estado cumpliría a trancas y barrancas su cometido de gobierno y mantendría vivo el Imperio, alejado de cualquier aventura militarista. Que la situación no era tan catastrófica y las posesiones españolas en América y Europa resultaban muy apetitosas lo sabían bien las potencias europeas del momento. Sobre todo Francia y Austria, que no dejan de intrigar en las cortes, buscando imponer sus candidatos a la Corona después de que tras dos bodas y treinta y cinco años de reinado quedó claro que el rey no tendría herederos. Era tal el interés de Francia por las propiedades españolas que Luis XIV llegó incluso a firmar tratados secretos con Holanda, Inglaterra y Austria a fin de repartirse la herencia de los Habsburgo españoles.

A sus cuarenta años, Carlos II es un viejito sin herederos, que agoniza rodeado de confesores, exorcistas, cortesanos y embajadores que se disputan el trono. Enfermo y cansado, rojos los ojos saltones, el rey tiembla y delira, calcula el peligro de descomposición que se abate sobre la monarquía y duda entre las presiones de Francia y Austria. Finalmente, el rey consideró buscar un sucesor amigo de Versalles, ya que la potencia gala parecía la única capaz de asegurar la integridad de la Corona y proteger los bienes españoles de la rapiña europea. El 3 de octubre de 1700 el rey nombraba a Felipe de Anjou, nieto de Luis XIV, su heredero a condición de no ceder ninguna posesión de la Corona a terceros ni unir España a cualquier otro reino. Noche tras noche Carlos II huía de la vida entre las sábanas, se deslizaba hacia la tumba de mármol que lo esperaba en El Escorial, y mientras tanto huía también el siglo y acababa para siempre la dinastía española de los Habsburgo.

CAPÍTULO V

La historia ilusionada

El nieto del sol

A comienzos del siglo XVIII la marea de la Ilustración comenzaba a sumergir Europa. Las nuevas ideas, difundidas sobre todo por los filósofos franceses, iban ganando el espíritu de las clases burguesas. En la corte de Madrid algunas mentes renovadoras, arropadas por la monarquía borbónica, quedaron deslumbradas por las luces de Europa y quisieron también remozar la sociedad española, presa de una organización rancia y deteriorada. El gran reto de los ilustrados sería la modernización de España.

Con el nieto de Luis XIV llegaba a España la casa de Borbón. Felipe V no entró en Madrid con un proyecto ilustrado de nación bajo el brazo. Sí trajo en cambio un nuevo sentido del Estado y una idea más moderna de la monarquía, inspirada en el modelo francés y la tradición castellana de fortalecimiento de la corona. No obstante, en un principio, el joven Borbón se mostró respetuoso con las tradiciones de los reinos de la Corona de Aragón e inició su gobierno sin atacar las viejas leyes. Fiel a los consejos de su abuelo, no tocó los fueros y concedió abundantes privilegios a los súbditos más reacios a sus proyectos centralizadores, incluida la libertad para crear una compañía marítima o el acceso de dos barcos catalanes al mercado de las Indias. Pese a su buena disposición, las potencias continentales no iban a permitir un relevo dinástico tranquilo. Desde el principio, Gran Bretaña y Austria expresaron sus recelos ante el previsible manejo de las posesiones españolas y los metales americanos por Luis XIV. La prepotencia mostrada por el Rey Sol al dirigir la corte madrileña entre bastidores y ocupar las fortalezas españolas de Flandes encresparon los ánimos en Europa y precipitaron la firma de una gran alianza para desalojar a los Borbones de Madrid. Austria, Holanda e Inglaterra cerraron filas en favor de Carlos de Habsburgo, el perdedor del testamento de Carlos II, y respondieron con las armas al jaque de Luis XIV.

Aunque en sus comienzos la guerra de Sucesión se dirimió en Italia y Flandes, los campos de España no pudieron escapar de un conflicto internacional que enfrentó a Francia con el resto de potencias europeas. Rápidamente, los incidentes en la frontera con Portugal y los ataques de la armada inglesa, que saqueó Cádiz, conquistó Gibraltar y hundió la flota americana en Vigo, trajeron a los españoles los primeros sinsabores de la guerra. La trama del conflicto se terminó de enredar con el desembarco del archiduque Carlos en Lisboa y la sublevación de los territorios de la Corona de Aragón en favor de la dinastía austríaca. Cataluña confió su futuro a las tropas aliadas, convencida de que la victoria del pretendiente haría de Barcelona el centro económico de España. Los valencianos, a su vez, encontraron en el apoyo al archiduque una oportunidad perfecta para liberarse de la soga de la nobleza y sus pesados tributos mientras en Aragón la revuelta en defensa del partido austríaco prendió con fuerza en las capas populares y, por el contrario, el miedo a éstas empujó a los grandes señores a poner sus armas al servicio de los Borbones.

Con el levantamiento de Cataluña, Valencia, Aragón y Mallorca la disputa sucesoria prolongaba el frente de batalla desde Murcia al Pirineo, degenerando en una contienda civil que dividió también a la nobleza y la Iglesia. Durante años los golpes y contragolpes de los generales franceses de Luis XIV y las tropas aliadas envolvieron a los españoles en una guerra civil que a punto estuvo de desterrar del trono una nueva forma de entender España. Pese a los problemas que vivía Francia en Europa, la mano que sostenía la casa de Borbón en los campos de batalla no tembló y el esfuerzo militar halló su recompensa en las victorias de Brihuega y Villaviciosa, antes de que un acontecimiento inesperado, la muerte del emperador austríaco José I, dejara al archiduque Carlos como heredero único del Imperio. El agotamiento de los ejércitos enfrentados y la salida del pretendiente en busca de la Corona del Sacro Imperio Romano enfrió en Europa la alianza contra los Borbones y cambió definitivamente el rumbo de la contienda a favor de Felipe V.

Una vez ocupadas Aragón y Cataluña, llegó la hora de negociar una paz digna con el resto de potencias europeas. Los esfuerzos diplomáticos de Luis XIV culminarían el año 1713 con el Tratado de Utrecht. Felipe V era confirmado en el trono, pero a cambio perdía sus posesiones más preciosas en Europa. Flandes, Milán y Cerdeña pasarían a manos del emperador austríaco y Saboya se adueñaba de los bienes sicilianos. Por su parte, Gran Bretaña, la gran beneficiada del acuerdo, lograba arrancar un racimo de ventajas comerciales en América: monopolio de la trata de esclavos con las colonias y permiso para enviar cada año un barco de quinientas toneladas, tapadera de un contrabando masivo que desataría nuevas fricciones en el Atlántico. Por último, también en Utrecht, España se despedía de Gibraltar y decía adiós temporalmente a Menorca, cuya importancia estratégica había colocado ambos enclaves en el punto de mira de la armada inglesa. La guerra de Sucesión fue el momento elegido para atacar y la oportunidad que permitió a Gran Bretaña, mediante el Tratado de Utrecht, ejercer su soberanía en ambas zonas e iniciar una política de deshispanización, que en el caso de Menorca nunca llegó a completarse, ya que la isla volvería a España en 1783 de resultas de la guerra de Independencia de Estados Unidos. En cambio, el peñón de Gibraltar permanecería bajo bandera británica hasta la actualidad, manteniendo abierta la herida histórica, consecuencia de la ocupación de un trozo de tierra española por una potencia extranjera.

Los catorce años de la guerra de Sucesión permitieron al monarca acelerar el proceso de unificación del Estado. Sin problemas de reconocimiento, el Borbón emprendió una ardua tarea centralizadora que tras años de reformas liquidaría las leyes y las instituciones tradicionales de los reinos de la Corona de Aragón. En un primer momento, en 1707, el soberano español abolió los fueros valencianos e impuso a los súbditos levantinos la legislación castellana. Con el avance de los ejércitos reales, el modelo se expande. Muy pronto, en 1711, le llega el turno a Aragón, que pierde sus privilegios, y cinco años más tarde le toca a Cataluña, donde el rey se muestra más comprensivo al permitir la supervivencia del derecho privado, aunque sus disposiciones dejaron el poder en manos de un capitán general y extendieron al Principado el español como lengua de la administración. Con el objetivo fundacional de fijar, limpiar y dar esplendor, la Real Academia Española se comprometió entonces a vigilar el buen uso del idioma en toda la Península y América. Los viejos reinos de la Corona de Aragón también decían adiós a sus Cortes, incorporadas al parlamento de Castilla, convertido de hecho, aunque no de nombre, en las Cortes de España.

Tampoco la administración central, anquilosada en los tiempos de los últimos Austrias, resistirá el ímpetu reformista del monarca. La lucha contra la alta nobleza, a la que aleja de las tareas burocráticas, y la creación de las Secretarías de Estado, Justicia, Hacienda, Marina y Guerra, precedentes del gabinete de ministros del siglo XIX, completaron la unificación de la dirección política del gobierno. La meta perseguida por el Borbón era clara: dotar a España de un Estado moderno, y a este fin contribuyeron los Decretos de Nueva Planta y la remodelación de la burocracia central. No obstante, la revisión tuvo sus límites, ya que las Provincias Vascongadas y Navarra, respetadas por el apoyo a Felipe V durante la guerra, conservaron sus instituciones intactas y continuaron ancladas en sus viejos fueros.

En un proyecto centralista de Estado y de afirmación de la autoridad real, la Corona no podía permanecer pasiva frente a los movimientos de una institución, la Iglesia, cuyo apoyo al archiduque durante la guerra de Sucesión había abierto una herida que tardaría tiempo en cicatrizar. Ante la amenaza de nuevos conflictos, el joven Felipe V lanzó una ofensiva dirigida a establecer la hegemonía de la Corona sobre la Iglesia española y poner fin a las injerencias de Roma. El regalismo defendido por el monarca, uno de los grandes principios del despotismo ilustrado, triunfaría en tiempos de su hijo, Fernando VI, quien firmó con Roma el Concordato de 1753, por el que el Papa reconocía la primacía de la Corona sobre la jurisdicción eclesiástica y la facultad de los monarcas españoles para intervenir en la administración y control de las finanzas de la Iglesia.

Consolidadas las bases del absolutismo, Felipe V siguió con las reformas, a menudo contestadas por sus súbditos, encontrando especial resistencia en el servicio militar obligatorio por quintas y la reforma fiscal, que agregaba un nuevo impuesto sobre los inmuebles y las rentas. Paralelamente la necesidad de reanimar la demanda interior y poner fin al crónico déficit de la balanza de pagos activó las maniobras de la administración madrileña, empeñada en suprimir las barreras que obstaculizaban el tráfico comercial en el interior. El Borbón suprimió las aduanas entre Castilla y Aragón y, camino del mercado unificado, trató de trasladar las barreras fiscales a la costa y a la frontera francesa, pero un violento motín en la ría de Bilbao obligaría a dar marcha atrás al monarca y devolver las aduanas al Ebro. Pese a todo, la supresión de fronteras entre Castilla y Aragón fue un estimulante paso hacia el mercado nacional en tanto los fuertes gravámenes impuestos a los productos importados inauguraban una política proteccionista que con distintos vaivenes recorrerá los dos últimos siglos de la historia de España.

Tras el Tratado de Utrecht el Imperio español había dejado de ser universal para convertirse en americano. La preocupación por el control de las Indias quitaría el sueño a los Borbones del siglo XVIII. Contrabando, ataques piratas, asaltos ingleses..., la llegada de una nueva dinastía y la guerra de Sucesión desataron muchas de la ligaduras que unían las colonias a la metrópoli. Felipe V y sus ministros supieron ver desde los primeros días la importancia del continente americano. Allí se encontraban las grandes bolsas de demanda y las fuentes de riqueza necesarias para rehacer la fortaleza de la monarquía. De ahí que el monarca renovara los esfuerzos por restaurar el orden en el Nuevo Continente, impulsando una política destinada a atajar el contrabando y estimular el tráfico mercantil entre la Península y las colonias. Ocupada en esta tarea, la corte patrocinó la fundación de empresas comerciales, como la Real Compañía Guipuzcoana de Caracas, a la que otorgó numerosos privilegios, y decretó el traslado de la Casa de Contratación de Sevilla a Cádiz buscando poner fin a las corruptelas de los burócratas y comerciantes hispalenses. El monopolio del comercio con las Indias consagraría el auge del viejo puerto andaluz y convertiría la ciudad en una urbe cosmopolita y llena de vida, abierta a las ideas avanzadas que recorrían la espina dorsal del Viejo Continente.

España lucha ahora contra la invasión extranjera en el mercado nacional y colonial. En abierta competencia con los productos foráneos, los ministros de Felipe V abrazaron gustosos las directrices autárquicas y fomentaron la creación de las Reales Fábricas para dar un empujón a la decrépita industria española. La Corona creaba las empresas, las financiaba y se encargaba de su gestión, buscando artesanos cualificados, aunque fuera en el extranjero. Nace de esta forma la industria de lujo, destinada a desplazar de los mercados los productos franceses, alemanes o ingleses y a colmar los caprichos de las elites americanas y peninsulares. La fábrica de tapices de Santa Bárbara, la de cristal de la Granja de San Idelfonso y la de porcelana del Buen Retiro, habilitadas con mano de obra y técnicas extranjeras, eximidas de impuestos y abastecidas con las mejores materias primas, recuerdan este momento. Y junto a ellas, las telas de Guadalajara, los paños de Segovia o las sedas de Talavera mostrarían el interés de la Corona por impulsar el desarrollo de las manufacturas españolas.

A pesar de los intentos del Estado por sanear la economía, la recuperación de España se retrasó debido a las continuas guerras. Felipe V, presa a menudo de la melancolía y perturbado durante largas temporadas, nunca aceptó los resultados derivados para España del Tratado de Utrecht y a lo largo de su reinado trató de enmendar en el campo de batalla el prestigio que la diplomacia había perdido en los despachos. Las guerras a las que se lanzó el Borbón empujado por el clima internacional volverían a meter los ejércitos españoles en el avispero italiano. Isabel de Farnesio, su segunda esposa, aprovechó la enfermedad del rey y arropada por los consejeros de la corte tomó las riendas de la política exterior, precipitando a las tropas españolas a una serie de campañas militares en Italia con el objetivo de conseguir algún trono para sus hijos, Carlos y Felipe. Triunfante en Italia, donde los esfuerzos diplomáticos y guerreros de la Farnesio acomodan en la corte de Nápoles a Carlos y colocan a Felipe en Parma, el rey firmó dos de los tres Pactos de Familia que a lo largo de la centuria presentaron a Francia como aliada natural de Madrid ante el enemigo común inglés.

Cada día más poderosa y más decidida a alzarse con la hegemonía absoluta de los mares, Gran Bretaña acechaba en América. El hostigamiento de Londres obligó al gobierno a reforzar la guardia del comercio colonial y reconstruir la marina, duramente castigada en la guerra de Sucesión. Para un imperio oceánico la debilidad naval era una catástrofe, ya que la defensa y conservación de las riquísimas posesiones americanas exigían el mantenimiento de una poderosa marina de guerra. Por esta razón los ministros de Felipe V invertirían esfuerzo, tiempo y dinero en el desarrollo de la industria naval y la restauración de la armada. Al frente de esta tarea, el ministro Patiño conjugó la renovación de los astilleros, la creación de arsenales —El Ferrol— y bases navales —Cartagena y Cádiz— con la mejora de la infraestructura industrial adecuada para la construcción, la importación de tecnología y la atracción de marinos británicos dispuestos a poner su enciclopedia de conocimientos al servicio de la Corona. En un momento en que la campaña dinástica en Italia atraía la atención de la monarquía y los consejeros de la corte dudaban entre el Mediterráneo y el Atlántico, los gobiernos de Patiño y sus sucesores supieron compaginar las guerras italianas con el renacimiento naviero.

Cuando en 1746 murió Felipe V, la España que se encontró Fernando VI, hijo del finado, era muy distinta de la de los tiempos del Tratado de Utrecht. El absolutismo del monarca, la centralización política, la uniformidad lograda y el crecimiento económico y demográfico, ya esbozado en el reinado del último Austria, habían restaurado el prestigio internacional de la monarquía en el Viejo Continente. Fernando VI heredó un imperio ultramarino justo cuando España combatía en Europa y América y la idea de una tregua comenzaba a circular por los despachos de la corte madrileña. Muy pronto el monarca hizo gala de su ferviente pacifismo y capitaneó la política exterior de neutralidad que con tanto ahínco defendía su principal colaborador, el marqués de la Ensenada. Gracias a la neutralidad ensayada por el rey y su ministro, el Estado detrajo los ingresos suficientes para continuar la reconstrucción de la flota a fin de liquidar el retraso naval que entregaba la llave de los mares a la temida Inglaterra.

Fernando VI y sus colaboradores prosiguieron la política de renovación del Estado iniciada por su antecesor. El marqués de la Ensenada llevó a cabo un programa reformista que terminó de someter la Iglesia española a las directrices de la monarquía borbónica y ocupó al Estado en la revisión del sistema fiscal. La incursión del ministro en la estructura de la Hacienda real buscaba, sobre todo, modernizar el aparato financiero de la Corona. Había que cerrar los agujeros provocados por el excesivo coste de la burocracia, la tesitura belicosa del reinado de Felipe V y la injusticia de un sistema de impuestos empantanado todavía en los privilegios del medievo. Con este objeto el marqués de la Ensenada abordó en 1750 la confección de un censo de todos los hogares castellanos y sus ingresos agrícolas y comerciales, a los que pretendía gravar con impuesto único. La reforma saneaba el erario americano y entraba a saco en las rentas de la Iglesia al tiempo que, por primera vez en la historia de España, convertía en contribuyentes a los grupos privilegiados. Por mucho que la equidad tributaria fuera una quimera, al menos la inmunidad fiscal de los magnates comenzaba a tambalearse en los despachos de Madrid. Algo que levantó de los sillones a los grandes de España que conspiran para abortar las reformas y no descansan en sus arremetidas contra el gobierno de Ensenada hasta conseguir la caída del ministro y el bloqueo de su política fiscal.

La temprana muerte de Fernando VI, sumido en la locura desde el fallecimiento de su esposa, entregó el cetro real a Carlos III. En 1759 el rey de Nápoles volvía a la capital madrileña para ceñirse la corona de España. Con él venía también un séquito de ministros napolitanos decididos a aplicar en el país las fórmulas políticas y económicas ensayadas en el sur de la península hermana. Los acompañantes de Carlos III darían vida a un proyecto modernizador que durante treinta años consumió las energías de la burocracia y el pensamiento. Procedente de Francia, el despotismo ilustrado, forma de gobierno por la cual un rey absoluto se rodeaba de una minoría culta para proyectar las reformas encaminadas al progreso cultural y material del país, irrumpía en la corte madrileña.

La primera luz

Una oleada de expectación acompañaba la llegada a España de Carlos III. La obra realizada bajo su tutela en el reino de Nápoles había erigido al hijo de Felipe V en un monarca ilustrado a los ojos de las clases más cultas y emprendedoras de España. Hombres de Estado, a veces filósofos o economistas, a veces poetas, los ilustrados españoles soñaban con sacar al país de su atraso y confiaban en que el monarca se convirtiera en el ariete con el que derribar las murallas del inmovilismo. En permanente conflicto con la Iglesia y los tribunales de la Inquisición, Campomanes, Floridablanca, Olavide, Cabarrús o Jovellanos creyeron encontrar en la monarquía la palanca ideal para levantar España. Todos defendían una política de reformas dentro de los márgenes del Antiguo Régimen. Nunca se imaginaron, sin embargo, que el absolutismo por ellos defendido acabaría siendo una rémora del tan buscado progreso.

Año tras año, las meditaciones de aquellos profetas de la modernidad española sacaron a la luz los problemas que atenazaban el país. Nada escaparía a su deseo de reforma. El atraso económico, la parálisis crónica del campo, los privilegios de la Mesta, el anquilosamiento de la aristocracia, el protagonismo de la Iglesia, la ignorancia de las clases populares, el saneamiento del capital o el gobierno de América son examinados con ojos críticos. No era la primera vez que los pensadores se preguntaban por las causas del atraso español y trataban de remover las leyes y los anacrónicos valores sociales que detenían el desarrollo. La elite ilustrada del siglo XVIII daba así la mano a los arbitristas del siglo XVII y anunciaba a las generaciones de 1898 y 1931, que lucharían por transformar España en un país moderno. Entonces la inquietud de la minoría intelectual española era enorme. Lecturas, viajes, tertulias... La mayoría de los ilustrados españoles había leído el *Teatro crítico universal* del padre Feijoo y habían consumido los libros de los filósofos franceses, de moda en Europa. Todos aspiraban a una ciudad utópica, moldeada por el progreso y la ciencia y a este fin consagraron su obra, haciendo circular algunos de los principios sobre los que luego se sustentará el Estado nacional. Empieza a defenderse un cuerpo uniforme de leyes y se adelanta una nueva división en provincias, mientras se busca el impuesto único, la enseñanza con estudios comunes, la exención de privilegios militares... En un tiempo en que los historiadores, que ya tienen su Academia, bucean en las huellas del pasado de España, vocablos como patriotismo y nación sirven para definir conceptos y realidades que encontrarán su desarrollo en el siglo XIX. La palabra patria que hasta la llegada del primer Borbón a España había tenido resonancias meramente localistas, a partir de entonces reverdece en la boca de los ilustrados suscitando los primeros testimonios de patriotismo estatal que encuentran en Feijoo su más eminente portavoz.

Las inquietudes de los ilustrados hallaron expresión en el valle guipuzcoano del Urola. Allí, en el pueblo de Azcoitia, el conde de Peñaflorida, amigo de Rousseau y el pensamiento francés, fundaba la Sociedad Bascongada de Amigos del País con la intención de mejorar la región, erradicar el analfabetismo, fomentar la industria y el comercio o debatir la forma de impulsar el desarrollo de la agricultura. La obra de Peñaflorida propagó la moda al resto de España y, tras el espaldarazo dado por Campomanes, fiscal del Consejo de Castilla, otras sociedades similares abrieron sus puertas, anunciando con su espíritu crítico la llegada de la sociedad liberal.

> Con mi fe, mi esperanza y mi amor,
> a ti.
> Con mi rabia y mi dolor,
> a ti.
> Porque me has hecho el que soy,
> porque debo reinventarte y hacerte ser ahora, aquí,
> España, a ti.
>
> GABRIEL CELAYA, *Dime que sí*

Al llegar a Madrid, el nuevo rey, más atraído por la emoción de la caza y sus trofeos que por las tareas de gobierno, abanderó una reconstrucción no traumática que buscaba restituir a España su protagonismo en Europa. En sus primeros años de reinado los planteamientos de reforma despertaron la ilusión de los pensadores ilustrados. Sin embargo, la obsesión del soberano por devolver a España su lugar en el mundo arruinó pronto las expectativas creadas. Ante la amenaza inglesa, el monarca firmó el tercer Pacto de Familia con Francia, involucró a España en la contienda europea de los Siete Años e intervino en la guerra de Independencia de Estados Unidos. La política exterior de Carlos III, aunque justificada, agravó el problema de la deuda pública y exigió la paz interna. Un error de cálculo que los ilustrados españoles no supieron ver a tiempo, pagándolo muy caro, ya que la tranquilidad peninsular sólo era posible si la monarquía respetaba el marco social heredado y arrinconaba las reformas. Pese al ímpetu inicial, el Estado carolino no pudo prescindir del apoyo de las fuerzas más conservadoras y su política de modernización estaría siempre condicionada por el temor que le inspiraba el poder de la nobleza y la Iglesia.

Nada más ceñirse la corona, el hijo de Felipe V recogió el testigo de sus antecesores y continuó la labor de patrocinio de las Reales Fábricas. El proteccionismo estatal concentró sus esfuerzos en las regiones más golpeadas por la crisis del siglo XVII, Castilla y Andalucía, los grandes centros consumidores de España, en tanto la iniciativa privada se beneficiaba de las posibilidades abiertas por el moderado librecambismo de la corte y arraigaba en el País Vasco, Cataluña, Valencia y Galicia. El balance, a fin de siglo, sería cuanto menos contradictorio. Carlos III convirtió el Estado en un poderoso instrumento de innovación económica, pero su política de promoción de la industria y el comercio tropezó con el escaso acopio de capital inversor y un mercado excesivamente regionalizado y de baja demanda. Las Reales Fábricas, dirigidas por oportunistas que se acostumbraron a las ayudas públicas en lugar de prestar atención a la competencia o lanzarse a la conquista del naciente mercado nacional, adelantado por una ley que ordenaba la libre circulación de mercancías, fueron, en general, deficitarias y entraron en crisis en cuanto la Hacienda real no pudo hacerse cargo de sus pérdidas.

Ante esta situación, los economistas, algunos de ellos agrupados en Sociedades Económicas de Amigos del País, defendieron la idea de que el país sólo podría alzar el vuelo con un mercado unificado y unas comunicaciones modernas. Había que liberalizar las compras en el interior, abaratar los transportes, mejorar las infraestructuras y perfeccionar la organización de los recursos y la explotación de los mercados americanos. Convencidos de que los caminos construyen la nación, el rey y su ministro Esquilache emprendieron el primer plan de carreteras destinado a enlazar la capital del reino con Andalucía, Cataluña, Valencia y Galicia, pero la inestabilidad política y el alto coste de las obras en un país de orografía complicada frustraron sus proyectos.

Los intentos del gobierno español por modernizar el Estado cruzaron el Atlántico, para desgracia de los líderes criollos, que no sólo se mostraron reacios a colaborar en las recaudaciones fiscales sino que comenzaron a criticar el monopolio comercial establecido en el eje Sevilla-Cádiz. Enriquecida con la exportación de cacao, tabaco, azúcar o café, la burguesía criolla, o lo que es lo mismo, los hijos de españoles nacidos en América, comprobó que los mercaderes europeos ofrecían unos productos a precio mucho más barato que la Península, tomando conciencia de la sinrazón de su atadura a una metrópoli incapaz de satisfacer la demanda. Carlos III y sus ministros intentaron remediar la situación y abrieron el tráfico americano a todas las iniciativas peninsulares en detrimento de Cádiz. La libertad comercial de 1765, lejos de tranquilizar los ánimos, los enardeció ya que, a excepción de Cuba, la apertura sólo benefició a los comerciantes españoles en sus transacciones con las colonias y nunca a los americanos respecto a la metrópoli. Era el comienzo de una lucha que ocupará buena parte del siglo XIX, tanto en América como en España, entre los partidarios del libre comercio y los seguidores del proteccionismo. Mientras el movimiento independentista se incubaba en el ámbito económico, al convertir la aspiración de un mercado libre en la bandera de la descontenta burguesía americana, la Corona financiaba expediciones botánicas en busca de un mejor conocimiento de la naturaleza y los recursos de América. Los viajes a Perú y Chile, las investigaciones en Colombia o las travesías de Malaspina alrededor del mundo descubrirían a Europa la fabulosa geografía y los secretos de la flora americana. Lentamente América desvelaba sus misterios más profundos, confesándose al oído de cartógrafos, naturalistas, aventureros y marinos avezados.

Al revés de lo que ocurría en las colonias, la reforma del Estado de Carlos III estimuló la industria de las regiones peninsulares de la periferia y fue aplaudida por las clases propietarias y mercantiles, para quienes el fin del monopolio comercial con América, la abolición de tasas y el desarrollo de las manufacturas constituían una nueva fuente de beneficios. Agrupada en torno a los Consulados de Comercio, la burguesía española se fortalecía en este siglo XVIII a la sombra de la Corona, interesada, sobre todo, en fomentar la riqueza peninsular. Los más beneficiados serían los fabricantes catalanes, que renovaron la prosperidad de la región con su orientación económica y transformaron su artesanía textil, abandonando la lana por el algodón. Verdaderas fuerzas vivas del Principado, los productores agrícolas y textiles conquistaron el amplio mercado interior de Castilla y los puertos americanos. Hacia las colonias del Nuevo Continente navegarían los barcos catalanes cargados de manufacturas, barrilla o aguardiente, mientras arrieros y carreteros distribuían los vinos, el arroz... y sus tejidos por la capital del reino, los pueblos y ciudades de Castilla. Gracias al comercio de uno y otro lado del Atlántico, la burguesía de la región lograría acumular los capitales necesarios para abordar con éxito la revolución industrial en la centuria siguiente. Mientras tanto, otras burguesías peninsulares, refugiadas en el campo, llegarían tarde a la llamada de la industrialización.

Conforme avanzaba el siglo XVIII, una nueva clase social sintonizó con el afán reformista de la minoría intelectual y empezó a demandar una educación fundamentada en el pensamiento crítico y el desarrollo de la investigación. De acuerdo con sus colegas europeos, la burguesía y los ilustrados españoles vieron en la mejora de la enseñanza un requisito imprescindible para poder abordar con éxito cualquier reforma política. La inquietud intelectual por la adaptación de los aparatos administrativos a las necesidades del momento sembró por España algunos de los principios sobre los que luego se sustentará el Estado nacional, al que Carlos III engrandeció con su bandera e himno. Empieza a hablarse ya de la necesidad de unificar las leyes, en tanto el castellano se extiende como lengua de la administración y cala hondo la idea de sustituir la variedad de impuestos por una sola contribución.

Al atraso español los hombres de las Luces contrapusieron el progreso europeo y levantaron la bandera del pensamiento crítico con el deseo de sepultar en el olvido de la historia la vieja cultura dogmática, responsable del fracaso y la decadencia españoles. Desde Melchor de Macanaz a Cabarrús, pasando por Campomanes y Jovellanos, los ilustrados apremiarían al gobierno a mejorar la instrucción pública para combatir la ignorancia de la población. Sus demandas resonaron con fuerza en la corte madrileña y Carlos III proyectó la reforma de la universidad, cuyas aulas estaban sometidas a la supremacía del derecho y la teología y a la baja calidad del profesorado. La voluntad reformadora de su gobierno levantó un vendaval político y, como en otras ocasiones, chocó con la oposición de las clases dominantes y la Iglesia, que mediante el control de los Colegios Mayores, cantera de la burocracia, bloqueaban cualquier intento de cambio. Ni el avanzado plan propuesto por Olavide para la universidad de Sevilla ni las reformas proyectadas en Salamanca, Valladolid, Santiago, Alcalá, Oviedo, Granada y Valencia, ni la abolición de los viejos privilegios universitarios lograron despertar las aulas de su letargo. No obstante, el deseo ilustrado de convertir la enseñanza en factor de integración *nacional*, destacando el compromiso del Estado en la formación del ciudadano, prepararía el camino al liberalismo de la centuria siguiente.

El ruido de los estómagos

Olvidados los problemas del siglo XVII, la economía se regeneraba entre bostezo y bostezo. España y su Imperio colonial se iban recuperando de las desgracias padecidas en tiempos de los últimos Austrias y la población crecía sin pausa. Al consumirse la centuria, los siete millones y medio de habitantes de la época de la guerra de Sucesión se habían convertido en más de diez millones y medio. Castilla continuó siendo la reserva humana de España, nutrida de la fecundidad de Andalucía y Galicia, mientras las regiones periféricas aumentaron su protagonismo a costa de un interior que dormitaba en la pobreza.

La salud demográfica estuvo vinculada en todo momento a los altibajos del campo. Hasta el reinado de Carlos III la población corrió en paralelo a las cosechas, que progresaron con la introducción del maíz, la remolacha o la patata. Sin embargo la ilusión de prosperidad se esfuma, doblado el siglo, cuando las epidemias, la sequía, la caída de los salarios y los precios desorbitados arruinan la esperanza de una España que debe seguir avanzando a remolque de sus competidores europeos. Los desequilibrios sociales heredados de otros tiempos hicieron aumentar dramáticamente el número de indigentes obligados a malvivir de la limosna de los frailes en tanto la manutención del vecindario ensimismado en las telarañas de los estómagos robaría la tranquilidad a los ministros de la monarquía borbónica durante años. Una y otra vez, cuando el hambre estrechaba su cerco, los españoles se veían arrastrados al amotinamiento. Pero en 1766, las que hasta entonces habían sido espasmódicas rebeliones controlables fácilmente desde el poder revistieron extrema gravedad para la Corona, al frustrarse las esperanzas de los pobres en las reformas emprendidas por los ministros de Carlos III.

Hábilmente manipulado por la nobleza y la Iglesia, el motín de 1766 se alzaría en símbolo del rechazo de la política ilustrada y en el primer aviso de los obstáculos que eclipsarían la ilusión de progreso de la minoría intelectual. Las medidas emprendidas por el marqués de Esquilache, ministro de origen italiano, en busca de la libertad de precios agrarios, la recuperación de los señoríos por la Corona o la desamortización de los bienes de la Iglesia asustaron a los grupos privilegiados del reino. Con el telón de fondo de la guerra contra Inglaterra y tres años de malas cosechas, las clases dominantes intentaron sacar partido del descontento provocado por el alza de los precios, el hambre y la xenofobia popular, alimentada por la abundancia de ministros napolitanos. Un decreto encaminado a mejorar la imagen de Madrid y sus habitantes, dentro del marco de la amplia reforma urbana proyectada por Carlos III, provocó el estallido de los tumultos callejeros. Tres días de violencia social degeneraron en una crisis que obligó a Esquilache a embarcar rumbo a Italia. Mientras el rey, asustado, se refugiaba en Aranjuez, una España empujada por el hambre seguía el ejemplo de sangre y ceniza de la capital y estallaba en motín.

Una vez sofocados los motines por la fuerza de las armas, el miedo a resucitar los fantasmas de la revuelta popular encalló la tímida liberalización de la economía española emprendida por el rey Borbón. La crisis redobló además los esfuerzos de la Corona en la lucha por ampliar los derechos regalistas sobre la Iglesia. Justo cuando las tensiones entre el poder político y el espiritual enquistaban las relaciones con Roma, una noticia comenzó a golpear las puertas de las iglesias: Carlos III ordenaba la expulsión de los jesuitas. La Compañía de Jesús había despertado siempre suspicacias entre los miembros del gobierno ilustrado, que consideraban la dependencia de Roma como una infidelidad al Estado y veían con recelo su exceso de riqueza y control de la educación, pero las pesquisas del motín de Esquilache estrecharon definitivamente el cerco al descargar la responsabilidad de los alborotos sobre aquélla. En 1767 Carlos III confirmaba el compromiso ilustrado de la Corona de imponerse a los representantes del poder espiritual. Con el aplauso del clero y el precedente de Portugal y Francia, el rey expulsaba a los hijos de Loyola de todos los territorios de la monarquía española. La expulsión de la Compañía de Jesús señalaría el momento culminante de la política regalista de Carlos III que, si bien enturbió la relación entre Iglesia y Estado, se mantuvo muchas veces en el terreno de los proyectos al no atreverse el gobierno a entrar a fondo en la reforma de la Inquisición.

Cuando el miedo a los amotinamientos invadió la corte, el hambre del campo convenció a los dirigentes políticos de la necesidad de una rápida reforma agraria. Día a día los abusos enterraban en la pobreza a los labradores, que a fuerza de sol, a fuerza de despedazar un trozo de tierra y clavar el sudor en las huertas, levantaban las lujosas residencias de los grandes propietarios. Mientras los ingresos acaparados por la Iglesia y la nobleza tomaban el camino de la suntuosidad y el crédito y no el de la inversión, los labradores se hacían lentamente raíz, hundiéndose en la miseria de una tierra castigada por las sequías. Había demasiados estómagos que llenar y el retraso industrial no permitía ocupar todos los brazos disponibles. Con este panorama, la actividad agrícola constituyó una de las mayores preocupaciones de la monarquía en el siglo XVIII.

Andaluces de Jaén
aceituneros altivos,
decidme en el alma: ¿quién
amamantó los olivos?
Vuestra sangre, vuestra vida,
no la del explotador
que se enriqueció en la herida
generosa del sudor.
No la del terrateniente
que os sepultó en la pobreza,
que os pisoteó la frente,
que os redujo la cabeza.

MIGUEL HERNÁNDEZ,
Viento del Pueblo

Aunque sin pasar, casi siempre, del plano teórico, los hombres de las Luces abordaron los obstáculos que entorpecían el renacimiento agrícola y plantearon distintas soluciones. Olavide y Jovellanos acertaron en el diagnóstico al denunciar los privilegios de la Mesta y el pesado lastre de las propiedades acumuladas por la nobleza y la Iglesia, a las que responsabilizan de la enfermedad del campo. La reflexión más novedosa, sin embargo, saldría de la pluma de Campomanes, que asoció la mejora de España al acceso del campesinado a la propiedad de la tierra y a la desamortización de las propiedades de la Iglesia.

El Estado trató de llevar al terreno de la práctica las mejoras reclamadas por la tinta ilustrada. Una vez recabados los datos suficientes para confeccionar la primera radiografía del agro español, culminada después en el *Informe sobre la ley agraria* de Jovellanos, el trono fomentó la construcción de canales de riego para amortiguar los golpes de la sequía en un país dominado por los climas extremos. Los problemas técnicos y financieros obligarían a reducir la envergadura del más ambicioso de los canales ideados en el siglo XVIII, el de Castilla, que esperaba mejorar las comunicaciones entre el interior y la costa.

Pese a los obstáculos tendidos por el conservadurismo de los nobles y la Iglesia, la reforma agrícola imaginada por los intelectuales de la corte iría más allá de los proyectos hidráulicos. Atraída por la ilusión de crear una clase campesina adicta, alejada de la virulencia social, la corte española se erigió en portavoz de las ideas de Campomanes y repartió tierras comunales entre los campesinos extremeños en un innovador programa que hubiese obligado a los terratenientes a arrendar, a bajo precio, una parte de sus dehesas. Las medidas deterioraban los caducos privilegios de la Mesta, brindaban un buen balance al erario y abrían el camino de la modernización agraria de España al extenderse a tierras de Andalucía y La Mancha. Como en el pasado, la nobleza bloquearía la reforma aprovechando que el Estado, temeroso, dejaba en sus manos la dirección del proyecto.

El fracaso en Extremadura no desalentó a los adelantados de

la reforma agraria. En 1767, Pablo Olavide hallaba una ocasión única para concretar en el campo aquel ideal con el que soñaban los ilustrados. Obsesionado por el atraso del sur español, el responsable del gobierno de Andalucía trató de derribar el muro despoblado de Sierra Morena, reforzando las vías de enlace entre Castilla y la campiña andaluza. La colonización de aquellas tierras fue una de las empresas de mayor envergadura de la política agraria del siglo XVIII. Allí, en torno a tres centros de nueva creación —La Carolina, La Luisiana y La Carlota— el Estado experimentó el aliento teórico de la Ilustración e instaló en pueblos y aldeas a seis mil colonos alemanes y españoles. Ocho años después, justo cuando las poblaciones habían demostrado su viabilidad, las clases dominantes abortaron el proyecto, haciendo caer en los calabozos de la Inquisición al artífice del cambio. Tras el proceso de Olavide, la reforma agraria ideada por los ilustrados quedaría definitivamente anclada y el campesino sureño, desamparado.

El siglo XVIII fue una época de ilusiones, desbaratadas en seguida por los nobles y la Iglesia. A medida que se acercaba el final de la centuria, los grupos privilegiados reforzaron su actitud defensiva ante los ataques de la modernidad. El despotismo de Carlos III luchó por poner al día España en la creencia de que el desarrollo económico sostenido diluiría la contradicción social y política del Antiguo Régimen. Pero los esfuerzos de la corte chocaron con la oposición de la nobleza y la ausencia de una clase ilusionada por consolidar las reformas y levantar un proyecto alternativo al vigente. Todo cambio estaba condenado al fracaso. Cada vez que los profetas del progreso lo acariciaban, los contragolpes de los guardianes del pasado redoblarían sin misericordia. Cuando en 1788 moría Carlos III, sus reformas llevaban largos años estancadas o anuladas.

Los procesos inquisitoriales contra la intelectualidad española fueron las demostraciones de fuerza de los grupos reaccionarios, que impusieron a la elite pensadora la sensación de vivir un encierro. La honda amargura de los ilustrados, conscientes del atraso del país y del poder de las fuerzas conservadoras que bloquean su progreso, hallará reflejo en la poesía de fines del siglo XVIII. Una España anclada en la superstición, vieja y desdentada, resuena en los versos de los poetas. Los lamentos de Jovellanos, Meléndez o Moratín, adelantados en el Siglo de Oro por la pluma de Quevedo y heredados luego por los artículos de Mariano José de Larra, son los últimos latidos de una generación de españoles que inició su carrera literaria o política con la esperanza de modernizar el país y terminó precipitándose al abismo del exilio interior o al todavía más descorazonador del reaccionarismo político.

Con sabio estudio, infatigable anhelo,
pude adquirir coronas a mi frente:
la corva escena resonó en frecuente
aplauso, alzando mi nombre el vuelo.

Dócil, veraz, de muchos ofendido,
de ninguno ofensor, las Musas bellas
mi pasión fueron, el honor mi guía.

Pero si así las leyes atropellas,
si para ti los méritos han sido
culpas, adiós, ingrata patria mía.

LEANDRO FERNÁNDEZ DE MORATÍN, *La despedida*

El mal francés

En 1788, año en que moría Carlos III y subía al trono su hijo Carlos IV, España era un gran imperio colonial y un reino católico atrapado por las mandíbulas de la reacción. Como reveló la mirada descarnada de José Cadalso al hacer inventario de los males que aquejaban a España, cuando Carlos III cerró sus ojos al mundo seguía habiendo Mesta, Inquisición, señoríos, mayorazgos, municipios oligárquicos y privilegios estamentales. El modelo político del absolutismo ilustrado no había conseguido desmantelar un sistema de resonancias feudales, imposible de sostener en los albores de la era moderna, y todos los esfuerzos de los hombres de la Ilustración por modernizar el país habían sido insuficientes. Mientras el campo o la hacienda quedaban como asignaturas pendientes hasta el triunfo del liberalismo en el siglo XIX, el fracaso de la reforma educativa proclamaba los colosales obstáculos de la apertura en España. Al mismo tiempo, en Europa, el Antiguo Régimen agonizaba, víctima de sus propias contradicciones y el estallido de la Revolución francesa. Una nueva amenaza golpea las mentes de los grupos privilegiados aunque no es ya la política de reformas lo que preocupa a la nobleza y la Iglesia, sino los jóvenes principios de la Francia de 1789.

La fiebre revolucionaria de París, fiebre de sangre, fiebre de pensar y moldear una sociedad nueva, inspirada en las obras de los filósofos del Siglo de las Luces, en la palabra viva de los Voltaire, Montesquieu o Rousseau, atemorizó a las autoridades españolas. En las calles de París, de noche y de día, brota el grito de libertad y rápidamente las noticias saltan los Pirineos, camino de la ciudades costeras de España. Aquí los agentes gubernamentales detectan pronto una simpatía creciente hacia las ideas republicanas en los grupos burgueses ilustrados y en las colonias de comerciantes franceses, crecidas al amparo de los Pactos de Familia suscritos por los Borbones de Madrid y París. La revolución puede prender a este lado de los Pirineos, atizada por los agitadores franceses, las crisis de subsistencia y el hambre amotinada.

De nuevo el aislamiento parece la mejor vacuna contra el contagio. Para evitar la contaminación panfletaria, el ministro Floridablanca ensaya una férrea censura sobre todas las noticias que llegan de Francia, llamando en su auxilio a la Inquisición, a la que se encarga la tarea de silenciar las voces más peligrosas y cerrar las fronteras a los escritos subversivos galos. Antes de que se apague el eco de la revolución en las calles de París, el Tribunal ataca sin freno. Cabarrús es detenido; Jovellanos, desterrado; Campomanes, desposeído de su cargo en el Consejo de Castilla. El pánico al contagio invade la corte; cierra las puertas de España a los jóvenes que desean estudiar en universidades extranjeras; secuestra la tinta de los periódicos de carácter político; clausura los salones de las Sociedades de Amigos del País; persigue todas las publicaciones francesas por anticristianas y a fin de evitar lecturas contrarias a la monarquía y la Iglesia llega a prohibir la enseñanza del idioma galo.

Ni aun así la monarquía pudo sustraerse al torbellino de los acontecimientos. Todos los esfuerzos por taponar la brecha del estallido francés y salvar la vida de Luis XVI resultaron estériles. Una avalancha de panfletos llenos de solicitudes de reformas penetra en los grandes centros burgueses con la complicidad de Francia y convierte Cádiz en el corazón de la propaganda subversiva. El auge de las librerías e imprentas clandestinas cocinaría el ambiente del que pronto saldrán las Cortes, llamadas a principios del siglo XIX a afrontar la necesaria regeneración del país.

Los ánimos monárquicos estallan en Europa cuando el empuje revolucionario alza en Versalles la bandera de la República y conduce al rey Borbón al patíbulo. Por primera vez en noventa años la monarquía hispánica se sintió libre para romper sus lazos con Francia y declararle la guerra. La alianza con Gran Bretaña, Austria y Prusia era la respuesta de la España del Antiguo Régimen a quienes habían roto el orden tradicional, fundado en el derecho de los reyes, los privilegios de la nobleza y la hegemonía de la Iglesia. Manuel Godoy, el hombre de confianza de Carlos IV, el gobernante temeroso de la revolución, el joven de veinticinco años que conquista la alcoba de la reina y sostiene las riendas del país hasta que los proyectos imperiales de Napoleón invaden el universo de Carlos IV, es quien lleva a la monarquía a una confrontación armada para la que el ejército de tierra no estaba en absoluto preparado.

En la primavera de 1793, la frontera de los Pirineos recuperaba su histórica condición de teatro de operaciones de los enfrentamientos entre Madrid y París. Pronto se cumplen los negros presagios de los estrategas del siglo XVIII y llegan los primeros reveses, abonados por la pésima preparación técnica, el penoso abastecimiento y la baja moral de la tropa española frente a los enardecidos revolucionarios franceses. Lanzados contra la barrera pirenaica, los ejércitos ocupan gran parte de Cataluña y sitian Guipúzcoa, despertando en la corte el miedo a la secesión. Un temor infundado, ya que el hondo sentimiento antifrancés, el patriotismo de los púlpitos catalanes y vascos y el sentimiento tradicionalista atropellado por el anticlericalismo de los invasores, responsable del exilio de miles de sacerdotes refugiados en España, jugaría en todo momento a favor de la Corona, ahuyentando en ambas regiones el peligro de secesión. Con todo, el arrojo revolucionario y los rápidos avances de las tropas en Navarra y Álava asustaron a Godoy, que abandona al resto de potencias europeas y sella en 1795 un acuerdo con los franceses. Gracias a la Paz de Basilea, España recuperaba la calma y su integridad territorial. Pero la tranquilidad duraría muy poco, ya que un año después Godoy restauraba la alianza francoespañola para luchar contra Gran Bretaña, convencido de que la penetración británica en el mercado americano amenazaba las posesiones españolas en el nuevo continente.

Mientras el comercio americano languidecía, víctima de la guerra librada con la armada inglesa en el Atlántico, y la insostenible situación financiera del Estado se manifestaba crudamente en los estómagos del pueblo, en Madrid un pintor luchaba a solas con los fantasmas de la creación artística, anticipando las visiones que revolucionarán la pintura en el siglo XX. Tras la enfermedad que lo encierra en la sordera, Goya puebla sus telas de imágenes dramáticas y fantasiosas y, presa de los monstruos que engendra el sueño de la razón, se restriega los ojos, arrima las velas y de un tirón se saca de dentro las imágenes —gentes fanatizadas, personajes enloquecidos o embrujados...— que no le dejan dormir. Es la etapa de los *Caprichos* y la *Familia de Carlos IV*, ironía de la condición humana y retrato cruel e implacable de la decadencia del Antiguo Régimen.

Obligado por las circunstancias, el primer ministro trata de enderezar el rumbo de España con un programa reformista encaminado a remediar los apuros económicos de la Hacienda real. El tímido guiño liberal de Godoy atrae a su gobierno a lo más granado de la Ilustración española e incluso inaugura la era de las desamortizaciones al poner los ojos en el patrimonio eclesiástico y dirigir la primera venta de propiedades de la Iglesia en beneficio del Estado. Contradicciones de la historia, con el único fin de sostener la sociedad tradicional, Carlos IV y sus ministros engrasaban el arma que los liberales emplearán en el siglo XIX en su lucha por enterrar el Antiguo Régimen. La desamortización se prolongaría hasta 1808, pasando una sexta parte de las propiedades de la Iglesia a las manos de comerciantes y terratenientes, al carecer los labradores que cultivaban las fincas desamortizadas del dinero necesario para la subasta. Una nueva clase de propietarios nacía con la venta de tierras y auguraba la desesperación de los campesinos, que se verían obligados a mendigar un trabajo en los latifundios.

Apoyo a la reforma agraria, supresión de algunos impuestos, liberalización de los precios de las manufacturas, venta de propiedades de la Iglesia, reducción del poder de los gremios...

Por un tiempo Godoy devuelve a la corte el espíritu ilustrado del reinado anterior. Sin embargo, el desprestigio que rodea su figura enturbia la Corona, en un momento en que la guerra contra los revolucionarios franceses había agrietado la idea misma de la reforma nacional, de la que según la nobleza y la Iglesia no puede esperarse otra cosa que la impiedad y la anarquía triunfantes en el país vecino. A los desórdenes de la revolución, el pensamiento reaccionario opone la paz del absolutismo monárquico. Numerosos hombres de Iglesia combaten en esta trinchera, pero lo que es más sorprendente, algunos ilustrados insignes cambian ahora de programa, asediados por la Inquisición y alarmados por el terror revolucionario.

Al declinar el siglo, la alianza suscrita en 1796 entre los representantes del Antiguo Régimen español y los protagonistas de la Revolución francesa empezaba a resultar fatal para la monarquía de Carlos IV, mera comparsa de la política expansionista de París. Concluida la guerra de las Naranjas, que había llevado a Godoy a dirigir la invasión de Portugal a fin de cerrar sus puertos al comercio británico, Napoleón reanudó las hostilidades con Gran Bretaña, involucrando a la corte madrileña en otra guerra no deseada, saldada con el estrepitoso capítulo de Trafalgar y la pérdida de una magnífica generación de marinos.

> Todo se perdió como un tesoro que cae al fondo del mar [...]. La mar, cada vez más alborotada, furia aún no aplacada con tanta víctima, bramaba con ira, y su insaciable voracidad pedía mayor número de presas. Los despojos de la más numerosa escuadra que por aquel tiempo había desafiado su furor juntamente con el de los enemigos, no se escapaban a la cólera del elemento, irritado como un dios antiguo, sin compasión hasta el último instante, tan cruel ante la fortuna como ante la desdicha.
>
> BENITO PÉREZ GALDÓS, *Trafalgar. Los episodios nacionales*

Ajeno a la realidad, Carlos IV demostraba su nula capacidad para dirigir los designios del Estado en un momento de enorme efervescencia política y social. Quince años de aventuras bélicas pasaban factura a una Hacienda vapuleada y con pocas esperanzas de mejora tras el bloqueo de la reforma. Los desastres bélicos, el arrinconamiento político de la nobleza y el disgusto del clero ante las medidas desamortizadoras unieron a la oposición en torno al príncipe de Asturias, el futuro Fernando VII. Entretanto, otros españoles descontentos ponen sus esperanzas en Napoleón, cuya revolución liberal daba respuesta al deseo de cambio de una parte de la minoría ilustrada. El emperador aprovechó entonces la debilidad de la corte para arrastrar a Godoy hacia su ofensiva imperialista contra Portugal, acantonando tropas francesas en España. Ante la ocupación clandestina de la Península por los ejércitos franceses, la corte despierta sobresaltada. Godoy trama la huida de la familia real a Andalucía o América, pero su propósito se malogra con un alzamiento popular en Aranjuez. Alentada por los simpatizantes del príncipe heredero, una legión de soldados, campesinos, vagabundos y sirvientes se abre paso en tromba y, descargando su ira a pedradas, asedia el palacio real. Los amotinados consiguen provocar la caída de Godoy y, lo que es más insólito aún, obligan a Carlos IV a abdicar a favor de su hijo Fernando sin que las autoridades muevan un solo dedo para evitarlo.

Había comenzado la pesadilla. El desbarajuste dinástico, nunca aceptado por el viejo soberano, coincide con la entrada en la capital del general Murat. Napoleón opta por dejar de sostener una monarquía tambaleante e invita a padre e hijo a trasladarse a Bayona. Con Carlos IV y Fernando VII en Francia, el emperador no esperó más y obligó a ambos a traspasar el cetro real a su hermano José Bonaparte. Los herederos de la Revolución francesa alcanzaban la Corona española y se disponían a enterrar el Antiguo Régimen con la ayuda de un grupo de ilustrados españoles. No durarían mucho en el poder, ya que el pueblo siguió empeñado en actuar de protagonista. El 2 de mayo de 1808, Madrid es puro pueblo desnudo que inunda las calles y acomete a cuchillo y piedras, en montonera, a los soldados franceses. Murat reprime la revuelta fusilando a centenares de paisanos. Pero la noticia de las abdicaciones de Bayona y los sucesos de Madrid se extienden por todos los rincones del país y la sublevación contra el invasor prende en una respuesta común que hermana las regiones españolas y rompe las viejas barreras históricas. Las campanas tocan a degüello; España se precipita en una contienda brutal, y la paleta de Goya da forma y rostro al horror de la guerra. Los fusilados aúllan, el fuego devora la vida, los rostros crepitan ante los soldados franceses, la sangre despierta de un salto. Cuando la guerra termine y la represión de Fernando VII asfixie el mundo alumbrado por las Cortes de Cádiz, sus pinturas negras y *Disparates*, metáfora de una España desgarrada, arrastrarán al genio de la pintura hacia el destierro de Burdeos.

Para entonces el credo de la Revolución francesa había levantado la razón humana contra los dogmas de la Iglesia y el poder de la nobleza. Armada con los volúmenes de la Enciclopedia de Diderot y otros arietes de la Ilustración, la burguesía europea embestía los muros de las catedrales y los palacios. Las viejas clases dominantes, sin embargo, no iban a quedarse de brazos cruzados, contemplando cómo los nuevos tiempos las enterraban en la tumba de la historia. Una ola de inmovilismo recorre Europa y América, arrastrada por el afán de la Iglesia y la nobleza de seguir dominando la sociedad que se avecina. Nace el pensamiento reaccionario, enemigo de todo proyecto laico de cultura, y frente a las fuerzas conservadoras alza el vuelo el credo liberal, acunado por algunos ilustrados perseverantes que, desengañados de las reformas del Estado, orientan sus pasos hacia posiciones de ruptura.

Los iconos de España

Hay quien recorre los monumentos de una ciudad con la mirada desenfocada de un video-turista, que observa el paisaje desde un mirador, viajeros para los cuales el pasado y sus iconos artísticos son una pieza de museo estéril y disecada. Hay quien escribió que nadie podrá conocer un país si no sabe preguntar a sus símbolos, si no trata de descubrir el misterio de su historia última. La cerámica, los teatros, las catedrales, los palacios, los cuadros, las fotografías… respiran vida, son latidos de Historia, nos enseñan a oler el tiempo pasado en el viento, a tocarlo en las piedras pulidas por el sueño de los hombres y a conocer su intimidad interrogando silencios y voces de luz, así, sin apuro, como quien interroga un poema o un libro.

La cuna de España
Todavía la leyenda gobernaba las tierras de Iberia cuando en lugares elevados comenzaban a levantarse núcleos urbanos rodeados de murallas. Los reyezuelos indígenas, a los que se tributa un culto especial, estaban al frente de una sociedad muy jerarquizada de aristócratas y esclavos, comerciaban con lejanos mercaderes de Oriente y se hacían enterrar rodeados de damas fascinantes, ánforas, espadas y joyas. La Dama de Elche encierra en su mirada el misterio de la primera cultura española, la cultura ibérica, expresión de las tradiciones indígenas del siglo VII a. C. y las aportaciones de los colonos griegos y fenicios que recorrieron el Mediterráneo en la Antigüedad. Contagio, préstamo, mestizaje... son palabras de la lengua labrada por Nebrija que sirven para describir aquel universo religioso de sepulcros y divinidades femeninas que terminará confluyendo en el sueño común de la Hispania romana.
[La Dama de Elche, Museo Arqueológico Nacional, Madrid (Aisa).]

Roma nuestra
Mientras los ejércitos romanos intentaban someter el último bastión indígena al Imperio, Octavio Augusto ordenaba fundar una nueva ciudad. En Mérida, en las ruinas de su teatro, quedaría atrapado el antiguo esplendor de Roma. Tras la sangre y los estandartes de la batalla del Norte, las sombras del coro, los veteranos de las legiones, los soldados y los gobernadores del César introducen el latín, el derecho, los dioses del Olimpo y la geometría del verso y el acueducto hasta los últimos confines de la península Ibérica. La caligrafía de los emperadores romanos relataría, entre la lepra de la guerra y el hechizo del mundo clásico, la unificación cultural de la península Ibérica. *[Teatro romano de Mérida (A. Woolfitt/Corbis).]*

El primer responso
Cuando el mundo al que tanto había contribuido a enaltecer empezaba a mostrar síntomas de agotamiento, Roma trajo en germen, procedente del norte de África, la religión de Jesucristo. El cristianismo penetra en la Península por los valles del sur y el Mediterráneo y se extiende a través de las vías de comunicación creadas por los emperadores, escribiendo uno de los relatos de la Antigüedad que más eco hallará en la Edad Media, la supuesta llegada y predicación de los apóstoles san Pablo y Santiago por tierras de Hispania. Derrumbado el Imperio romano, la Iglesia guardará las esencias de la cultura latina, sustituyendo a las legiones y a los emperadores en la empresa de la romanización. *[Sarcófago de los leones, Museo y Necrópolis Paleocristianos, Tarragona (Oronoz).]*

Godos bajo palio
A comienzos del siglo VI, los reyes visigodos consiguen imponer su supremacía en Occidente, erigiéndose en los herederos políticos y militares de Roma. En el III Concilio de Toledo, Recaredo renuncia a la fe arriana y ordena el bautismo del pueblo godo pese a su repugnancia moral y las revueltas nobiliarias; caía así la última barrera entre los conquistadores y el pueblo hispanorromano. La corona votiva de Recesvinto, concebida para estar colgada sobre los altares, representa la larga alianza de la Iglesia y el Estado, que arranca el año 589 en Toledo y se prolonga en la historia de España hasta bien entrado el siglo XX. *[Corona votiva de Recesvinto, Museo Arqueológico Nacional, Madrid (Oronoz).]*

La apoteosis del sur
La mezquita de Córdoba es el testamento de una España de almuecines y palacios que, olvidada por los historiadores decimonónicos y enterrada en el cementerio de la Historia, hoy sólo perdura entre los costillares de silencio y arcos de herradura de los monumentos del sur. Hubo un tiempo, sin embargo, en el que los embajadores de Europa recorrían los palacios de Córdoba y reconocían el poder militar y económico de los califas. Aquella Bagdad española de sabios, poetas y guerreros vivió su momento de gloria en el siglo X, cuando la expansión de los ejércitos de Abd Al Rahman III acompañó el prestigio intelectual de los eruditos hispanomusulmanes. *[Mezquita de Córdoba (V. Rastelli/Corbis).]*

Mesnadas de Dios

La mirada severa y terrible del Dios de San Clemente de Tahull apresa el espíritu religioso de la Alta Edad Media y evoca un tiempo de temores y leyendas en el que los reinos cristianos del norte se lanzaban a la conquista de las fortalezas musulmanas y guerreaban entre sí por centímetros de tierra. Los monarcas de Aragón, Navarra, León, Castilla y los caudillos catalanes habían terminado de convencer a sus soldados de que aquel Dios justiciero que decoraba iglesias e ilustraba libros estaba de su lado, y entre batalla y batalla desbordaban las viejas fronteras delineadas por los ejércitos de Córdoba y ordenaban levantar templos en su honor. *[Pantocrátor de San Clemente de Tahull, Museo Nacional de Arte de Cataluña, Barcelona (F. Muntada/Corbis).]*

La senda de estrellas

El descubrimiento del sepulcro del apóstol Santiago a principios del siglo IX convierte el Finisterre galaico en la meta lejana de un tropel de devotos y aventureros. Con el paso del tiempo, la exaltación religiosa que recorre la Europa de las cruzadas contra el islam y el esfuerzo de Sancho el Mayor de Navarra y Alfonso VI de Castilla harían del Camino la columna vertebral de la comunicación humana y económica entre los reinos peninsulares y Europa. Por la ruta jacobea discurren también nuevas formas e ideas, modernos lenguajes literarios y el románico de inspiración francesa, que irradia fantasía en la catedral de Santiago de Compostela, en la que el maestro Mateo deja su Biblia pétrea en el Pórtico de la Gloria. *[Pórtico de la Gloria, catedral de Santiago de Compostela (Aisa/Corbis).]*

El triunfo del cielo
A comienzos del siglo XIII, las grandes conquistas de Fernando III de Castilla y Jaime I de Aragón financian la expansión del naciente humanismo medieval pregonado por la orden del Císter y san Francisco de Asís. Mientras los reyes, monjes y guerreros cristianos dejan atrás el terror del milenario y se abren a una era de amor a Dios y a la naturaleza, las tierras peninsulares del norte se visten con un nuevo estilo arquitectónico, el gótico. La moda seduce a Fernando III, que coloca la primera piedra de la catedral de Burgos, y se incendia de luz y colorido en el monumental templo de León, cuyo conjunto de vidrieras es uno de los más hermosos de Europa. *[Catedral de León (N. Wheeler/Corbis).]*

El soldado hecho pastor

Cuando las grandes conquistas del siglo XIII permitieron disfrutar de tierras y sosiego, la ganadería pasó a ocupar la mente de los castellanos del medievo. La comunidad de intereses de los dueños de la cabaña quedó reflejada en la Mesta (1273), capaz de arrancar privilegios a los reyes y convertir las cañadas en las vías de comunicación más importantes de la Corona de Castilla. El mercado lanero se consolidaría definitivamente en el siglo XIV, al unir el Consulado de Burgos los centros productores de la Meseta con los consumidores de Inglaterra y Flandes, a través de los puertos norteños de Santander, Bilbao y San Sebastián. Mientras los pastores del color de los caminos se adueñan del paisaje, las ferias engrandecen ciudades como Medina del Campo, donde reluce la plata de los artesanos, los terciopelos belgas deslumbran y no faltan los mercaderes del arte que alhajan las iglesias del reino. *[Ayuntamiento de Medina del Campo, Valladolid (Aisa).]*

En la vida y en la muerte
El matrimonio de los Reyes Católicos hermana en un mismo proyecto las dos coronas más poderosas de la península Ibérica. Entonces la unidad tenía un mero carácter dinástico y matrimonial pero, tras la conquista de Granada, el descubrimiento de América y las campañas militares de Italia, la convivencia y los intereses compartidos reforzarían los vínculos de castellanos y aragoneses. El deseo de los Reyes Católicos de ser enterrados en la ciudad de Granada, hacia donde peregrinan sus cadáveres como una sombra más de la conquista, rompe con la tradición de los panteones privativos de cada uno de los reinos y proyecta, más allá de su muerte, la utopía de un monarca común, hecha realidad en el mismo momento en que Carlos I pone pie en España. *[Domenico Fancelli, tumba de los Reyes Católicos, Capilla Real, Granada (Oronoz).]*

La piedra erguida
En 1563, Felipe II ordenó construir un conjunto arquitectónico que fuera a la vez palacio, iglesia, monasterio y sepulcro real, en la más pura tradición de Castilla cuyos monarcas acostumbraron a situar sus viviendas en medio de comunidades religiosas. La elección del paraje apropiado no resultó difícil, y pronto gana la partida la Sierra de Guadarrama por su cercanía a Madrid y sus evidentes ventajas físicas y escenográficas. Encerrado en la austeridad de sus inmensos muros de granito, el soberano, dueño y señor del mundo, haría cabalgar los ejércitos españoles por Europa y lanzaría los tribunales del Santo Oficio sobre los centros de la herejía protestante. Las paredes del gigantesco monasterio son testigos mudos de la intolerancia religiosa del siglo XVI y la ambición de un rey que soñó demasiado, que quiso ser el guardián de la Contrarreforma en Europa y terminó convertido en el más alto prisionero de sus proyectos. *[Monasterio de El Escorial, Madrid (N. Wheeler/Corbis).]*

La luz del siglo
El sol se desvanece más allá de la serranía morada y los últimos reflejos enrojecen las estancias del palacio del Buen Retiro. Felipe IV contempla vencido el desmoronamiento de sus ilusiones, desvelado por los truenos de cañones y caballos que recorren Europa y atraviesan Portugal y Cataluña. Un pintor de cámara, Velázquez, retrataría en sus telas la decadencia de aquella corte de estancias cerradas, bufones melancólicos, criados tullidos y reyes enfermos de tristeza. El genio del pintor sevillano inunda de verdad su paleta y, mientras pinta, el Imperio se tambalea en Europa y la mano se hace brisa, aire, sueño, luz, crepúsculo. *[Diego de Velázquez,* Las Meninas, *Museo del Prado, Madrid (Oronoz).]*

Memorial de América

Los conquistadores atraviesan la mar inmensa apiñados en la cubierta de las carabelas. Algunos han tenido que elegir entre América o la horca y, en el momento en que vislumbran la costa e hincan los ojos en el cielo buscando a Dios, saben que no hay regreso, que el mar conduce al pasado y la selva a la gloria de unos reyes ya muy lejanos. Todo pertenece, desde 1492, a Isabel y Fernando, que han decidido convertir los espacios americanos en un apéndice de la Corona de Castilla. Aunque el indigenismo americano le niega estatuas, Hernán Cortés fue, con su conquista de México, el protagonista de una de las hazañas más asombrosas de la Historia, en la que colaboraron las tribus oprimidas por los aztecas que lo consideraron un mesías. Tras su estela los capitanes hispanos llevan la gramática de Nebrija, fundan ciudades, construyen iglesias y levantan plazas y universidades. Un proyecto mucho más beneficioso que las expediciones perdidas en busca de un mítico Dorado; fosa, lago o fantasía que se desvanece en los ojos alucinados de los perseguidores de quimeras. *[Catedral de México (N. Wheeler/Corbis).]*

La dinastía del Sena
En 1701, Felipe V trae a la corte madrileña, oculto en el estrépito de cañones de la Guerra de Sucesión, un nuevo concepto de monarquía inspirado en el modelo francés de centralización administrativa. Mientras los ministros llevan adelante las reformas, el aire versallesco de la corte, seducida por los gustos regios y la academia francesa, se cubre de columnas italianas y blancos rumores de música clásica en el retrato familiar del monarca. *[Michel Van Loo,* La familia de Felipe V, *Museo del Prado, Madrid (Oronoz).]*

Una puerta ilustrada
Carlos III y sus consejeros napolitanos llegaron a Madrid dispuestos a modernizar España y abrir las puertas del reino que había conquistado América a las corrientes de luz dominantes en Europa. El rey y su ministro sueñan con el fomento de la industria, un mercado unificado y la reforma agraria, pero ni la aristocracia ni la Iglesia estaban dispuestas a aceptar cambios sustanciales, empeñadas en seguir dominando la sociedad que se avecinaba. Roto en seguida por las demostraciones de fuerza de los reaccionarios, el espejismo ilustrado quedaría labrado en la Puerta de Alcalá, símbolo de la renovación política, cultural y urbana emprendida por el hijo de Felipe V. Desde entonces, Carlos III sería considerado –no sin exageración– el mejor alcalde de Madrid. *[Puerta de Alcalá, Madrid (K. Weatherly/Corbis).]*

¡Viva la nación!
Ha visto la invasión de los ejércitos de Napoleón y la resistencia de un pueblo disperso que se alza en grito, brota de las calles, de las montañas, de la Historia... y se une y nace en las sombras de la batalla. Ha visto la marea anónima de las turbas, degollando, disparando, luchando con los dientes, con las uñas... y ha escuchado el silencio de los muertos que palpitan bajo la tierra. Ha visto el horror cara a cara y ha conocido el exilio de Burdeos y, mientras su tierra se queda sin aliento, la paleta se llena de sangre y detiene en la tela los rifles, el fulgor de las descargas y los rostros de una gente sin nombre que mira tristemente, tristemente mira sin ver o quizá viendo más allá de lo que miran. *[Francisco de Goya,* Los fusilamientos del 3 de mayo, *Museo del Prado, Madrid (Oronoz).]*

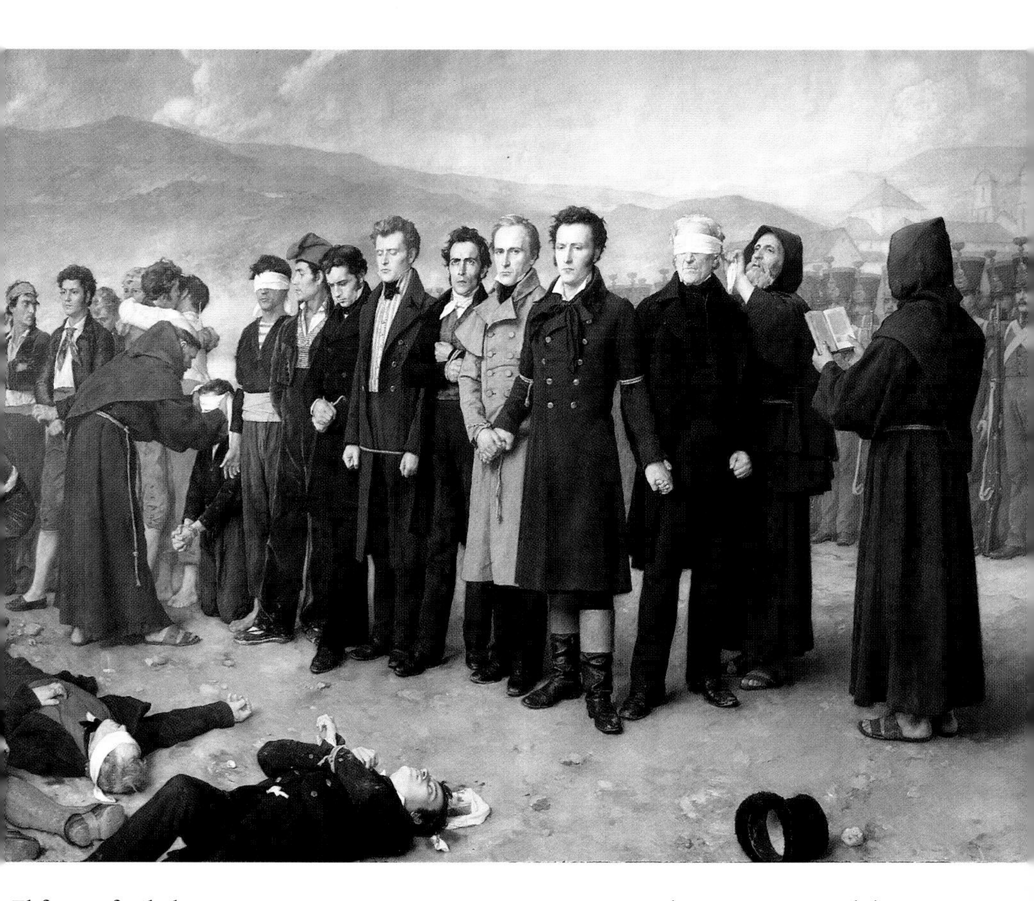

El futuro fusilado
Todavía los últimos afrancesados peregrinan tras los pasos del ejército de Napoleón, hundiéndose en el exilio sin volver la cabeza atrás, cuando Fernando VII restaura la Inquisición, devuelve sus privilegios a la nobleza y la Iglesia y fusila en las sombras de su reinado la Constitución. La idea de España, que había nacido progresista en 1812, se llena de otoños en el palacio de La Granja, pero ni la persecución ni el destierro ni los pelotones de fusilamiento ahogan el grito de Porlier, Riego o Torrijos, que se prometen la conquista de la libertad y sólo hallan silencio, ceniza, nada. El llanto de los fusiles los devuelve a la realidad, a la tierra. *[Antonio Gisbert,* El fusilamiento de Torrijos y sus compañeros, *Casón del Buen Retiro (Oronoz).]*

Madrid. - Inauguración del f. c. de Aranjuez. 1851.

La lengua de hierro
La España liberal, herida de guerras, conspiraciones y generales que pasan revista a las tropas y se sublevan, inicia a mediados del siglo XIX un proceso de renovación económica que se afianza en los caminos de hierro del ferrocarril. En su marcha fulgurante, el tren corta los campos, atraviesa ríos, se hunde en la panza de las montañas, resurge y, mientras se carga de campesinos sin tierra que esperan renacer de la miseria en las fábricas del norte, pone término a centurias de aislamiento y abarata el trasiego de mercancías. Hasta fin de siglo no discurre el tren por toda la geografía pero su sirena de humo consolida la unidad económica y fomenta la especialización agrícola e industrial, enlazando la España litoral y el interior. *[Grabado de la inauguración del ferrocarril de Aranjuez, 1851 (Oronoz).]*

Otoño en Guernica
La España reaccionaria, ultracatólica y absolutista se ha deshecho en los campos de batalla del norte. Vencido, transido de nostalgias y coronas, el autodenominado Carlos VII cabalga al frente de un ejército triturado por las derrotas, rumbo a Francia. Es el momento elegido por Cánovas del Castillo para avanzar en la unidad nacional y atravesar de muerte los Fueros de las Provincias Vascongadas, que obtienen a cambio la jugosa contrapartida de los Conciertos económicos. Pese a la crítica de los tradicionalistas, la abolición del régimen foral arranca el aplauso de los capitanes vizcaínos de la economía, para quienes el fin de las viejas fronteras del Antiguo Régimen y la integración en el espacio consumidor español constituía el arranque de una era de prosperidad y apertura. *[Casa de Juntas de Guernica, Vizcaya (Oronoz).]*

La burguesía se perdona
El proyecto era colosal, un bosque de torres levantándose sobre Barcelona, la ciudad ensordecida por las protestas obreras y las bombas anarquistas. Gaudí siempre entendió la Sagrada Familia como un templo expiatorio de los pecados de la burguesía y un símbolo del triunfo de la cristiandad sobre las corrientes anticlericales que atravesaban la gran urbe de la Renaixença. Desbordado de planos y maquetas, el arquitecto catalán se encerró día y noche en una fantasía de cruceros y cimborrios y llegó a vivir en una humilde caseta levantada a pie de obra, pero no pudo completar su delirio de piedra modernista. El testimonio final evoca el sueño imposible del artista y los límites de la recatolización emprendida por la Iglesia en 1875, que no consigue recaudar el dinero necesario para culminar el templo. *[Antoni Gaudí, templo de la Sagrada Familia, Barcelona (Aisa).]*

La derrota de Aragón
Los fantasmas de la guerra vagan todavía por sus calles destripadas, entre iglesias y casas en ruinas. Hablan entre sí y se dicen historias: el terror, la venganza, la patria suicida, los siglos reventando. Hablan y sus palabras de viento recorren los escombros, los hilos ya mudos de los teléfonos, los esqueletos de las casas despedazadas por la metralla y el bombardeo de los años. Belchite es todavía un pueblo atrapado en la guerra; un recuerdo del Aragón que persigue utopías y pierde la Historia; una nostalgia del general Franco, que quiso dejar abierta la herida del odio y escribir el futuro con la caligrafía de la sangre y la tinta podrida del pasado. *[Ruinas de Belchite, Zaragoza (Oronoz).]*

El panteón de la guerra
Han regresado vivos de los campos de batalla, pero de la paz sólo heredan el presidio. Los presos republicanos, caravana de muertos que respiran tristezas y cansancio, levantan piedra a piedra el gigantesco panteón del Caudillo y, mientras se derrumban de enfermedades, las banderas del 18 de julio cubren las ciudades de desfiles militares y ceremonias religiosas. En el imaginario de la España de Franco el Valle de los Caídos representaba la reconciliación del Estado con la Iglesia, y la cruz de aquel monasterio excavado en las montañas del Guadarrama no era la cruz del descanso y la paz sino la lúgubre espada de un régimen que asediaba a los supervivientes y silenciaba a los desafectos. *[Valle de los Caídos, San Lorenzo de El Escorial, Madrid (D. Boylan/Reuters).]*

El zoco político

La fotografía es un museo de Historia que da testimonio del mundo actual y retiene en su mirada de luz los rostros, guerras y acontecimientos de nuestro siglo. En 1977, desbordada de brumas la Transición por la irrupción del paro y la recesión económica, los partidos con representación parlamentaria suscribían los Pactos de la Moncloa para frenar la inflación y detener aquella marea de protestas sociales que llenaba las calles de banderas y desencanto. Ya enterrado el recuerdo del dictador en el Valle de los Caídos, las dos Españas enfrentadas por la guerra civil vencían el pasado y, por primera vez en la Historia, se ponían de acuerdo en el modelo económico y social que muy pronto confirmaría la Constitución. *[Pactos de la Moncloa. De izquierda a derecha: Enrique Tierno Galván, Santiago Carrillo, José María Triginer, Joan Reventós, Felipe González, Juan Ajuriaguerra, Adolfo Suárez, Manuel Fraga, Leopoldo Calvo-Sotelo y Miquel Roca. (Archivo Editorial Planeta).]*

La catedral laica
Apenas amanece, Valencia aparece posada sobre el Turia como una ciudad que navega Mediterráneo adentro. Hay olas de mar abierto en sus calzadas; hay un misterio de guerreros musulmanes y castillos cristianos en sus plazas; hay un llanto de moriscos y un relato de mercaderes y navíos en su puerto. La Historia ha recorrido las calles de Valencia y ha inventado la urbe. Hoy la Ciudad de las Artes y las Ciencias, sueño de palacios y estrellas imaginado por Santiago Calatrava, monta guardia de honor en el lecho del viejo cauce del río y proyecta internacionalmente la imagen de una urbe y una nación que, tras siglos de volver los ojos al pasado, desvían la mirada hacia el futuro. *[Santiago Calatrava, la Ciudad de las Artes y las Ciencias, Valencia (J. Sparshatt/Corbis).]*

CAPÍTULO VI

La historia en libertad

La nación se hizo carne

En 1808, Europa asistía al desfile triunfal de los ejércitos franceses. Napoleón llevaba doce años de batallas, desde los campos de Italia, donde había desbaratado las líneas del ejército austríaco, hasta las pirámides de Egipto. Por la República había guerreado el general en Italia y en África y por el viejo sueño de Carlomagno el ambicioso emperador había pulverizado las tropas austríacas en Austerlitz e impuesto, a orillas del Volga, sus condiciones al zar Alejandro de Rusia. Mientras Francia administraba por triunfos sus batallas, el trono de los Borbones se tambaleaba en España, entre desastres militares e intrigas palaciegas. De ahí que Napoleón contemplase la ocupación de aquel país tan pésimamente gobernado como un paseo que le permitiría, mediante la ofensiva a Portugal, cerrar las puertas del Viejo Continente a su rival más temido, Gran Bretaña. El proyecto de conquista de Portugal, que había contado con el aplauso de Godoy, allanó a los ejércitos franceses el camino de la península Ibérica y sirvió de biombo a Napoleón para planear el asalto a Madrid, completado cuando el emperador desenredó en Bayona el embrollo dinástico protagonizado por Fernando VII y Carlos IV. No podía imaginar Napoleón que la invasión de España se iba a transformar en un atolladero que retendría un contingente de tropas elevado, cada vez más necesario en los frentes de Europa.

Con la llegada a Madrid de José Bonaparte, el malestar del pueblo español por su condición de extranjero desembocó en una guerra contra los invasores galos. Comenzaba así una contienda brutal que dividió a la minoría ilustrada, y que, a su paso por los campos y ciudades de España, dejaría un reguero trágico de cadáveres, destrucciones y saqueos. Como ocurriera ya en la guerra librada en el decenio anterior contra las fuerzas vivas de la revolución de 1789, el bajo clero se puso a la cabeza de la insurrección popular. De esta manera, la movilización contra el monarca francés mezcló sentimientos religiosos y patrióticos del pueblo con la defensa de un estatus privilegiado al que la Iglesia no estaba dispuesta a renunciar. Para la mayoría de los españoles, la resistencia espontánea de cada región, de cada ciudad, no podía separarse de la defensa del trono y el altar, puestos en peligro por el invasor francés. Una visión no compartida por buena parte de la burguesía cosmopolita y la minoría ilustrada, que no sólo deseaban afirmar la nación española frente a Francia sino también darle la vuelta a la sociedad tradicional. Ellos serán los padres de la Constitución de 1812. Por el contrario, otro grupo de intelectuales, funcionarios y eclesiásticos ilustrados colaboró con José Bonaparte porque creía de buena fe que aquélla era la mejor forma de defender la integridad y el buen funcionamiento del Estado. La historia reservaría a estos últimos el nombre de afrancesados, españoles culpables de ingenuidad, que vieron en el gobierno de José I la mejor garantía para consolidar definitivamente las reformas imaginadas por los ilustrados del XVIII. Error de cálculo que habrían de pagar muy caro, al convertirse en blanco preferido de las venganzas domésticas que desencadena el choque militar.

Estremecióse España
del indigno rumor que cerca oía,
y al gran impulso de su justa saña
rompió el volcán que en su interior hervía.

La guerra de la Independencia fue una contienda nacional y popular, lucha española y conflicto internacional, ya que ingleses y franceses van a poner a prueba sus recursos militares en la Península. Un ejército de 150 000 soldados enviado por Napoleón se adentró en tierras españolas para sujetar los levantamientos, pero su avance inicial se estrelló contra un pueblo disperso, convertido en comunidad nacional por el calor y la exaltación de su respuesta al extranjero. La resistencia unió en una empresa común a soldados profesionales, labradores, artesanos, contrabandistas, granujas, bandoleros, mujeres que curan heridos y empuñan mosquetones y frailes que inflaman la vena patriótica a la vez que dan la extremaunción a los guerreros moribundos. Hostigadas por este ejército de sombras, las tropas galas se estrellaron, en un comienzo, contra el heroísmo de las ciudades españolas. Zaragoza recibió con salvas de pólvora a los franceses y, como Gerona, frenó calle por calle una ofensiva que prometía saqueo y revancha.

Mientras tanto, el triunfo del general Castaños en Bailén obligaba a retroceder a los invasores hasta el Ebro y hacía soñar a los españoles con el rechazo definitivo del enemigo, comprometiendo en la cuestión peninsular a Londres, que enviaba a lord Wellington al mando de un cuerpo expedicionario. En medio de la euforia, los políticos trataron de organizar el gobierno. Disueltos los organismos institucionales y aislada media España, era la hora de las juntas populares, que tomaron el poder sin dueño y, tras la formación de la Junta Central, estrecharon lazos y pusieron orden en el territorio no ocupado por los franceses. No obstante, la alegría de Bailén se desvanecería pronto. A finales de 1808 cruzaba el emperador los Pirineos al frente de un vigoroso ejército que aplastaba rápidamente las esperanzas de los dirigentes españoles. El avance de Napoleón no deja ni la sombra de las tropas regulares que habían hecho frente a José I, y los políticos de la Junta Central, errantes, desilusionados, tienen que abandonar en 1809 la Meseta y peregrinar a Cádiz, fortificada y protegida por la marina británica.

Vencidos en los campos de Ocaña, los combatientes españoles trataron de reconstruir el ejército triturado por Napoleón. Oficiales, soldados, bandoleros, aventureros y desertores huyeron a las montañas y, tras agruparse en partidas, recurrieron a la guerra de guerrillas, táctica militar novedosa que convirtió a los patriotas españoles en jinetes fantasmas que emergían de los riscos y a lomo de caballos golpeaban las caravanas de abastecimiento, atacaban a los heridos o asaltaban las guarniciones rezagadas, desapareciendo luego sin dejar rastro. Por obra de las partidas guerrilleras los vientos de la resistencia van y vienen a través de los campos y valles, en el fulgor de las colinas plateadas, en las casas de los pueblos que albergan las tropas enemigas. Pudieron los gobernadores franceses dominar la batalla en campo abierto y controlar la mayor parte de las ciudades —finalmente Zaragoza y Gerona sucumbieron al sitio de los ejércitos invasores— pero la llanura, las montañas... fueron patrimonio de los Díaz Porlier, Espoz y Mina... caudillos de jinetes que brotan de las entrañas del pueblo, cuentan con el apoyo de los civiles, viajan ocultos por el capuchón de fraile, el sombrero del arriero o el cesto del vendedor ambulante y extienden el terror entre los colaboracionistas. Con la ayuda de los expedicionarios ingleses, los guerrilleros mantuvieron viva la llama de la resistencia hasta que Napoleón se lanzó al corazón de Rusia y lord Wellington, al mando de tropas británicas, portuguesas y españolas, aprovechó el hundimiento de la gran armada francesa en las estepas heladas del imperio zarista para dar un giro definitivo a la contienda y desperdigar a los invasores más allá de los Pirineos (1813).

La otra cara de la guerra de la Independencia la dibujarían las Cortes de Cádiz. Mientras los guerrilleros y gran parte de la población civil se enfrentaban a las bayonetas francesas, un puñado de hombres inquietos, aislados del resto del país en la bahía gaditana, se comprometía a desguazar la arquitectura del Antiguo Régimen. Animados por el ambiente cosmopolita que se respiraba en las calles de la vieja urbe andaluza, refugio de funcionarios, intelectuales y comerciantes extranjeros, los adelantados de la revolución liberal vieron llegada la hora de transformar las antiguas Cortes en una moderna asamblea destinada a poner en orden el país. Frente a las reformas ilustradas de la corte de José I, los verdaderos modernizadores se disponían a cambiar España en Cádiz. El año 1810, los diputados gaditanos inauguraban las sesiones de la asamblea con el juramento de mantenerse firmes en la defensa de la integridad de la nación española y la mejora de las leyes. Más de un tercio de los asientos estaban ocupados por eclesiásticos, que se acompañaban de abogados, funcionarios, militares, catedráticos y delegados americanos, siendo por el contrario muy escasa la representación nobiliaria y nula la popular. Conceptos como soberanía nacional o separación de poderes no auguraban nada bueno a los defensores del viejo orden, que no tardaron en acusar a las Cortes de alterar de raíz la naturaleza de la monarquía española. Pero en esta ocasión, a diferencia de lo que había ocurrido en tiempos de Carlos III, a la nobleza y la Iglesia les resultó imposible, en plena anarquía, poner zancadillas a la reforma.

Ahora se diseña el marco liberal que habría de influir en la redacción de la Constitución de 1812. Los diputados de Cádiz establecen la igualdad de todos los ciudadanos, incluidos los de América; aprueban la libertad de expresión; liquidan los señoríos jurisdiccionales —viejas relaciones de dominio que la nobleza y la Iglesia tenían sobre los habitantes de un determinado territorio gracias a privilegios concedidos por los reyes en la Edad Media—, un paso fundamental en el reforzamiento del Estado, ya que la mitad de los pueblos y dos tercios de las ciudades españolas continuaban sometidos al arbitrio de los antiguos señores y el clero; derogan los gremios para dar paso a las modernas relaciones de producción capitalista; suprimen los privilegios medievales de la Mesta, reconociendo el derecho de los pueblos a acotar sus tierras comunales; decretan la venta en pública subasta de las tierras municipales con la intención de hacer realidad la reforma agraria proyectada por Jovellanos; decapitan la Inquisición con la abolición de los tribunales del Santo Oficio, y anticipan la abolición de los Fueros, atravesados de muerte por el principio de igualdad jurídica que proclama el orden constitucional.

Dos años de trabajo y discusiones concluyen el día de San José de 1812, cuando los diputados aprueban una Constitución que plasmaba las ideas de la minoría liberal y resumía la labor legisladora llevada a cabo durante la guerra. Terminaba así un debate animado, cuyos puntos más controvertidos habían sido la definición de la nación española y su forma constitucional. Otra discusión importante giró en torno a la soberanía nacional y el derecho del pueblo a adoptar la forma de gobierno más conveniente, asunto en el que los realistas lograron, al menos, asegurar la monarquía. También la reorganización territorial de España generó alguna polémica, protagonizada por Argüelles y Muñoz Torrero y los representantes catalanes, disgustados éstos con el ideario centralista de los redactores de la Constitución. «Formamos una sola nación y no un agregado de varias naciones», argumentaron los diputados defensores de una ordenación racional del territorio español. Finalmente, superadas las fricciones de tinte regionalista, la ley fundamental diseñó un Estado unitario que afirmaba los derechos de los españoles por encima de los históricos de cada reino, estableciendo un principio igualitario que pretendía acabar con las situaciones de desigualdad y privilegio dibujadas por las viejas fronteras. Para satisfacer la igualdad recién adquirida, los diputados gaditanos proyectaron una burocracia centralizada, una fiscalidad común, un ejército nacional y un mercado liberado de la rémora de las aduanas interiores. «Españoles —diría Argüelles enarbolando la Constitución en la mano, mostrando el texto a la asamblea como se levanta una bandera o se construye un sueño—, aquí tenéis vuestra patria.» No se equivocaba el político asturiano, ya que sobre los cimientos de Cádiz y con los resortes de la administración y el derecho, la burguesía construiría aquella patria constitucional que la historia había ido anunciando.

¡Salud, oh padres de la patria mía,
yo les diré, salud! La heroica España,
de entre el estrago universal y horrores
levanta la cabeza ensangrentada,
y vencedora de su mal destino,
vuelve a dar a la tierra amedrentada
su cetro de oro y su blasón divino.

MANUEL JOSÉ QUINTANA,
A España después de la revolución de Marzo

La idea de España, como comunidad nacional, que nacía progresista en 1812, no pudo evitar la recaída ocasionada por el regreso de Fernando VII. A pesar de que se ordenó a los curas leer y explicar en el púlpito la Constitución, apenas si tuvo vigencia el mandato, prefiriendo la Iglesia seguir pensando que la autoridad venía de Dios y el rey y no del pueblo. Cuando en 1814 el monarca retornó a España decidido a suprimir el régimen constitucional no tuvo ninguna dificultad para disolver las Cortes y volver al régimen anterior. Con la fuerza militar de su parte y el apoyo de algunos diputados absolutistas, el rey declaró ilegal la convocatoria de las Cortes de Cádiz, anuló toda su obra legisladora, restauró la Inquisición y devolvió sus privilegios al clero y la nobleza. De un plumazo borraba las reformas plasmadas en el papel, sin que saliera nadie a la calle en su defensa. A mayor gloria de Fernando VII, la contrarrevolución diseñada por las potencias conservadoras de Europa ayudó a sujetarlo en el trono español mientras la represión escogía sus víctimas entre los colaboradores del gobierno de Bonaparte, y también entre los liberales y los guerrilleros que le habían sostenido la corona. Miles de perdedores, convertidos luego en la anti-España, se hundieron en un exilio obligado. Huían de la cárcel, de la ciega boca de los fusiles. Eran maestros, escritores, militares, revolucionarios, científicos, funcionarios... que arrastraban a sus familias para salvar la poca vida que les quedaba en la mala noche que cubría España. Algunos murieron en el destierro, lejos de su país, de su memoria, sin dejar nada atrás, ni siquiera ceniza, ni siquiera silencio; otros conspiraron para derribar al rey, sobreviviendo a la tristeza con lejanas expediciones militares, desembarcos y palabras libertadoras.

Francia e Inglaterra fueron los refugios elegidos por los primeros emigrados políticos de la historia de España. Uno de aquellos exiliados, José María Blanco White, poeta en tiempo de silencio, en tiempo de quimeras y naufragios, arremetería con sus *Cartas de España* contra el dogmatismo absolutista. Más tarde, desterrado en su otoño de recuerdos, ya anciano y moribundo, después de escribir durante años en el idioma de Shakespeare, el poeta retomaría la lira hispana en un último esfuerzo por confesar y confesarse en aquella lengua y aquella Andalucía añorada de las que había tenido que exiliarse.

¡Oh clima delicioso! ¡Oh puro cielo!
¡Oh susurro de un aura bienhechora
que en medio del dolor o desconsuelo
con caricias promete la mejora!
cuál de este sol, que nunca vi sin velo
quisiera huir para gozarte una hora.

Fernando VII encontró un país devastado por seis años de guerra. Pueblos arrasados, ciudades destripadas, caminos y fábricas inservibles... Sin embargo, entre todas las pérdidas que la contienda ocasionó a España, la mayor fue la emancipación de las colonias americanas (1809-1826). Mientras España hervía, alzada contra Napoleón, América se sublevaba. El colapso político al otro lado del Atlántico brindó a los dirigentes criollos la oportunidad de explotar todos los agravios acumulados en el siglo anterior. En la doctrina ilustrada y el ejemplo de Estados Unidos hallaron aquellos descendientes de españoles el arma perfecta para dejar oír con fuerza sus argumentos frente a la desatención de la metrópoli y la actitud de los hidalgos vascos, que los habían desplazado de los mejores puestos de la burocracia. Al igual que en la guerra española contra Napoleón, el bajo clero será una magnífica cantera de líderes insurgentes con los púlpitos al servicio del movimiento independentista. Curas guerrilleros como Hidalgo o Morelos se echarían a los caminos de una América insurrecta al frente de millares de indios armados con lanzas y escopetas. Pronto verían cómo la esperanza de un continente sin esclavos, sediento de Ilustración, de derechos y libertades, caía en manos de caudillos militares que asaltaban el poder y construían un modelo de nación en el que la mayoría de los ciudadanos quedaría marginada.

Nada podrá hacer Madrid frente a los descontentos, cuyos dirigentes aprovecharon la ocupación francesa al otro lado del Atlántico para anunciar, entre pelea y pelea, el fin próximo del

Imperio. La pugna degeneró pronto en un cruento conflicto civil que enfrentó a los defensores de la metrópoli española y los partidarios de la secesión. Concluida la guerra en la Península, el rey apostó por la represión militar e impuso la paz en las tierras de Colombia y Venezuela, pero no consiguió impedir la independencia de Argentina (1816). Poco duraría el orden impuesto por los generales realistas en las regiones pacificadas. Fernando VII, tan intransigente en América ante cualquier forma de autonomía como lo había sido en España con los defensores del liberalismo, enquistó definitivamente el problema. Quien hablaba de emancipación firmaba su sentencia. Quien hablaba de suprimir la Inquisición o abolir la esclavitud, marchaba al patíbulo o al paredón. La persecución a que se vieron sometidos los círculos criollos empujó de nuevo a los generales americanos al enfrentamiento. Había llegado la hora de las grandes campañas militares, de los ejércitos polvorientos de Simón Bolívar y los curtidos expedicionarios de José de San Martín, peregrinos de los campos de batalla y profetas ingenuos de una gran patria americana. En las filas de la insurrección cabalgaban curas guerrilleros, gauchos de las orillas del río de la Plata, indios del Perú, llaneros de la Gran Colombia, soldados de fortuna europeos y oficiales españoles ganados por el Nuevo Mundo, veteranos de la guerra de la Independencia que después de ser perseguidos por las tropas del rey sirvieron a los líderes criollos con la esperanza de hacer realidad en América la libertad encerrada en las prisiones de la Península.

> Mina, de las vertientes montañosas
> llegaste como un hilo de agua dura.
> España clara, España transparente
> te parió entre dolores, indomable,
> y tienes la dureza luminosa
> del agua torrencial de las montañas.
>
> PABLO NERUDA, *Canto General*

Beneficiados por los problemas internos de la Corona española, los rebeldes lograron cambiar el curso de la contienda y en 1820 el levantamiento de Riego en la Península permite a San Martín y Bolívar emancipar Colombia, Venezuela y, tras la batalla de Ayacucho (1824), liberar Perú, último bastión de los realistas en Sudamérica. El debilitamiento de la metrópoli y el liberalismo exaltado del Trienio envenenaron también las relaciones con México, donde el temor a una revolución igualitaria e indigenista había mantenido a los terratenientes, alto clero y burguesía fieles a la monarquía. Una revuelta encabezada por el general Iturbide daba la puntilla a las tropas de Fernando VII y proclamaba en 1822 la secesión mexicana. De lo que fue un inmenso Imperio, sólo quedaban Cuba, Puerto Rico y Filipinas.

El adiós a las colonias no sólo cerró tres siglos de unión de España y América; además generó profundas alteraciones políticas y económicas a ambas orillas del Atlántico. La más importante de todas ellas, la pérdida de un poderoso vínculo colectivo que unía las esperanzas e intereses de todos los españoles en un momento en que el esfuerzo de los liberales por construir la nación hubiera necesitado de una ilusión compartida, capaz de suscitar la adhesión de todas las regiones. Desaparecida de su horizonte la complejidad y grandeza del Imperio, aquéllas comenzarían a mirarse su propio ombligo. Al despedir sus territorios americanos, España perdía para siempre un mercado generoso, que hubiese podido contribuir a la reconstrucción de un país desarbolado por seis años de conflicto bélico. Un panorama negro que se complica por el inmovilismo de Fernando VII, cuyo empeño en revitalizar el Antiguo Régimen retrasó aún más el comienzo de la era industrial. Entretanto, las guerras, la tendencia disgregadora y la inestabilidad política arrojarían un balance negativo en el desarrollo de los nuevos Estados, muy pronto víctimas del neocolonialismo de las grandes potencias anglosajonas, Gran Bretaña y Estados Unidos. Vanamente Simón Bolívar convocó a los países independientes para crear una unidad confederal sobre la base de los viejos virreinatos del Imperio español. La guerra contra la antigua metrópoli había parido repúblicas divorciadas entre sí y atadas al Imperio británico de ultramar. Mientras quienes le habían llamado Padre de la Patria quemaban sus estatuas en las calles de Bogotá, el Libertador, melancólico y abatido, sin luz en los ojos, descendía por el río Magdalena hacia el mar, hacia una muerte solitaria. Los días de gloria se habían ido, las ilusiones, las batallas... Quedaba el recuerdo, la compañía de los espectros del pasado, el naufragio sentimental de saberse vencido.

> Entonces cruzó los brazos contra el pecho y empezó a oír las voces radiantes de los esclavos cantando la salve de las seis en los trapiches, y vio por la ventana el diamante de Venus en el cielo que se iba para siempre, las nieves eternas, la enredadera nueva cuyas campánulas amarillas no vería florecer el sábado siguiente en la casa cerrada por el duelo, los últimos fulgores de la vida que nunca más, por los siglos de los siglos, volvería a repetirse.
>
> GABRIEL GARCÍA MÁRQUEZ, *El general en su laberinto*

Púlpitos contra escaños

Desde el regreso de Fernando VII, un nutrido grupo de oficiales que había luchado contra el invasor francés se erigió en guardián del liberalismo y comenzó a desahogar su decepción en una serie de alzamientos que buscaba liquidar el poder absoluto del rey. El triunfo de Riego en 1820 encabezaría el censo de pronunciamientos que a lo largo de la centuria ofreció la posibilidad de dar un giro al régimen mediante la alianza de los mandos militares, las sociedades clandestinas, los partidos políticos y la prensa. Un rey prisionero, una nobleza atemorizada y una Iglesia a la defensiva fueron incapaces de parar la insurrección. Tres años durarían los liberales en la corte madrileña. Tres años en los que Fernando VII contempla de susto en susto la definitiva abolición de la Inquisición, la vuelta de las libertades proclamadas en Cádiz, la supresión de la órdenes religiosas y la venta en pública subasta de las propiedades de los monasterios, con lo que los revolucionarios pretendían rebajar la deuda pública y ganarse la confianza de los gobiernos extranjeros.

Fracasaron. Y las reformas prometidas no hicieron sino anunciar la ruptura del bloque liberal en dos grupos de gran trascendencia posterior —los moderados y los exaltados, jóvenes seguidores de Riego partidarios de llevar hasta el fin el proceso revolucionario— y soliviantar al rey y a la Iglesia, que llamaron en su auxilio a las fuerzas vivas de la reacción. La insurrección de las tropas realistas en el norte y Cataluña se sumó entonces a la crisis económica y a las pérdidas de la guerra colonial, antes de que en 1823 un potente ejército francés respaldado por los Estados absolutistas de Europa ahogara las libertades defendidas por el general Riego. Monarca absoluto por la gracia de sus correligionarios europeos, Fernando VII desató una durísima represión, que golpeó a todo aquel que se atreviera a romper el silencio de su reinado. La sangrienta depuración vino acompañada esta vez de un rosario de procesiones y liturgias esperpénticas con las que la Iglesia pregonaba el retorno a la normalidad religiosa. Mientras el país volvía a cerrarse a las novedades del pensamiento, de nuevo vencidos, mutilados de sus hogares, políticos, funcionarios, hombres de letras y oficiales del ejército partían hacia el exilio.

Barrida la obra del Trienio (1820-1823), en la cárcel o en el exilio los enemigos del régimen, el monarca, aconsejado por la reciente experiencia revolucionaria, introdujo a partir de 1828 algunas reformas orientadas a lograr la colaboración de antiguos ilustrados y liberales moderados. Buenos deseos que no consiguieron cambiar el rostro de un país arruinado ni ganarse la fidelidad de sus súbditos. Los continuos cambios de gobierno dejaron patente la nula capacidad del rey para dirigir los designios del Estado en un momento en que los liberales exaltados, con sus dirigentes en el exilio o agazapados en sociedades secretas, reclutan expedicionarios y se prometen gloriosos pronunciamientos, poblando la galería de héroes de la libertad, tan admirada por los poetas del Romanticismo. José María Torrijos desembarca en 1831 en las costas de Málaga, cubre las viejas proclamas de Cádiz de banderas y palabras, pero sólo encuentra el silencio de un pueblo poco interesado en las abstracciones constitucionales y la descarga de los fusiles que se abren como navajas en su cuerpo y en el de sus compañeros de aventura.

> Helos aquí: junto a la mar bravía.
> Cadáveres están, ¡ay! los que fueron
> honra del libre, y con su muerte dieron
> almas al cielo, a España nombradía.
>
> Ansia de patria y libertad henchía
> sus nobles pechos que jamás temieron,
> y las costas de Málaga los vieron
> cuando el sol de gloria en desdichado día.
>
> Españoles, llorad; mas vuestro llanto
> lágrimas de dolor y sangre sean,
> sangre que ahogue a siervos y opresores,
>
> y los viles tiranos con espanto
> siempre delante amenazando vean
> alzarse sus espectros vengadores.
>
> ESPRONCEDA, *Al general Torrijos*

Ni siquiera pudo el monarca integrar en el poder las distintas corrientes del absolutismo. El descontento de los realistas más reaccionarios, los *ultras*, que se identifican con el piadoso Carlos María Isidro, hermano del monarca y supuesto heredero por falta de descendencia real, estalla a partir de 1826 con levantamientos armados en Cataluña, Navarra, norte de Castilla, La Mancha y La Coruña. Poemas, esculturas, placas de calles... guardarían la memoria de los héroes de la libertad —Mina, Riego, Torrijos...—, pero los prisioneros carlistas que morían fusilados, víctimas de su ideología reaccionaria o de la confusión de la época, nunca llegarían a ser estatua, ni llevaría su nombre ninguna avenida, ni camino vecinal. Comenzaba así a dibujarse la extraña lágrima del olvido, que escribirá nuevos y tristes capítulos en la España airada de perdedores y triunfos.

También la literatura y la prensa, que habían irrumpido en las ciudades a la sombra del Trienio, padecieron las consecuencias del delirio absolutista del monarca. A falta de libertad, los escritores e intelectuales españoles se refugiaron en el teatro romántico, las noticias financieras o los artículos costumbristas, cultivados con lucidez desesperada por Mariano José de Larra, *Fígaro*. Larra llevaba el pesimismo dentro, conocía Europa y deseaba para su España adormecida lo mismo que Europa estaba logrando en el orden material y político.

Ninguna distancia tan honda como la que separa la España que ve Fígaro de la que escriben los viajeros románticos que recorren el país, atraídos por sus paisajes agrestes, su luz, sus huellas, sus ciudades y calles tortuosas. La misma realidad que observa Larra empobrecida, viciada, primitiva y fanática, a los aventureros extranjeros, empeñados en la búsqueda de un paraíso perdido, se les antoja embriagadora y fantástica. La miseria es colorido local; la brutalidad de un pueblo atravesado por la guerra y la represión, orgullo patriótico; el atraso industrial, autenticidad;

la superstición y el catolicismo, un misterio insondable; la inseguridad de los caminos y las partidas de guerrilleros que no han sido capaces de reengancharse a la vida civil, aventura... España se pone de moda en la Europa de los nacionalismos y la visión de un país fascinante, incontaminado de los dictámenes de la modernidad, de las chimeneas que conquistan Inglaterra o Francia, toma cuerpo a pesar de algunos esfuerzos aislados por fomentar la industria y otros proyectos literarios por desnudar el mito romántico. Durante años, primero en el imaginario de escritores y aventureros procedentes de Europa, luego en la mirada nostálgica o resentida de poetas y exiliados políticos, debido sobre todo a los cuadernos y notas de viaje o a los libros de autores ingleses y franceses —Irving, lord Byron, Ford, Dumas...—, España proyectó al exterior una imagen oriental, hechizante, sensual, pero también sucia, brutal, supersticiosa, incómoda, atrasada. Una España que pronto quedará reducida a la Andalucía de charanga y pandereta, nazarena de ruán, clavel espuma, rumor de risa y avemaría... Aquella Andalucía imaginaria de serranías, guitarras y saetas; de calles de bulla y azahar con la Alhambra del moro y la Sevilla imposible de Blanco White que llega flamante hasta el franquismo y tanto daño hace a España.

El reinado de Fernando VII tuvo un desenlace imprevisto. Después de casarse con María Cristina, el rey publicó la Pragmática Sanción —ley que restablecía la sucesión tradicional de la monarquía hispana permitiendo reinar a las mujeres— con el fin de asegurar la Corona a su descendencia, independientemente del sexo que fuera. Aquella maniobra política excluía del trono al ultrarrealista Carlos María Isidro y significaba además el triunfo de los círculos moderados y liberales de la corte, que se reunían ahora en torno a la joven reina para promover una cierta apertura del régimen. Pudo don Carlos cambiar el rumbo de la historia en 1832, cuando el rey cayó enfermo en los aposentos de La Granja y la intriga palaciega del ministro Calomarde estuvo a punto de liquidar la Pragmática. Pero Fernando VII, con los ojos todavía dominados por la fiebre, frenó a tiempo la conspiración y exigió a sus ministros que organizasen las Cortes en las que debía ser jurada su hija Isabel como heredera. Comenzaba así un pleito por la sucesión del trono que proyectó internacionalmente la imagen de dos Españas enfrentadas, la liberal y la reaccionaria.

Con la muerte de Fernando VII, la Corona quedaba en manos de una niña, Isabel II, y de una reina madre extranjera, María Cristina. Mientras los exiliados retornaban a España y el gobierno tomaba medidas contra los voluntarios carlistas, la sombra de la guerra velaba armas en los aislados conventos de Castilla la Vieja, las montañas de las provincias vascas y las mil y una trincheras que los seguidores del absolutismo tenían desperdigadas por la Península. «¡Viva la religión! ¡Viva el rey! ¡Abajo la nación!», gritaban los curas asilvestrados que consideraban demoníaco el proyecto nacional del liberalismo. Todo el silencio artificial del reinado de Fernando VII estallaba de golpe en 1833, en una guerra civil especialmente vengativa. Dos visiones de España, dos formas de concebir el Estado, el gobierno y la sociedad se encontraban en el campo de batalla con el pretexto del conflicto sucesorio. Por un lado, el absolutismo monárquico de don Carlos, respaldado por las guarniciones realistas, el fervor religioso de la Iglesia, las partidas de guerrilleros y labradores de Cataluña, Valencia y Aragón, y las masas de campesinos y aventureros del País Vasco, ganados a la causa del pretendiente al levantar éste la bandera de los Fueros frente a la política modernizadora del gobierno madrileño. Por otro, la España liberal, heredera de la Ilustración y el credo gaditano de 1812, que contaba con el aparato burocrático del Estado, el apoyo del ejército regular, la nobleza y la burguesía. El primer carlismo era la reacción del campo contra el progreso político y cultural de la ciudad, el Antiguo Régimen lanzado a la conquista del XIX.

Veinticinco años después de la invasión de los ejércitos de Napoleón, Europa volvía a poner sus ojos en España. Rusia, Austria y Prusia prestaron ayuda a don Carlos en tanto los regímenes liberales de Inglaterra, Francia y Portugal ofrecieron la suya al gobierno de María Cristina. En plena batalla, entre truenos de caballos y cañones, España hervía de idealistas, buscadores de aventuras y reporteros, que acudían a los frentes de combate convencidos de que allí se estaba decidiendo el futuro de la civilización europea. Pudo don Carlos sentirse monarca en un territorio comprendido entre el Ebro y el Cantábrico, pero no consiguió convencer a la burguesía vasca, defensora del trono de Isabel II, ni tomar las capitales del norte. Bilbao, Vitoria y San Sebastián resistieron los sitios de los duros batallones de carlistas vascos, enloquecidos por curas guerrilleros que les predicaban el deber de combatir por Dios, don Carlos y los Fueros. La resistencia de la villa bilbaína defendida por las guarniciones liberales, llamadas también nacionales, obsesionó durante un tiempo precioso al ejército carlista, que malgastó a las puertas de la capital vizcaína sus cartuchos más valiosos. Allí moriría Zumalacárregui y allí labraría el general Espartero su aureola de héroe de las campañas del norte, al levantar el asedio en 1836.

Pero la guerra no había terminado; las partidas carlistas continuaban emboscando a las tropas liberales, recorrían las provincias en busca de recursos económicos, entraban en ciudades y pueblos y sacaban provecho de las discordias internas del bando isabelino. Toda la estructura carlista se derrumba, sin embargo, cuando la expedición real de 1837, que aterroriza Cataluña y Valencia, y se presenta a las puertas de Madrid, culmina sin resultados positivos. Una mirada melancólica, transida de sombras, cruza el rostro de don Carlos que, al frente de un ejército no vencido, pero tampoco vencedor, regresa a unas provincias vascas agotadas por el esfuerzo de la guerra. El fracaso de la expedición real, la crisis interna del carlismo, con enfrentamientos entre castellanos y navarros, la desmoralización de la tropa, la fatiga de los civiles, el cansancio del ejército liberal... todo allana el camino del término de la guerra, que se hace inminente cuando Maroto, jefe supremo del ejército carlista, fusila a los generales contrarios al acuerdo de paz.

Siete años de batallas, saqueos y venganzas domésticas concluyen con el convenio de Vergara. Espartero se comprometía a interceder en Madrid por los Fueros y los militares carlistas reconocían a Isabel como reina, salvando así sus pagas y ascensos. Jamás se recuperaría el carlismo de la derrota de 1840, aunque seis años después los defensores del absolutismo, envueltos en la nostalgia del viejo orden, desenterraran su bandera en los campos catalanes y, más tarde, en 1872, la Iglesia utilizara el brazo armado de los gerifaltes tradicionalistas y la efervescencia fuerista de las provincias vascongadas en su batalla contra la modernidad.

El criterio nacional

Para defender la corona de su hija, la regente María Cristina pactó con los liberales, interesados en alcanzar un arreglo con la monarquía que garantizase su porvenir. Isabel II pudo ganar la guerra civil y sentarse en el trono gracias a la burguesía y ésta, a cambio, aprovechó la angustiosa llamada para asaltar el poder y construir un Estado a su medida, inspirado en el modelo francés. De esta manera, el liberalismo triunfante en la corte madrileña lo que primero hizo fue ocuparse de lleno en la ordenación del territorio español. Al ministro Javier de Burgos le correspondió echarse sobre sus hombros esta empresa y en 1833 derribaba las barreras que sostenían la geografía del Antiguo Régimen al dividir España en cuarenta y nueve provincias. Un nuevo modelo de organización territorial que tendría mucho mayor alcance que el meramente administrativo, ya que en la provincia encontrarán los gobiernos liberales del XIX el soporte ideal para organizar la vida civil y militar del nuevo Estado nacional.

Con la autoridad de cada provincia centralizada en los delegados del gobierno, se atornilló la arquitectura administrativa diseñada en 1833. En Madrid se construyen durante la centuria los edificios que albergan los centros rectores del Estado —ministerios, Congreso de los Diputados, Senado...— y de la creación cultural e intelectual —Universidad Central, Museo Arqueológico, Biblioteca Nacional...— a través de los cuales la burocracia pasaría a fiscalizar la vida de las regiones españolas. El Museo del Prado, convertido en pinacoteca real por Fernando VII y luego nacionalizado busca completar los espléndidos fondos coleccionados por la Corona desde el tiempo de los Austrias.

Pero un verdadero Estado centralizado necesitaba cuanto antes de un cuerpo uniforme de leyes. La tendencia a construir un orden jurídico nacional se reflejó en el avance experimentado por el movimiento codificador. Después de años de trabajo, el Código Penal y el de Comercio reanudan el empeño igualitario de Cádiz, aunque no será hasta la aprobación del Código Civil (1889), cuyo proyecto ve la luz gracias al nuevo impulso legislador de la Restauración, cuando se culmine la tarea emprendida. La tendencia hacia la uniformidad del Estado, no obstante, tuvo que plegarse durante años a consideraciones políticas, como en el caso del País Vasco y Navarra, que conservan gran parte de su vieja autonomía.

En el marco de su política nacionalizadora, los liberales trataron de crear un sistema educativo que filtrase a toda la ciudadanía un mismo conjunto de valores y conocimientos de común aceptación. Buscaban así consolidar una vía más para el control social y la difusión de los principios nacionales de la burguesía triunfante, pero también mejorar el nivel cultural de una población herida por el analfabetismo, que en 1860 todavía afectaba al 73 % de los españoles. Aquélla no era la primera vez que se insistía en la creación de un sistema escolar generalizado. Ya los informes de Quintana a la Cortes de Cádiz y de Meléndez en la corte de José I habían apuntado en esa dirección. Sin embargo, es a mediados del siglo XIX cuando se fortalece la estructura piramidal de la organización educativa, en cuya cúspide la Universidad Central madrileña sería la única facultada para otorgar títulos. El modelo llega a su cima en 1857 con la ley de Claudio Moyano, que concede al Estado la elección de programas y libros y garantiza la educación primaria obligatoria hasta los nueve años, mientras la secundaria, considerada como una iniciación a los estudios universitarios, continuaba reservada a las clases medias y altas.

A pesar del éxito de Francia en idéntica labor, la agobiante falta de dinero, culpable de la deficiente escolarización, impidió avanzar en el diseño de un entramado educativo que impulsara el desarrollo de la unidad nacional y extinguiera los particularismos regionales, exaltados ahora por el Romanticismo. Tampoco mejoró demasiado el nivel cultural de las escuelas ya que, al dejar en manos de los ayuntamientos su atención y financiación, la reforma Moyano no sacó a la enseñanza del túnel que recorrían las aulas desde los tiempos de los primeros Borbones.

Con el objeto de afirmar la nación española, la historia oficial desmenuza el pasado identificando el progreso nacional con las tendencias unificadoras y la disgregación con la decadencia. Ideas-fuerza —el amor a la independencia, el heroísmo, la fe— servidas por la manipulación histórica ofrecían argumentos con los que apuntalar el Estado centralista de la burguesía y promover en los españoles un sentimiento de orgullo patriótico. Idéntica tarea nacionalizadora es propuesta a los artistas, a los que se encomienda la exaltación plástica de los héroes de la historia de España o de la flamante burguesía. La nación se hizo carne pero no consiguió habitar en el imaginario de los españoles, fracasando el Estado en su propósito de crear un ritual de símbolos que estimularan el sentimiento hacia aquélla. Las festividades laicas de la patria tuvieron una vida lánguida o fueron engullidas por las representaciones de la identidad religiosa de España, y siempre se malograron los intentos de poner letra a la marcha real o himno nacional.

Como herencia envenenada del reinado de Fernando VII, los problemas hacendísticos golpean la revolución liberal, demasiado débil para enderezar el rumbo de una economía sumergida en la pesadilla de la guerra. La libreta nacional sólo comienza a ver la luz cuando en 1836 Mendizábal se aventura en el proyecto desamortizador adelantado por la Constitución de Cádiz y el Trienio. Dispuestos a sanear las arcas del Estado y ganarse estómagos agradecidos para combatir el carlismo, los liberales se decidieron a sacudir la pereza que atenazaba el agro español poniendo a la venta los bienes de la Iglesia. Con esta medida los pioneros del capitalismo español eliminaban del campo las arbitrarias exigencias heredadas del Antiguo Régimen, aunque sin atreverse a poner en duda los títulos de propiedad de la nobleza sobre las viejas tierras de los señoríos. En plena contienda militar, los liberales no querían enfadar a la nobleza por miedo a que las represalias hicieran peligrar el ascenso social y el enriquecimiento de la burguesía. De esta manera, la soñada reforma agraria se quedó modestamente en un simple apaño entre la aristocracia, que mantuvo la titularidad de sus viejas propiedades, y la burguesía, más preocupada por amarrar en el campo los beneficios de la desamortización que por participar en el desarrollo de la industria. Sin haberlo esperado nunca, los antiguos señores del campo solucionaban su desesperante ausencia de liquidez alzándose con un rico patrimonio que, libre de las trabas del viejo régimen, pudieron redondear con compraventas regidas por criterios de productividad. Por obra de las leyes liberales nacían los modernos latifundios de Extremadura, La Mancha y Andalucía, gracias a los cuales la aristocracia mantendría su categoría social en plena época de ebullición burguesa.

Como medida preparatoria de su trabajo desamortizador, Mendizábal ordena la exclaustración de los veinticuatro mil regulares que componían el censo de las congregaciones españolas desatando la ira de Roma, que rompe relaciones diplomáticas con la corte. Quedaban así en poder del Estado tierras, monasterios, conventos... por lo que las propiedades de la Iglesia dejaban de ser *manos muertas* para convertirse en fincas nacionales y, después de ser divididas en lotes y vendidas en pública subasta, privadas.

La secularización del suelo revistió grandes proporciones en el valle del Duero, Madrid, Valencia y la vega del Guadalquivir, territorios donde la Iglesia poseía de antiguo mayores riquezas, a los que se unen Extremadura y La Mancha al disolverse las Órdenes Militares. De acuerdo con la moda desamortizadora, los gobiernos liberales de Isabel II echaron, más tarde, el ojo a la propiedad municipal, bienes que desde el siglo pasado observaban con interés los ilustrados. Pascual Madoz completaría en 1855 la empresa iniciada por Mendizábal en 1836, liquidando el patrimonio formado por las fincas públicas junto con los últimos resquicios de los latifundios del clero y la Corona, supervivientes de anteriores pujas.

A pesar de las trampas, la desamortización alcanzó muchos de sus objetivos. Se salvó el Estado y la revolución liberal; una cuarta parte del suelo entró en los circuitos comerciales; la deuda se redujo a límites soportables; la expropiación en masa contribuyó al desarrollo productivo y dio un empujón a la expansión del ferrocarril. Sin embargo, las ventas no lograron cambiar la geografía humana de la desigualdad y las tierras siguieron en poder de la nobleza o cayeron en manos de la burguesía latifundista, que gracias a la desamortización consiguió adueñarse de las riendas de la vida municipal, anunciando ya la era del caciquismo de la España de fin de siglo. También fracasó la desamortización en su intento de ofrecer al campo las inversiones y mejoras no garantizadas por la Iglesia. Debido a la abundancia de mano de obra y a la falta de espíritu de iniciativa de los nuevos propietarios, unas veces simples especuladores, otras meros buscadores de prestigio social, la economía seguiría colgada de un campo ajeno a las innovaciones tecnológicas que invadían Europa, retrasando el ingreso de España en la era del motor y la fábrica.

Perdieron los campesinos, a quienes las reformas liberales, en vez de mejorar su situación, convirtieron en vasallos de la modernidad, sujetos al arbitrio de nuevos y viejos amos. Los labradores españoles, que soñaban desde antiguo con un reparto de tierras que sembrara la igualdad y la libertad en las huertas, descubrieron qué lejos de sus hogares quedaban los derechos civiles y políticos proclamados en los salones de la burguesía. Ellos fueron los más perjudicados por el vendaval capitalista que barrió el campo en el siglo XIX al quedarse sin la despensa que los bienes comunales ofrecían a sus familias y verse obligados a engrosar las muchedumbres jornaleras, ríos cenicientos que malviven a la sombra de los señores. Son los pobres de la desamortización, campesinos del norte —vascos de misa y utopía, navarros de braveza, catalanes de guerrilla, castellanos labrados como la tierra— dispuestos a integrarse en las filas del carlismo o a tomar el camino de las ciudades para hacerse proletarios de la nueva industria, y campesinos del sur —extremeños de rebeldía callada y estoica, andaluces de furia mesiánica— que estallan esporádicamente en violentos motines, dispuestos en todo momento a quemar los dudosos archivos que garantizaban una propiedad tenida por injusta.

Perdió también la Iglesia, que pasó a depender por completo del Estado y, al quedar económicamente desmantelada, dejó de estar en condiciones para prodigar limosnas o sostener los gastos de enseñanza, actividades a las que se había dedicado durante centurias. Tampoco el arte escapó de la fiebre de las expropiaciones en masa. A pesar de que los liberales dispusieron medidas para controlar el patrimonio artístico de los conventos y monasterios, el expolio fue incalculable. Magníficos edificios se desmoronaron, víctimas del abandono, la piqueta o la furia anticlerical, dejando en su lugar un paisaje de piedra arrugada, huellas y escombros. En las ciudades, la desaparición de las órdenes religiosas permitió, al menos, disponer de solares para ampliar el espacio construido antes del gran proceso urbanizador de la Restauración, pero no evitó que tras los edificios se desperdigaran las pinturas y esculturas de los monasterios y conventos, que aparecerán luego en colecciones privadas o museos extranjeros.

Además de las graves heridas ocasionadas a los más débiles, la desamortización tuvo unos efectos laterales que sus principales valedores no pudieron prever. Las expropiaciones forzosas de las fincas pertenecientes a la Iglesia fomentaron la pérdida de respeto hacia una institución que hasta entonces se había considerado intocable. Mucho tiempo de despotismo se acumuló sobre la conciencia de las gentes humildes que a partir de ahora, a veces irritadas por la militancia carlista de los púlpitos, a veces alborotadas por los discursos incendiarios de las Cortes, acompañarán los avances en la conquista de las libertades con explosiones anticlericales que arrasan conventos, destruyen iglesias y matan frailes y monjas. Tras siglos de mirar a la Iglesia con ojos sumisos, el pueblo español cambiaba los cirios de las procesiones por las estacas del linchamiento, inventando su propio anticlericalismo, mezcla de fervor ético-religioso, confesionalismo laico y hostilidad a la jerarquía eclesiástica. Un movimiento de larga duración a veces manipulado por la burguesía con el fin de defender los otros poderes, políticos y económicos, de la cólera de las masas.

La burguesía se aborbona

Siglo de desarrollo técnico y científico, de ideales combatidos a menudo por viejos y nuevos poderes, siglo surcado por la confianza en el triunfo de una humanidad sin siervos ni esclavos, el XIX español asiste al despegue de una clase, la burguesía, que, a caballo del liberalismo, entierra la sociedad tradicional. Sobre el escenario del constitucionalismo, la división de España en provincias y la desamortización, la burguesía, los partidos políticos, la prensa y el ejército protagonizan la renovación del país. Ellos son quienes dirigen la revolución liberal, primero ante la mirada desconfiada de María Cristina, y después bajo la vigilancia de Isabel II, cuyo afán por combatir en la arena política haría tambalear los cimientos de la monarquía.

En plena guerra carlista las discordias internas entre los que empezaban a llamarse moderados y progresistas provocaron la escisión del liberalismo en los dos partidos que regirán el juego de la política española hasta 1868. Difícilmente puede hablarse, en un principio, de partidos organizados y homogéneos, pero en seguida la avalancha de elecciones exigió la clarificación de posiciones y la unidad de voto de los diputados de la misma tendencia. Antes de la ley de asociaciones de 1887, que daría cobertura legal a las agrupaciones políticas, el régimen liberal debió abordar más de treinta elecciones generales y otras tantas municipales y provinciales, lo que exigió el diseño de un mecanismo adecuado para la selección de candidatos y la puesta en marcha de las actividades propias de la consulta. Poco a poco la tertulia política de tiempos de Fernando VII en torno a un general o un polemista brillante dio paso a partidos políticos que, a falta de arraigo popular, ejercerían el poder gracias a una enmarañada red de clientelas.

Terratenientes y grandes comerciantes se abrazan al moderantismo, donde confluían con la vieja nobleza, el alto clero y los mandos castrenses, en tanto la pequeña burguesía y los intelectuales basculan hacia el progresismo en su versión igualitaria y defensora de los sectores urbanos. Construir un Estado nacional y conjurar la anarquía de las clases bajas era el sueño de ambos partidos. Pero mientras los moderados defendían el fortalecimiento de la monarquía y supeditaban los principios políticos a la defensa de los intereses económicos de la burguesía latifundista y la aristocracia de los negocios, los progresistas proclamaban una soberanía nacional sin componendas y pensaban llevar adelante su idea de España, firme en la defensa de las libertades, la reforma agraria, el fin de la influencia de la Iglesia y la ampliación del cuerpo electoral.

El tiempo radicalizó ambas posturas pero no modificó las tendencias esenciales que tejerán la trama de ministerios y pronunciamientos de la España isabelina. De ahí que, en ningún momento, el marco jurídico del Estado fuera fruto del consenso. Lo que interesaba a cada partido era redactar la Constitución para poder así reflejar su excluyente forma de entender España. Seis constituciones, varias reformas a la deriva, y algunos proyectos frustrados reflejan la debilidad de la burguesía española, incapaz de dirigir de forma consecuente la revolución liberal, y la fragilidad de un Estado indefenso ante los golpes de mano de los partidos y los caprichos del ejército. Desde un principio la desconfianza de la burguesía hacia las muchedumbres inspiró un sistema electoral que, obedeciendo a la lógica europea del siglo XIX, reservaba la plenitud de los derechos políticos a la minoría propietaria e ilustrada. Progresistas y moderados bajarían y subirían el nivel económico exigido para votar, pero siempre dentro de unos márgenes estrechos. Cuando Isabel II abandonó España tan sólo cien mil ciudadanos tenían derecho a voto en un país que alcanzaba los dieciséis millones de habitantes.

Concluida la guerra carlista, los generales, tantas veces idealizados o caricaturizados por los cronistas de su tiempo, irrumpieron con fuerza en la vida política. Entre 1840 y 1874 los jefes militares conquistan los salones de la corte y, contagiados por las luchas partidistas, se imponen como cabezas de las agrupaciones liberales, exhibiendo su poder para subvertir las decisiones del gobierno, el resultado de unas elecciones desfavorables o los deseos de la reina. Los pronunciamientos se suceden sin pausa. Unas veces el movimiento insurreccional encabezado por el general o militar de prestigio encauza el descontento social y logra la inmediata adhesión de las guarniciones y las ciudades, triunfando sin oposición. Otras hay lucha y silban las balas y los soldados muertos decoran las calles y las esquinas de la urbe sublevada. Es el tiempo de Espartero y Narváez, que, encumbrados en los campos de batalla, coinciden en las capas superiores de la sociedad española con la alta burguesía y los vestigios del viejo orden —nobleza y jerarquía eclesiástica— y se travisten de jefes de los partidos progresista y moderado. El torbellino político del siglo XIX reflejaría la flaqueza de los grupos civiles y la impotencia de la burguesía para llevar por sí sola su revolución. Con todo, la omnipresencia del ejército en el inestable escenario de la España isabelina no derivó en militarismo. Tanto Espartero como Narváez, al igual que luego Prim, O'Donnell y Serrano, actuarían como mero brazo ejecutor de la conspiración política y tras llegar al poder a golpe de bayoneta gobernarían mediante civiles de su partido.

El clima de España se volvió subversivo en 1840 cuando los moderados crearon nuevas tensiones con sus amagos de restringir la libertad de prensa y su nada democrática ley de ayuntamientos. La rebelión de los progresistas en Barcelona fue sólo el arranque de una ola que se extendió por toda España y arrastró a su paso a la reina María Cristina, que abandonó la corte rumbo a París. Espartero se proclamó entonces nuevo regente y su partido accedió por primera vez al poder. Poco tiempo se mantendría en él. Su tratado librecambista con Inglaterra sublevó a los patronos y obreros catalanes, a los que redujo bombardeando Barcelona. Con el desprestigio del líder progresista, el partido moderado pudo tomarse la revancha en 1843. Desprovisto de apoyos, Espartero debía partir hacia el exilio y se acordaba adelantar la mayoría de edad de Isabel II. Era el último acto de un aluvión de conspiraciones y golpes militares que moderados y progresistas radicales habían desencadenado contra los desplantes autoritarios del duque de la Victoria.

Desde los intereses de los poderosos, el partido de Narváez se entrega a la gobernación de España, a la que en 1845 dota de una nueva Constitución que recogía exclusivamente los principios de la tradición moderada al diseñar un control estricto de la prensa y la libertad de expresión y establecer la soberanía compartida entre el trono y las Cortes. Vigente hasta 1868, la nueva ley fundamental delataba el pacto entre la Corona y los poderosos: la aristocracia del dinero obtenía un instrumento con el que frenar los desmanes de los exaltados y la reina, una plataforma para el ejercicio del poder. Gracias a tales prerrogativas Isabel II intervino a su antojo en el nombramiento de ministros, con los que mantuvo en dique seco a los líderes progresistas, que apartados del gobierno vieron constreñida su actividad a la crítica de la prensa o la oposición parlamentaria.

A la cita moderada acudió también la jerarquía eclesiástica. Por medio de la Constitución de 1845 Narváez trató de cerrar las heridas abiertas en Roma a causa de la desamortización y con la firma de un nuevo Concordato entre el gobierno español y la Santa Sede inauguró las relaciones pacíficas del liberalismo con la Iglesia. El gobierno recuperaba para el trono el derecho de presentación de obispos y se comprometía a sacar a la Iglesia de las sacristías ofeciéndole un marco de privilegio en la enseñanza y en el ámbito de la vida pública. Roma, por su parte, olvidaba las propiedades arrebatadas por Mendizábal y se contentaba con las indemnizaciones propuestas en las partidas de culto y clero. Prevalecían así las tesis moderadas que abogaban por un pacto con la jerarquía eclesiástica frente a los argumentos de los liberales radicales, defensores de una completa sumisión de los altares a las Cortes, antes de que la tormenta anticlerical de 1868 y la guerra carlista reabran nuevamente las cicatrices, todavía recientes.

Pero el rechazo a la sangre fría con que Narváez llevaba hasta el final sus propósitos y la complacencia con que patrocinaba la corrupción decepcionó a los que lo habían aupado en la ilusión de alcanzar una convivencia pacífica de los partidos liberales. Censura, escándalos económicos, insurrecciones, encarcelamientos, ejecuciones, destierros... se suceden en una espiral de silencio y furia contenida que estalla tras el delirio autoritario del gobierno moderado. En el cíclico juego de los pronunciamientos militares de la política española del siglo XIX, el progresismo contaría con una nueva oportunidad en la hora de 1854. Atemorizada por los disturbios de Madrid, eco de las revoluciones que recorren Europa en 1848, Isabel II buscó defender su trono amenazado por el levantamiento de las ciudades y el ejército llamando en su auxilio al desterrado Espartero. Regresaba el duque de la Victoria para levantar de los escombros las libertades enterradas por el gobierno moderado. También él había tenido su hora de desgracia, perdido como un héroe de metal fundido en su ilustre exilio de Londres. Cambiar el rumbo de la monarquía isabelina y, desde la plataforma del régimen, abatir los obstáculos del progreso y avanzar en las reformas constituían el proyecto de los políticos esparteristas. Lo malo era que la oposición levantada para derrotar a Narváez se había forjado a costa de la exclusión de los demócratas, grupo de periodistas, intelectuales, políticos y conspiradores que se desgajan del tronco progresista, se niegan a aceptar compromiso alguno con la Corona y reivindican la libertad de conciencia y asociación y reformas sociales.

Poco podrían hacer los gobiernos progresistas para detener la fiebre revolucionaria de los demócratas o las críticas lanzadas como obuses por los moderados en las Cortes y la prensa. Finalmente la posibilidad de una España más abierta y menos apegada a los valores tradicionales se frustraba por el radicalismo gubernamental, el miedo de la burguesía y las zancadillas de la reina. Nunca vería la luz la Constitución de 1856, la más genuinamente progresista y la que ofrecía, por primera vez, una alternativa a la práctica de los pronunciamientos y a la falta de acuerdo que empujaba a los partidos a descuartizarse entre sí. Un proyecto que se deshace en pedazos cuando el general O'Donnell apuntilla el gobierno de Espartero en 1856 y el héroe de la primera guerra carlista abandona el poder del mismo modo que lo había alcanzado: a tiros y con derramamiento de sangre. Isabel II pudo desprenderse entonces de los siempre incómodos esparteristas y ceder el poder a la Unión Liberal de O'Donnell, formación política donde confluyen los más aperturistas de los moderados y un nutrido sector de progresistas, alejado de los excesos revolucionarios y del conservadurismo cortesano.

El miedo a los disturbios, a los motines del campo y a las convulsiones revolucionarias que recorrían la espina dorsal de Europa, llevó a los gobernantes españoles a diseñar instrumentos eficaces que complementaran la labor represiva del cuerpo de policía creado por los ministros de Fernando VII. En la garantía de un orden público estricto se sustentaba la consolidación del Estado nacional y la prosperidad económica de las clases adineradas, ansiosas de paz social tras años de guerra. A fin de lograr estos objetivos, los constructores del Estado creyeron necesario dotar al gobierno de un brazo armado dispuesto a sofocar la disidencia política y vigilar la propiedad. La actuación de la Guardia Civil resultaría fundamental para dar seguridad a una España rural habituada a lo largo del siglo al pillaje y el bandolerismo, actividades fermentadas con la levadura de la desamortización, las guerras y el sudor de unos campesinos desgarrados por la lanza del esfuerzo diario.

> La ciudad libre de miedo,
> multiplicaba sus puertas.
> Cuarenta guardias civiles
> entran a saco por ellas.
> Los relojes se pararon,
> y el coñac de las botellas
> se disfrazó de noviembre
> para no infundir sospechas.
> Un vuelo de gritos largos
> se levantó en las veletas.
> Los sables cortan las brisas
> que los cascos atropellan.
> Por las calles de penumbra
> huyen las gitanas viejas
> con los cabellos dormidos
> y las orzas monedas.
> Por las calles empinadas
> suben las capas siniestras,
> dejando detrás fugaces
> remolinos de tijeras.
>
> FEDERICO GARCÍA LORCA,
> *Romance de la Guardia Civil española*

Las transformaciones institucionales que trajo consigo la revolución liberal cambiaron también el latido cotidiano de las ciudades, cuyo protagonismo invadió el escenario de la política española en los momentos de crisis. Es en el marco de las viejas urbes donde transcurre la tertulia política y los militares encienden la mecha de los pronunciamientos. Durante el siglo XIX la vida en la ciudad se enriqueció con el debate público, los ateneos, los clubes, el gusto burgués por el teatro o la ópera y la proliferación de diarios y revistas. Los cafés alcanzaron la categoría de institución social insustituible, hervidero de noticias, maniobras políticas y suculentos negocios. Novelistas, intelectuales, poetas, financieros, políticos, estafadores, gentes de toda condición y especie convirtieron los veladores en su segunda casa. Poco a poco las viejas logias masónicas de la época fernandina se ensanchan y pierden su hermetismo en el café abierto a todas las gentes. Allí, en la redacción de un periódico o en la casa de huéspedes encuentra su patria un nuevo tipo humano, el agitador político, que se lanza a la conquista ideológica de la masa popular y las clases medias. Allí, en aquellos salones de espejos vertiginosos, poblados de literatura, tabaco, rumores y disparates, donde los parroquianos discutían y polemizaban con la prensa del día en la mano, entregado a su rutina, vivirá su odisea el conspirador del siglo XIX, mitad político, mitad literato, ideólogo a veces, agitador y amante de la bohemia siempre. Él será quien, en parte, capitanee la revolución de 1868 y la aventura cantonal.

Siglo de ebullición política, de esperanzas, revueltas y cambios de gobierno, el XIX es también la centuria de la prensa, puesta al servicio de la acción de los partidos. La irrupción del periodismo en las grandes ciudades y el gusto burgués por la lectura de revistas y diarios aumentó el número de bohemios y escritores que sobreviven o malviven de la pluma. Mucho más que un cuarto poder, con la incorporación de intelectuales y políticos, la prensa española reproduce la discordia de moderados, progresistas, reaccionarios y demócratas, erigiéndose en portavoz de la *opinión pública*, creándola o ayudando a moldearla, y convirtiéndose siempre en parlamento alternativo. En las trincheras de la prensa no faltaron entonces los ideólogos, alistados en las filas de una España moderna, burguesa, liberal y europea o alineados tras la imagen tradicional del país, aquella España atrasada y profunda, la de la corte de los milagros y las Semanas Santas barrocas, la que conduce a Larra al suicidio e inspira las leyendas a Bécquer, poeta intimista que en un tiempo de versos retumbantes talla rima a rima una hermosa sinfonía del amor.

> Mientras se sienta que se ríe el alma,
> sin que los labios rían;
> mientras se llore, sin que el llanto acuda
> a nublar la pupila;
> mientras el corazón y la cabeza
> batallando prosigan,
> mientras haya esperanzas y recuerdos,
> ¡habrá poesía!

Un tren cargado de futuro

Europa vive a mediados del XIX una era de plena pujanza, olvidada del sobresalto napoleónico. En 1825 se había puesto en marcha la primera locomotora y, trece años antes, se había construido el primer buque de vapor. Dormitan aún los futuros gigantes, Estados Unidos y Rusia, cuando la revolución industrial y el crecimiento extraordinario de la población anuncian días de gloria para el Viejo Continente. Los caminos de hierro traban Europa, dibujan los mercados nacionales, permiten la especialización de la agricultura, desarrollan la industria... al par que las modernas embarcaciones, impulsadas a partir de 1860 con el motor de hélice, transportan mercancías y pasajeros de forma más segura y rápida, llevando a los millones de desheredados del industrialismo hacia Buenos Aires, Lima, Santiago de Chile, Boston, Nueva York... El camino de la felicidad para muchos europeos vuelve a cruzar a finales del XIX los mares. Cada paria, cada huérfano, prometen las voces de la sirena del vapor, cumplirá su sueño de prosperidad al otro lado del Atlántico, en los nuevos paraísos y ciudades de cemento y acero.

España, mientras tanto, restaña las heridas de las guerras y se esfuerza desesperadamente por evitar que su atraso industrial llegue a convertirse en catástrofe o subdesarrollo. Una burguesía moderada, semejante a la que domina la Italia de Cavour o la Francia de Luis Napoleón, se echó sobre sus espaldas la tarea de modernizar la economía y la política españolas. Quedaba tanto por hacer... Construir un tendido ferroviario, diseñar carreteras, rematar un mercado nacional, reducir el analfabetismo de la población, educar a los ciudadanos españoles bajo la tutela del Estado. Lentamente los proyectos modernizadores de un sector de la burguesía y el esfuerzo de algunos políticos liberales despertaron al país de su letargo, perfilando un crecimiento moderado que se alargará con altibajos en todo el siglo XIX y se adentrará en el XX.

De acuerdo con los signos de los tiempos, el Estado reorganizó la Hacienda pública y fue recuperando el crédito en las bolsas internacionales. Fábricas textiles, altos hornos, minas, ferrocarriles... los símbolos de la revolución industrial que conquistaba Europa precisaban de unos desembolsos que apenas las empresas de capital privado podían movilizar. Pronto la acuciante necesidad de dinero exigió una reordenación de la economía española a fin de adecuarla a las transformaciones que la era industrial y el capitalismo imponían: ley de ferrocarriles, ley de bancos de emisión, de sociedades de crédito y de minería. España se benefició, en un primer momento, de la llegada de capitales franceses, británicos y belgas, pero las operaciones de ingeniería financiera diseñadas por el capital extranjero tendrían un efecto perverso sobre el endeble sistema bancario. Sólo unos pocos establecimientos bancarios lucharían por sobrevivir, metiéndose de lleno en las actividades comerciales o financiando el despliegue industrial, sobre todo en el norte, donde los bancos de Bilbao y Santander mantendrán su cuota de mercado frente al Banco de España, que en 1874 recuperaba el monopolio de emisión de moneda.

Desde 1841 los negocios se hacen con más facilidad en España, al trasladar el gobierno ese año las aduanas vasconavarras a la costa e inaugurar así el mercado unificado que anhelaban los empresarios vascos y catalanes, muy interesados en nacionalizar el Estado, para colocar mejor sus productos. En el calendario del mercado nacional, es una fecha importante la de 1851, cuando se aprueba un plan de carreteras encaminado a unir Madrid con las ciudades más importantes pero, sobre todo, la de 1848 en que se pone en marcha la línea de ferrocarril Barcelona-Mataró. Llegaba el silbato del tren a España, flauta mágica que despierta a los jóvenes que duermen la siesta pueblerina, los invita a las futuras ciudades de humo y chimeneas y consigue el importante objetivo político de trabar la nación, conectando las ciudades del litoral y el interior.

Gracias a las prestaciones del ferrocarril se salvaron las barreras que en el pasado habían regionalizado la vida española, permitiendo un trasiego de viajeros, mercancías e ideas mucho más rápido e intenso. Así y todo, el trazado dejó mucho que desear y zonas como Asturias o Vizcaya tardaron en integrarse. Hasta el fin de siglo no discurriría el tren por toda la geografía peninsular. Mientras tanto, se convertía en el mejor aliado de la burguesía agraria y el tráfico internacional y en motor de la colonización económica diseñada por las sociedades de crédito europeas, al acercar las mercancías extranjeras al gran mercado consumidor de Madrid y favorecer la exportación minera.

¡Masas informes!... ¡Límites inciertos!...
¡Montes que se hunden! ¡Árboles que crecen!
¡Horizontes lejanos que parecen

vagas costas del reino de los muertos!
¡Sombras, humareda, confusión y nieblas!...

RAMÓN DE CAMPOAMOR, *El tren expreso*

Desperezada de su siesta por la velocidad y el volumen de carga del ferrocarril, la burguesía agraria pudo disfrutar también del nuevo mercado nacional y comercializar un buen número de productos perecederos —hortalizas, lácteos, carnes...— que hasta entonces no había logrado intercambiar. Quedaban así especializadas regiones que con el paso del tiempo formarían el mosaico productivo español: la cornisa cantábrica, volcada al maíz y la patata; Castilla, Aragón y Andalucía, al cereal; las tierras del Guadalquivir y el Guadiana, al olivo, y las costas mediterráneas a los viñedos y los frutales. Tras siglos de padecer los males de un deficiente sistema de comunicaciones, la posibilidad de enviar los excedentes agrícolas de una forma regular, rápida y barata estimuló los negocios de la burguesía meseteña ya que equiparó los precios de las ciudades interiores y periféricas. De esta manera el enriquecimiento de los productores castellanos, cada vez más pendientes del mercado nacional, explica la energía mostrada por el campo en el siglo XIX y las inversiones de la burguesía agraria en la construcción de ferrocarriles y las fábricas harineras de Burgos, Palencia o Valladolid. No todo fueron avances; el campo continuó alejado de las innovaciones tecnológicas que decoraban las huertas y explotaciones de Europa y no constituyó un mercado para la industria siderúrgica o química ni fomentó investigaciones para mejorar la productividad de la tierra.

Con el empuje del ferrocarril y la ayuda de capitales extranjeros, España emprende, a mediados del siglo XIX, la carrera de la industrialización, tardía en comparación con las grandes potencias europeas. Es un proceso lento, repleto de baches y fracasos, tejido y destejido por algunos esfuerzos aislados y otros proyectos desesperanzados. A pesar de que los condicionamientos políticos y la escasez de capitales impusieron desde el comienzo un modelo de economía semicolonial que hizo del solar ibérico la abastecedora preferente de materias primas de las factorías europeas, en algunas zonas el afán modernizador permitió la acumulación de capital suficiente para impulsar su desarrollo industrial. Conforme avanza la centuria, el espíritu capitalista y europeizante plantará su semilla en las clases emprendedoras de Cataluña, Asturias y País Vasco mientras en Andalucía, que había levantado las primeras fábricas de una siderurgia moderna, la burguesía acabaría por desanimarse, replegándose hacia negocios más seguros como el agropecuario o la especulación urbana. La huida al campo le impediría al capital andaluz aprovechar los ricos cotos mineros de la región, de gran demanda internacional, pero necesitados de técnicas novedosas y una fuerte inversión. Multinacionales inglesas y francesas con nombre español, como The Linares o Peñarroya, se harían entonces con los suculentos beneficios del plomo andaluz —suministrador de una octava parte de la producción mundial entre 1861 y 1910— mientras el cobre de Riotinto caería en manos de especuladores y banqueros europeos.

Muy diferente es el itinerario del País Vasco, aun cuando su economía dependía también de la exportación de materias primas. En la villa del Nervión, el acaparamiento de las explotaciones minerales en muy pocas manos y las dificultades impuestas por el Fuero a las concesiones a extranjeros hicieron posible que la gran burguesía vizcaína acumulase los medios suficientes para abordar la inversión industrial. Bilbao decora entonces las orillas del Nervión con las fábricas y hornos que tiñen de humo y ceniza el cielo y prestan al agua su tez agitanada. Tomaba forma una ciudad de barcos imposibles, de balances y talonarios, de antiguos y nuevos asedios carlistas, un Bilbao de burguesía liberal, astilleros y ocres minerales.

Hornos de fogonazos, perspectivas de lumbre,
irradian los carbones como el sol, las calderas,
los lavaderos donde llega la muchedumbre
del metal que retiene sus escorias primeras.

El polo vizcaíno daría el tiro de gracia al núcleo asturiano que parecía destinado a ser la cabeza de la siderurgia española por sus abundantes reservas de carbón y la pujanza de sus fábricas en los años cincuenta. Falló, sin embargo, al no poder atraerse la demanda ferroviaria y no disponer de capitales propios, debiendo soportar asimismo la dura competencia del hierro vizcaíno. El parón de la siderurgia astur se vería compensado más tarde por el éxito de la metalurgia del zinc, con la Compañía Asturiana como primera productora de Europa. Mientras tanto los proyectos fabriles modernos se concentraban en Barcelona y su puerto, por donde los industriales catalanes se abastecían de combustible. Chimeneas de humo largo, factorías, sociedades anónimas... dominan el paisaje de la Ciudad Condal, cuyas telas, cada vez más baratas, monopolizan la oferta española y se adueñan del mercado colonial, inundando los muelles de Cuba y Puerto Rico, saliendo de las entrañas de los barcos como tesoros antiguos.

Laten motores como del agua poseídos,
hélices submarinas, martillos campanarios,
correas, ejes, chapas. Y se oyen estallidos,
choques de terremotos, rumores planetarios.

MIGUEL HERNÁNDEZ, *El hombre acecha*

Pero mientras Vizcaya, Guipúzcoa, Cantabria, Asturias y Barcelona se suben al tren de la modernidad, las capitales de la

Meseta y Andalucía duermen su siesta de siglos sin poder ofrecer nada a sus paisanos. Muchedumbres de indigentes, exiliados por el hambre y los desequilibrios de España, partirán hacia el País Vasco y Cataluña con lo puesto, la vida, la esperanza... La mano de obra se reclamaba para ásperas y peligrosas tareas —minas, siderurgia, construcción— pero la oferta atrajo a los campesinos y jornaleros que dependían del trabajo temporal y se sobrevivían a sí mismos en míseras condiciones de alimentación. Perseverante en su sino, Castilla pierde peso global en el conjunto de España en tanto el crecimiento de Madrid impide una desertización completa de la Meseta sur. Algo parecido se observa en Aragón, donde sólo progresa Zaragoza, que atraerá a los trabajadores de las tierras circundantes.

La avalancha de hombres, fábrica y progreso cambiaría la imagen de las ciudades del litoral español. Ya la desamortización eclesiástica de 1836 había traído consigo diversas iniciativas de remozamiento de los cascos antiguos al poner a precio de saldo numerosos solares de iglesias y conventos, aptos para ser transformados en casas de vecindad, edificios públicos, calles y plazas. Pero es a mediados de siglo cuando muchos de los centros históricos de las ciudades resultan inapropiados para recoger el crecimiento rápido de la población que reclama una mayor atención a las condiciones de higiene y habitabilidad. Se hace entonces necesario el derribo de las antiguas murallas y la ampliación planificada de las ciudades fuera de sus límites anteriores. Los ensanches proyectados pusieron fin a la vieja mezcolanza propia de las ciudades españolas de la Edad Moderna y se erigieron en símbolo de la burguesía triunfante. Quienes se veían a medio camino entre la aristocracia del dinero y el pueblo deseaban que esta separación quedara reflejada en la nueva ciudad y los urbanistas se aprestaron a complacerlos. De esta manera, mientras la clase media mostraba su gusto por la comodidad y las viviendas bajas y la gran burguesía importaba de Europa las villas ajardinadas y se hacía construir ostentosos palacetes en las grandes avenidas, los obreros quedaban relegados a los antiguos barrios populares y se veían obligados a malvivir en buhardillas realquiladas.

Como corresponde a su condición de primera ciudad industrial, Barcelona sería la pionera del *ensanche*, aunque hasta 1860, fecha de la aprobación del proyecto de Ildefonso Cerdá, no se vislumbrará el perfil de la urbe moderna. Nacía, de pronto, la Barcelona burguesa, ensordecida por las protestas de la otra Barcelona, la de los proletarios, que comenzaba a tomar forma.

> Tienes esa rambla que es una hermosura,
> y tienes la dulzura de tus arrabales,
> donde tan cerca de tus vías sonoras
> y entre las neblinas del humo y sus señales,
> campos de trigo en la paz de los patriarcas
> maduran lentamente los frutos anuales.
> Y allí, a cuatro pasos, febril en demasía,
> más ancha que la otra, la rambla de los pobres
> tremola en la sombra sus luces infernales.
>
> JOAN MARAGALL, *Oda nueva a Barcelona*

Después de la Ciudad Condal, la capital de España se sumó a la novedad con el diseño de Carlos María de Castro. La vieja ciudad de los conventos, laica y desdentada de torres desde la furia anticlerical de las masas y las medidas desamortizadoras de Mendizábal, pero también imán del interés inversor de los burgueses, soñaba con un espacio desahogado, ventilado, bello, de grandes patios y plazas. Una ilusión que, muerto el proyecto por culpa del ansia de beneficios de los propietarios y el retraimiento de la iniciativa privada, terminó en sucedáneo de la antigua urbe, con sus mismas aglomeraciones y pobreza de materiales. Con el ejemplo de Madrid y Barcelona la teoría urbanística burguesa se extiende a Valencia, Bilbao, San Sebastián y demás ciudades de la cornisa cantábrica, generalizándose por toda España a partir de 1880.

Pasa el tornado

A mediados de los años sesenta el reinado de la hija de Fernando VII estaba herido de muerte. Cruzaba las calles de Madrid la imagen de una reina adicta a las aventuras sentimentales y una corte repleta de aventureros, aduladores y beatos. Isabel II se enamoraba en las alcobas de palacio y combatía en el circo de la política, alejando al partido progresista del poder. Por un tiempo O'Donnell, su jefe de gobierno, pudo desviar la atención de los asuntos internos embarcando a España en la empresa imperialista que había llevado a los ejércitos franceses hasta Argelia e Indochina y a los colonos y tropas británicas a Asia y Oceanía. La guerra de África, que arruina los sueños de conquista del imperio marroquí y ensancha los dominios de Ceuta y las plazas norteafricanas, y las expediciones a México y la Cochinchina dieron cierto prestigio al gobierno, levantando una ola de exaltación patriótica en la prensa española, que compara las batallas del XIX con las *gloriosas campañas de antaño*. España era todavía la quinta potencia del mundo y vivía entonces un momento de euforia colonial, escrita con la sangre de soldados que morían de bala o insolación en las arenas del desierto, dejando sus cuerpos sin vida, tendidos a la mirada de África, sin tiempo ni historia que recordara sus nombres, y reforzada con la reincorporación pacífica de la República Dominicana a su imperio ultramarino.

Concluidas las campañas militares, la estabilidad interna

se deshace cuando una crisis financiera y de alimentos golpea el corazón de España y favorece el retorno de una política conservadora y de represión de libertades encabezada por Narváez. El regreso del *espadón de Loja* al poder y la imposibilidad del moderantismo de responder a las demandas sociales de participación política de los ciudadanos se sumaba al descrédito de la reina y al malestar social generado por la quiebra económica y la extensión del paro en las ciudades y campos de España. La oposición progresista conspira en el extranjero y sabe que puede contar con un buen puñado de generales que se sienten ofendidos por el destierro de varios compañeros. A Isabel II la revolución de setiembre de 1868 le sorprendió cuando veraneaba en Vizcaya, en el marinero pueblo de Lequeitio, sin que tuviera tiempo de regresar al Palacio Real de Madrid para hacer las maletas y encaminarse al exilio en Francia. El manifiesto de la Junta de Cádiz, que se cerraba con el «Viva España con honra», o el de la de Valencia, rubricado con el grito de «Abajo los Borbones», dieron la señal de salida de un período revolucionario de inestabilidad política, que si bien constituyó un avance en las conquistas democráticas no cuestionó los fundamentos socioeconómicos del Estado liberal. El sexenio (1868-1874) serviría tanto para afirmar un nuevo liberalismo contrapuesto al de los moderados, como para decretar el fin del «régimen de los generales» y el triunfo de la sociedad civil. No hubo día sin sorpresa en aquella España innovadora que a partir de entonces tiene su moneda nacional, la peseta, que simplifica las transacciones comerciales en el país y contribuye a su mayor cohesión.

Pasado el tornado del alzamiento militar, las elecciones entregaron el poder a una coalición de moderados, progresistas y demócratas, en tanto el extremo más radical de las clases medias basculaba hacia el republicanismo, en sus dos versiones, la federal y la centralista. Alardes de oratoria, discusiones y protestas preceden la aprobación de la Constitución de

1869, que imbuida de ideología liberal-democrática mantuvo la monarquía como forma de gobierno y perfiló un régimen de libertades muy audaz, donde se entronizaba la soberanía nacional y los derechos individuales alcanzaban aspectos novedosos en el campo de la enseñanza o la libertad de culto. Una vez promulgada la ley fundamental, los dos hombres fuertes, los generales Prim y Serrano, afrontaron el mayor problema que tenía el régimen: encontrar un rey que fuese católico y aceptase las reglas del juego democrático. Finalmente la búsqueda de un monarca por las cancillerías europeas se solucionó en 1870, cuando Amadeo de Saboya, hijo de Víctor Manuel II, recién proclamado rey de Italia, aceptó la corona de España.

Don Amadeo se derrumbó en el trono muy pronto. Al desembarcar en Cartagena, el monarca recibió la noticia de que Prim había sido tiroteado en un acto terrorista. Muerto el general que más fervientemente había defendido su candidatura, el rey se sintió huérfano. En 1873, asediado por el grito insurreccional lanzado en Cuba, los vaivenes ministeriales y las conspiraciones republicanas, el hijo de Víctor Manuel, desilusionado y cansado, renunciaba a la Corona. La burguesía radical y reformista no desaprovecharía la oportunidad. Ante la vista de un trono vacío, los extremistas de las Cortes proclamaron la República. Aquélla no era una aspiración mayoritaria, pero a los hombres que habían emprendido las conquistas del 68 no les quedaba otra salida si no querían ver cómo la revolución se frustraba en manos de las clases conservadoras o del pretendiente carlista. Ellos intentarían corregir las deficiencias de la vieja revolución liberal. Eran catedráticos, profesores, periodistas, abogados... hombres de buena voluntad influidos hondamente por la filosofía krausista, defensora de una ética laica y la libertad de conciencia. Su sueño era un Estado descentralizado, una sociedad más justa, una educación popular, la proclamación de la libertad religiosa y la abolición de la esclavitud en las colonias. Les faltó pragmatismo y unidad ante los enemigos comunes para hacerlo realidad y les sobraron problemas: las estrecheces de la Hacienda, el levantamiento carlista en el norte, la guerra de Cuba, la deslealtad del ejército, la combatividad campesina y la agitación urbana decidida a llevar hasta el final el proceso revolucionario.

El ensayo de la Primera República fracasó estrepitosamente, se hundió víctima de la incapacidad de los propios revolucionarios y la impaciencia febril de las provincias. Nunca tuvieron sus dirigentes un proyecto claro, ni un programa de gobierno consistente, ni apoyos parlamentarios sólidos y, sobre todo, faltó una verdadera burguesía, con conciencia unitaria, capaz de asegurar el edificio político que imaginaron los idealistas de 1868. La República empezó a desbaratarse el mismo día en que nació. No había concluido Pi i Margall el diseño de un Estado federal cuando el país se desgarró con el estallido cantonalista y los conflictos sociales. De nada sirvió que Salmerón llamara al ejército en su auxilio y Castelar diera un giro a la derecha para salvar la poca vida que le quedaba a la revolución democrática. La burguesía conservadora cargó las tintas en su retrato de la descomposición de España y en enero de 1874 las tropas del general Pavía disolvían a tiro limpio las Cortes, poniendo punto final a la experiencia republicana.

España había leído en sus calles la crónica de la muerte de la República. El desorden político, los estallidos de violencia y las oleadas de furia anticlerical dejaron en los pioneros del capitalismo un sentimiento de miedo a la marea popular; en las clases medias, muchas ganas de olvidar aquella época de confusión y anarquía; en la masa campesina y proletaria un recuerdo de ideales traicionados, y en los obispos una pesadilla de conventos e iglesias arrasadas. Razón suficiente para que nadie saliera a la calle a defender el régimen trasnochado del general Serrano cuando las tropas de Martínez Campos se sublevaron en Sagunto en defensa de la monarquía. La mitología de los sables, el brillo de los uniformes, que era el brillo del poder, el sol prestigiando los metales no usados de las armas... anunciaban una nueva irrupción —aunque efímera— de los generales en la historia, esta vez para asentar en el trono a Alfonso XII, quien, desde su exilio inglés, había soñado con ceñirse algún día la corona desbaratada por su madre Isabel II.

El inminente regreso de la monarquía no provocó entre los españoles manifestación alguna de júbilo y la indiferencia se contagió en una mayoría convencida de que se trataba de un escaparate urdido por los que no deseaban más libertades que las suyas. Sin embargo, aquella mañana de enero de 1875 los madrileños desbordaron las calles de la capital para recibir al rey Alfonso XII, que como hijo de una destronada no esperaba tan ruidosa acogida. Los manifestantes que ahora se arremolinaban al paso del cortejo eran los mismos que seis años atrás habían celebrado el destierro de Isabel II.

Mecida por el cansancio y la apatía, la recién nacida Restauración comunicaba sopor a una sociedad decidida a recuperar la tranquilidad, después de una racha de alboroto y subversión. Ya no más caprichos republicanos. Por fin, la burguesía conservadora y provinciana había conseguido crear un régimen a su imagen y semejanza.

> Vetusta, la muy noble y leal ciudad, corte en lejano siglo, hacía la digestión del cocido y la olla podrida, y descansaba oyendo entre sueños el monótono y familiar zumbido de la campana de coro, que retumbaba allá en lo alto de la esbelta torre en la santa basílica
>
> LEOPOLDO ALAS, *CLARÍN*,
> *La Regenta*

Entre los muchos problemas con que se encontró la Restauración, la guerra carlista y la insurrección cubana fueron los más graves. Los excesos de la República habían atraído a la vieja causa carlista una renovada legión de reclutas. Vascos, castellanos, catalanes, aragoneses y valencianos habían desempolvado los viejos mosquetones y se habían echado al monte para defender los Fueros y llevar al trono a Carlos VII. La España reaccionaria, absolutista y ultracatólica volvía a levantarse en armas contra la modernidad, estableciendo su capital en Estella. Cuatro años reproducen las gestas desesperanzadas de los cancerberos del pasado, que tras estrellarse en las murallas de Bilbao y Pamplona fueron triturados por las tropas liberales de Martínez Campos y Primo de Rivera. Vencido, desarmado, Carlos VII sólo puede irse a Francia. Mientras la estela de su caballo se perdía más allá de los Pirineos y los rostros funerales de sus soldados lo veían marchar, tristes, inmóviles, derrotados... Alfonso XII visitaba los escenarios de la guerra para sancionar con su presencia la victoria de sus generales y hacerse merecedor del sobrenombre del Pacificador. La consolidación de Alfonso XII en el trono y la derrota en los campos de batalla, reflejo de las transformaciones que había ido experimentando España a lo largo de la centuria —crecimiento de la industria, urbanización, desarrollo del capitalismo— llevaron a los carlistas a sustituir los mosquetones por la participación en el juego político de los partidos.

Como remate de la carlistada, Cánovas daría el golpe de gracia a los Fueros, avanzando en la unidad nacional y poniendo en práctica su idea de que el orden social pasaba por la unidad de códigos y la igualdad jurídica de los españoles. Pese a la críticas de los nostálgicos, la muerte del régimen foral arrancaría el aplauso de la burguesía vizcaína, que supo explotar el interés negociador del gobierno y logró conciliar la derogación de la ley vieja con el mantenimiento de ventajosas prerrogativas de orden fiscal. Con los Conciertos Económicos en la mano, la burguesía vasca no tardaría en confirmar su capacidad de liderazgo en la carrera industrial de España.

Aplastada la amenaza carlista en los campos de batalla del norte, el gobierno de la Restauración envió nuevos ejércitos a la colonia americana. Cuba llamea, tirita balas, es la tierra del mambí, esclavos negros que peleando se vuelven personas, y del ejército de Carlos Manuel Céspedes. Los soldados españoles arrasan campos, cercan a los rebeldes, caen mordidos por las balas y los machetes, se derrumban víctimas de fiebres y enfermedades tropicales. La guerra colonial, dura y sangrienta, se cobra miles de vidas. Diez años de lucha llegan a su fin cuando el general Martínez Campos impone a los rebeldes cubanos la paz (1878) y promete reformas administrativas y concesiones de autogobierno, ganándose el apoyo de las clases criollas. Poco durará la ilusión de una Cuba pacificada. Todo el esfuerzo bélico y diplomático se derrumba en el momento en que los grandes magnates españoles de la isla, señores del azúcar y el tabaco, y la burguesía catalana, dueña de los negocios coloniales, obstaculizan la abolición de la esclavitud y bloquean las reformas por miedo a perder sus prebendas. El año 1895 recorrerá las tierras de Cuba con las palabras libertadoras de José Martí y el ejército de sombras de la revolución.

«Esto es muerte o vida, y no cabe errar...», escribe José Martí, y eso es lo último que escribe porque lo para la noche o el cansancio y porque una bala lo derribará del caballo a la mañana siguiente. Moría el líder cubano, el poeta de la revolución, pero la autoridad española en la colonia empezaba a amarillear.

> Yo sé bien que cuando el mundo
> cede, lívido, al descanso,
> sobre el silencio profundo
> murmura el arroyo manso.

Yo he puesto la mano osada,
de horror y júbilo yerta,
sobre la estrella apagada
que cayó frente a mi puerta.

Oculto en mi pecho bravo
la pena que me lo hiere:
el hijo de un pueblo esclavo
vive por él, calla, y muere.

José Martí,
Yo soy un hombre sincero

La siesta nacional

Después del sobresalto de la República, Cánovas se dio cuenta de que la monarquía restaurada no podía gobernar con ninguna de las constituciones precedentes de tal forma que vio en la redacción de una nueva la oportunidad para alejar a los militares de la política y sustituir el excluyente sistema isabelino por un bipartidismo plagiado del modelo inglés. Había que eliminar toda tentación revolucionaria y conciliar las dos Españas separadas por 1868 mediante la aceptación de la monarquía constitucional y la construcción de un orden burgués respetuoso con las libertades fundamentales. Progresistas, demócratas arrepentidos, republicanos... a todos se les permitiría existencia legal siempre y cuando abandonaran viejas ilusiones y aceptaran la Constitución. Son los años del afianzamiento del capitalismo y del grupo social que lo sustenta, el triángulo formado por los siderúrgicos vascos, los industriales catalanes y los productores agrarios castellanos y andaluces, pero también del fortalecimiento de una clase antagonista, el proletariado, surgida del discurrir del sistema.

En 1876 se aprobaba la nueva ley fundamental, la más longeva de la historia de España, que recogía la soberanía compartida entre el rey y las Cortes, proclamaba la confesionalidad del Estado y ofrecía a los políticos un campo abierto para la consolidación de los derechos individuales y sociales. Para sostener el nuevo tinglado institucional, Cánovas, al frente de los liberales conservadores, y Sagasta, de los liberales fusionistas que constituirán la izquierda del régimen, llegarían a un acuerdo programático que fijaría las reglas del juego político y el disfrute del poder, asegurado con el *turno pacífico* de los partidos llamados a pilotar el destino de la monarquía restaurada mientras el resto de organizaciones políticas debían contentarse con las migajas del festín electoral.

Un sistema con un sabor tan añejo como la Restauración atrajo pronto a la jerarquía eclesiástica, que, dando la espalda a los perdedores carlistas, se alistó en la causa de Alfonso XII y exageró sus afinidades con la monarquía, aceptando la Constitución como un mal menor. Superada su inicial desconfianza, el terror patológico a la modernidad y a la revolución llevaba a los gerifaltes del catolicismo a pasar página a las ofensas del pasado y a reconciliarse con la burguesía española, un pacto duradero que sólo llegará a hacer agua en las tormentas finales de la era franquista. En la España, profundamente conservadora, en lo social y lo moral, de finales del XIX, la Iglesia estaba a punto de recobrar su puesto de protagonista. A los pocos años de política conservadora, la Iglesia se encuentra recuperada por completo del golpe de la desamortización y el movimiento revolucionario del XIX, no sólo en sus efectivos humanos y finanzas, sino también en su capacidad mentalizadora y, gracias a un inusitado florecimiento de las congregaciones religiosas —muchas de ellas dedicadas a la enseñanza—, puede acometer la ambiciosa labor de socialización católica de España. La sociedad se defendería a golpe de anticlericalismo, testimonio de todos aquellos afectados por el monopolio de la Iglesia que se dan cuenta de cómo ésta reconquistaba su antiguo reducto de privilegio y la revolución sólo se había logrado a medias.

No obstante su abrumadora hegemonía en el ámbito docente, la Iglesia vio con intranquilidad un proyecto aislado que el catedrático Francisco Giner de los Ríos puso en marcha con el fin de impartir una enseñanza no dogmática, basada en la libertad de conciencia y en el espíritu laico. En torno a los centros educativos creados por la Institución Libre de Enseñanza, un grupo minoritario trataría de dar forma al sueño de una España europeizada y moderna que no pudo ser.

> ... ¡Oh, sí!, llevad, amigos,
> su cuerpo a la montaña,
> a los azules montes
> del ancho Guadarrama.
> Allí hay barrancos hondos
> de pinos verdes donde el viento canta.
> Su corazón repose
> bajo una encina casta
> en tierra de tomillos, donde juegan
> mariposas doradas...
> Allí el maestro un día
> soñaba un nuevo florecer de España.
>
> ANTONIO MACHADO,
> *A don Francisco Giner de los Ríos*

Al igual que la Iglesia y la burguesía, el viejo ejército liberal se transforma encerrándose en sí mismo, una vez que Antonio Cánovas del Castillo, el artífice del régimen y buen conocedor de la proclividad de los militares a meterse en política, los recluya en sus cuarteles. Por culpa de las guerras del XIX el ejército soportaba una gran inflación de oficiales que lo hacían muy poco operativo. Sin apenas policía, los gobiernos de la Restauración recurrirán a los soldados para sofocar huelgas o apalear manifestantes y enterrarán de esta forma una trayectoria revolucionaria estrenada en el alba del liberalismo. Desde entonces el ejército gendarme se especializa en la custodia del orden, el centralismo y la Corona a la par que se asigna a sí mismo el papel de salvador de la patria con el que habría de justificar atentados futuros contra el fallo de las urnas.

Con el fin de acabar con las tentaciones partidistas de los militares y en previsión de nuevos pronunciamientos, la Constitución erigió al rey Alfonso XII en jefe supremo del ejército, y para afirmar el poder civil, Cánovas y Sagasta, al frente de las dos familias del liberalismo, pusieron en sus manos el arbitraje del cambio político que luego refrendarían las elecciones sistemáticamente manipuladas. El artificio ayudó a afianzar los avances del liberalismo y domesticó el carlismo pero, al mismo tiempo, vinculó estrechamente la suerte de la monarquía a partidos que no representaban la España real. Funcionó el invento mientras logró alimentar la abulia de los ciudadanos y la represión se pudo mantener en niveles muy bajos, aunque muchos españoles no conocieran otra política que los manejos de los caciques locales y murieran sin enterarse de haber vivido en un país libre. Pero cuando los marginados del sistema consiguieron romper el silencio todo el tinglado oficial se derrumbó.

Como residuo del progresismo de 1868 y después de algunos ensayos, el sufragio universal masculino entró en la historia de España de la mano del partido liberal (1890). La reforma electoral programada por Sagasta obedecía más a una nostalgia del sexenio revolucionario que a una realidad o un deseo político de las clases dirigentes. Ni él ni Canovas estaban dispuestos a tolerar que el espíritu democrático se colara en la nación a través de las urnas. De ahí que el efecto más visible de la reforma electoral fuera el endurecimiento del caciquismo. Mientras la sociedad continuara bostezando y funcionasen los mecanismos de manipulación electoral, los mentores del régimen no debían preocuparse de la concesión del voto a las capas populares. Un tiempo de fraude se apoderó de España teniendo como dueños y señores a los políticos y sus amigos, los caciques. Bien relacionados con el gobernador civil o con políticos de la capital, dispensadores de prebendas a cambio de votos, jueces de los pleitos rurales y amos de pueblos y comarcas, los caciques tejerían en el ámbito local la telaraña de la corrupción electoral diseñada en Madrid, cumpliendo el mandamiento de oro que gobernó la vida política de la Restauración: *para los enemigos la ley; para los amigos el favor.*

De este modo, a la par que en las Cortes se deliberaba sobre las urgencias de las conquistas liberales, el horizonte de los españoles no traspasaba los límites domésticos de su propia provincia y, muchas veces, sobre todo en el campo, ni siquiera iba más allá de la imagen destartalada y blanca de unos pueblos dormidos al sol. Tanto la novela como el paisajismo pictórico se hacen regionales, contribuyendo a afirmar la visión provincial de España. Benito Pérez Galdós será una excepción en la literatura del XIX, escrita toda ella desde las provincias. Clarín permaneció siempre en Oviedo; Pereda vivió toda su vida en Santander y de allí sacó el costumbrismo de su novelas; Valera, que viajó mundo, leyó y amó en otros países, se inspiró en una Andalucía idealizada e imposible; Pardo Bazán ambientó su obra en Galicia, profundizando en la sensualidad de aquella tierra y sus habitantes. Pocos novelistas como Benito Pérez Galdós desentrañan el misterio de Madrid, aquella capital desde donde se modificaba España y que el escritor canario convierte en su patria literaria. Es el Madrid de los funcionarios y burócratas víctimas alternantes del turno de partidos, de los burgueses trepadores, los políticos, los curas y frailes, los mendigos, conspiradores y prostitutas... Un Madrid retratado por la pluma de Galdós como en un daguerrotipo, en sus *Episodios nacionales*, novelas históricas llenas de personajes colectivos que proclamaban el poder de la nación y anticipaban la hegemonía de las masas en la crónica española.

> Hoy, cuando tu tierra ya no necesitas,
> aún en estos libros te es querida y necesaria,
> más real y entresoñada que la otra:
> no ésa, más aquélla es hoy tu tierra.
> La que Galdós a conocer te diese,
> como él tolerante de lealtad contraria,
> según la tradición generosa de Cervantes,
> heroica viviendo, heroica luchando
> por el futuro que era el suyo.
> No el siniestro pasado donde a la otra han vuelto.
>
> LUIS CERNUDA, *Bien está que fuera tu tierra*

Con la Restauración se consagran los núcleos fundamentales de la industrialización española. País Vasco y Cataluña rematan su tejido industrial, en tanto las demás regiones, a excepción de Madrid —capital administrativa y bancaria y líder en el sector de servicios—, quedarían retrasadas hasta la segunda mitad del siglo XX. La bonanza industrial vivida en la cornisa cantábrica y Cataluña se debió, sobre todo, a la fuerte depreciación de la peseta y a la aplicación del arancel proteccionista de 1891, en cuya demanda llevan la voz cantante la burguesía catalana, los empresarios vascos y los latifundistas castellanos y andaluces. Un recurso excepcional como el proteccionismo, que todos los países consideraron imprescindible en las primeras etapas de su industrialización, terminará en España por convertirse en la salida fácil de un empresariado timorato acostumbrado a un mercado interior sin riesgos. Gracias al paternalismo del Estado se multiplicaron las compañías de construcción naval y mecánica, así como buena parte de la mediana industria vizcaína y guipuzcoana, en tanto el enorme consumo de explosivos por la minería tiraba de la industria química. Al mismo tiempo, el crecimiento de la Ciudad Condal desarrollaba las industrias de gas y electricidad y acogía nuevas compañías mecánicas, que anticiparon la Maquinista Terrestre y Marítima. Todo este hervidero de iniciativas engrandecerá el papel de Cataluña en la economía peninsular hasta hacer de ella la fábrica de España.

A pesar de numerosos contratiempos, España progresó y, aunque con retraso, siguió el movimiento de las demás naciones de Europa. Hubo pues un crecimiento moderado en la segunda mitad del siglo XIX y la economía se acompasó con el crecimiento de Gran Bretaña y Francia, estabilizándose el desfase que separaba a España de las dos máximas potencias continentales. Nada más engañoso, sin embargo, que el lento avance de la economía y el progreso de unas cuantas ciudades en medio de una sociedad española abrumadoramente atrasada, con la gran mayoría de la población dedicada a la agricultura. Todavía a finales del siglo del motor y la fábrica, la Edad Media quedaba a escasas horas de tren de las capitales de provincia. El régimen canovista no hizo nada por romper el contraste entre la España moderna y capitalista de la periferia y la España interior, campesina y profunda, cautiva de su estructura caciquil y la tiranía de los latifundistas, que gracias a sus alianzas con el gobierno controlaban gran parte de la superficie cultivable de Castilla, Extremadura y Andalucía.

A muchos españoles no les quedó otro recurso que la protesta, el desengaño o la huida. Además, la crisis de finales de siglo, provocada por la irrupción en el mercado europeo de los productos procedentes de Estados Unidos, Argentina, Canadá o Rusia, no haría sino aumentar su miseria. Para muchos braceros y proletarios agrícolas la emigración habría de ser la única forma posible de escapar de una vida bruñida de sudor y carne de cementerio. Irían a morir o revivir de la pobreza en las ciudades industriales de España o en los barcos que partían hacia Argelia, las Antillas, América, con la mirada poblada de ilusiones, riquezas y el color de su tierra. España volvía a hacer las Américas cuatro siglos después de su descubrimiento, pero ahora los conquistadores eran hombres desarmados, sin imperios que descubrir ni Dorados que alcanzar, hombres desterrados por la pobreza de los caseríos españoles y los ríos familiares que murmuraban en las huertas. Siempre sucedería lo mismo. Alguien levantaba la cabeza un momento entre los cientos de emigrantes que llevaban los barcos... y la veía. Era América. Entonces se quedaba clavado en el lugar donde se encontraba, una gran vaharada del viejo aire de Galicia, del País Vasco, de Castilla, de Andalucía, Extremadura... poblaba sus ojos, el corazón le estallaba en mil pedazos y siempre, siempre, se volvía hacia el resto y gritaba: ¡América! En los primeros veinte años del siglo XX alrededor de dos millones de españoles recalarían en las tierras de Argentina, Uruguay, Chile, Brasil o Cuba.

CAPÍTULO VII

La historia desorientada

El Cid bajo llave

Aquella tarde del domingo 3 de julio de 1898 había corrida de toros en Madrid y la muchedumbre popular y pequeñoburguesa caminaba calle Alcalá arriba mientras los sones de la marcha de *Cádiz* acompañaban la alegría de quienes esperaban dos horas de emoción y espectáculo. Desde el comienzo de las hostilidades con Estados Unidos, tras la voladura del *Maine*, la zarzuela de Chueca y Valverde triunfaba en los escenarios españoles y en los pianos de los cafés, alentando el esfuerzo bélico de los combatientes de Cuba y Filipinas. Aquella tarde de café y toros, los madrileños pasaban distraídos las horas, ignorantes de que la flota española había sido hundida por los norteamericanos a la salida de la bahía de Santiago de Cuba, cerrando el ciclo histórico de la proyección de España en el mundo. Entre un mar ahíto de naufragios y los cañonazos de los buques yanquis, el 98 se llevaba un relicario de glorias y héroes nacionales sin que los españoles desprendiesen una lágrima. Luego la historia, contada por ensayistas y poetas, transmitiría una imagen de España sumergida en el llanto y obsesionada por ajustar sus cuentas con el presente desde las nostalgias del pasado.

> Demasiado pensaste en tu honor
> y escasamente en tu vida:
> tus hijos, trágica, diste a la muerte.
> Mortales honras te satisfacían;
> tus fiestas eran tus funerales,
> ¡oh triste España!...
> ... ¿Dónde tus barcos? ¿Dónde tus hijos?
> Pregúntalo al poniente, a la ola brava:
> Perdiste todo, a nadie tienes.
> ¡España, España, vuelve en ti,
> rompe el llanto de madre!
>
> JOAN MARAGALL, *Oda a España*

Con los buques del almirante Cervera a la deriva, desapareciendo ante la silueta de los acorazados yanquis, se escribía el final de una aventura, que había comenzado a cobrar forma cuando los políticos monárquicos enviaron a miles de jóvenes al matadero de Cuba y Filipinas conociendo la debilidad de la armada nacional y la desigualdad de fuerzas de los ejércitos destinados a enfrentarse. «Lo más sensato era negociar la paz que se pueda, amén», confesó Maura, pero en la primavera de 1898 fueron pocas las voces que se aventuraron a aconsejarlo en medio de la algarabía patriótica de unas clases dirigentes henchidas de orgullo militar y una población que consideraba Cuba una porción de tierra andaluza. Para todos ellos entregar la isla sin lucha era una bajeza inadmisible que no estaban dispuestos a tolerársela al gobierno. Temeroso de un golpe militar o una revolución popular, Sagasta no pudo elegir otro camino que el de la guerra, previsiblemente breve, contra Estados Unidos. Cuatro meses de asedio fueron suficientes para que el ejército español se derrumbara. Triunfantes en los campos de batalla de América, las tropas yanquis se quedaban con las islas Filipinas y Puerto Rico y decidían hacerse cargo de la libertad de Cuba, donde su gobierno tenía importantes intereses, un jugoso mercado e inversiones en haciendas de azúcar.

«Viví en el monstruo y le conozco las entrañas», había escrito Martí, avisando del peligro que corrían los rebeldes si no se impedía a tiempo el avance de Estados Unidos por las Antillas y las tierras de América, pero su voz se hundía en el olvido mientras los periodistas del mundo hablaban de los rudos jinetes de Teddy Roosevelt, que en cuatro meses se llevaban a casa la gloria de la independencia cubana.

El 98 fue un desastre militar que puso en evidencia la incapacidad de España para defender un territorio tan alejado de la metrópoli. Para ello hubiera necesitado una solidez económica de la que carecía, una marina de guerra poderosa y una política internacional de alianzas capaz de frenar el afán imperialista de Estados Unidos. No ocurrió así, y a España se le atragantó el envite yanqui. Pese a la oleada de pesimismo que levantó en la prensa, el descalabro de las tropas españolas ante Estados Unidos no era sino un desastre más en la sufrida nómina del 98 europeo que tuvo su pórtico en el hundimiento de los ejércitos de Napoleón III en Sedán y la investidura del II Reich en el palacio de Versalles. La pérdida de Cuba y las últimas colonias arrancó en la península Ibérica la misma elegía que recorrió Italia con la derrota de sus tropas en Adua; asaltó Francia después de la humillación de Fashoda; sacudió Portugal como consecuencia de su denigrante subordinación a Londres; abatió el Imperio chino cuando el espejismo de su grandeza quedó desbaratado por el ejército nipón o atravesó las estepas rusas con ocasión del estrepitoso fracaso del zar en la guerra contra los japoneses. En la Europa de Bismarck los conflictos imperialistas conmovían a la opinión pública tanto o más que los problemas domésticos, ya que el mayor o menor prestigio de las naciones era calibrado en función de sus posesiones coloniales.

España tampoco escapó del debate sobre las responsabilidades del 98 ni al desencanto de su población, pero la Corona no se desbarató por la derrota militar ni el llanto de Cuba bloqueó el proceso modernizador iniciado a finales del siglo XIX. El pesimismo noventayochista de los intelectuales resultaba paradójico en un momento en el que la cultura avistaba cimas como no se recordaban desde el siglo XVII, los pensadores trataban de enterrar una forma anacrónica de ver España y la repatriación de los capitales indianos revivía la economía, favoreciendo el desarrollo de instituciones financieras —Banco Hispano-Americano, Banesto, Banco Vizcaya— y el proceso industrial, que cobraba un nuevo ímpetu con la invasión de fábricas de gas y electricidad o la irrupción de empresas hidroeléctricas y de servicios urbanos.

El espejo de la España oficial se hizo añicos ante aquel país descalabrado, pero vivo, y también, años más tarde, saltaría por los aires el tinglado político, montado sobre el fraude electoral y la mayoría ausente. La fragilidad del país, vista a través de sus efímeros gobiernos, clamaba por un examen de conciencia. Ya nadie quiso perderse la llamada a la regeneración de España mientras irrumpían en el ruedo político, prácticamente por vez primera en su historia, el proletariado y la pequeña burguesía, embarcada en la aventura de los nacionalismos. Sin los negocios de ultramar cobraban nuevos bríos las tensiones autonomistas, sobre todo en Cataluña, la región más industrializada y próspera de España. En las Antillas, los industriales y comerciantes de Barcelona tenían grandes intereses y su obligado abandono hizo arreciar la marejada de irritación contra Madrid, a cuya testarudez se responsabilizaba injustamente del desenlace de la guerra. Por el contrario, la negativa de los empresarios barceloneses al libre comercio de Cuba, la gran reivindicación de la burguesía isleña, estuvo entre los agravios que prepararon la catástrofe. Con la sacudida del 98 numerosos propietarios de Cataluña confían al catalanismo su desahogo contra los gobiernos de la monarquía:

el Estado castellano, incompetente y anacrónico se había dejado arrebatar el mercado colonial, en la práctica, monopolio de Barcelona. La conciencia nacional catalana exigía ahora mayor participación en la vida pública, reconocimiento de sus singularidades culturales y la reforma del régimen político que, de repente, se convertía en un estorbo para el desarrrollo de Cataluña.

En 1898, España pierde su discurso nacional en favor de las sensibilidades centrífugas, que deslegitiman el unitarismo precedente mientras se muestran ineficaces las invocaciones a la grandeza de la patria para movilizar las masas. Envuelto en los efluvios y brumas del Romanticismo, el nacionalismo catalán, que maneja una imagen idealizada de la historia del Principado, saltaba a la arena política y atraía a su redil conservador a la pequeña burguesía, con recetas sacadas del renacimiento cultural de Cataluña y del afán regeneracionista de España. Por los mismos años y entre sectores de la ultraderecha católica, prendía el credo antiliberal de Sabino Arana, cuya invención de la nación vasca con su carga de odio a España estaba destinada a romper, un siglo más tarde, la convivencia de los habitantes de Euskadi. Pronto sonrió la fortuna a los catalanistas. Y su habilidad maniobrera sorprendió a los republicanos que les reprocharían sus «puerilidades románticas» y más tarde los tildarían de antiespañoles. De espaldas a la gran burguesía vizcaína, el nacionalismo vasco sólo recibiría un empujón, entrado el siglo XX, cuando el posibilismo empresarial llegó a un ambiguo sincretismo mezcla de campanario de aldea y consejo de administración. Por su lado, la Iglesia y la derecha militante inspiraban su patriotismo en la obra monumental de Menéndez Pelayo y monopolizaban la idea de España, traicionando el espíritu de 1812 a través de la elaboración del nacionalcatolicismo y abriendo un abismo insalvable entre el sentir nacional progresista y el conservador.

Mientras la España negra se enquistaba en los despachos ministeriales y las cacicadas de la vida pública, la cultura española resplandecía en el mundo con un fulgor que no había tenido desde el Siglo de Oro. Tres generaciones de pensadores, hombres de letras y ciencias recogían el testigo de los Pérez Galdós y Clarín: los ensayistas y creadores del 98, los intelectuales europeístas del 14 y los poetas del 27. Aquélla era la primera vez que una generación de pensadores tenía una conciencia clara de su función rectora en la vanguardia de la sociedad. La tuvieron ellos, pero no así el país ni su rey Alfonso XIII, que nunca los frecuentó, confiando su popularidad, no recompensada políticamente, al ejercicio de un sentido madrileño de la ocurrencia graciosa o la frase castiza tan común en su familia.

Lejos de los salones reales, por un tiempo el casticismo se vistió de paraninfo y academia en un grupo de escritores —agrupados en torno a lo que Azorín llamaría generación del 98— que estrellan su pesimismo contra el sistema político de la Restauración, se preguntan por España y buscan su alma vieja, repleta de otoños, en el árido paisaje de Castilla.

Eran jóvenes; con piquetas
de las que minan hacia el alba
iban probando el arnés huero,
la nave rota, el caz sin agua.
Golpeaban como perdidos
hasta el umbral de las entrañas,
donde la herrumbre les cedía
empujaban la voz. Nombraban:
Tormes, Manrique, Melibea,
Guadarrama, Miguel, España,
librando carne tierna y rosa,
árbol en flor y fuente clara.

DIONISIO RIDRUEJO,
Canto a Azorín, en su generación

De Unamuno, Maeztu, Azorín, Baroja, Valle-Inclán o Machado arranca el nuevo aliento de la cultura, manteniendo la presencia de España en el mundo cuando ya había desaparecido casi por completo del concierto internacional. Todos ellos repletos de paradojas, con itinerarios personales muy diferentes, caminantes de un camino pesimista y crítico que desembocó en las absurdas nostalgias imperiales de Maeztu, la Castilla de anticuario de Azorín, la tibieza malhumorada de Baroja, la muerte en el exilio de Machado o el «venceréis pero no convenceréis» de Unamuno, cuya voz herida todavía resuena en aquella Salamanca plateresca y fría de Franco y Millán Astray.

> ¡Oh, tú!, Azorín, escucha: España quiere
> surgir, brotar, toda una España empieza!
> ¿Y ha de helarse en la España que se muere?
> ¿Ha de ahogarse en la España que bosteza?
> Para salvar la nueva epifanía
> hay que acudir, ya es hora,
> con el hacha y el fuego al nuevo día.
>
> ANTONIO MACHADO, *Envío*

El espíritu crítico de la generación del 98 también llegó a la universidad, de la que se quería hacer un verdadero centro de impulso intelectual y no una fábrica de títulos. La formación de una inteligencia nacional que nutriera a las elites y sacara de su postración a las masas originó una auténtica carrera por la instrucción pública, que no había dispuesto de ministerio hasta 1900. En esta línea los intelectuales de 1914 se atribuyeron la misión de educar al pueblo con la mirada puesta en Europa. Ortega y Gasset, Azaña, Madariaga, Américo Castro, Fernando de los Ríos... defendían en sus artículos la idea de que España sólo podía ser si se unían la atención educativa y el ejercicio de la democracia. Un país moderno, libre de las corruptelas de los poderosos, con una legislación social avanzada y una enseñanza libre de la tenaza eclesiástica constituía el ideal de los arbitristas del XX, que sin salir del gueto de la minoría ilustrada se erigieron junto a los ensayistas del 98 en la conciencia crítica de la nación y allanaron el camino de entrada a las vanguardias estéticas, donde se ubicaron las voces universales de Juan Ramón Jiménez, Alberti, García Lorca, Aleixandre, Cernuda, Pedro Salinas, Buñuel, Dalí, Juan Gris o Picasso...

¡Oh España, oh luna muerta sobre la piedra dura!

FEDERICO GARCÍA LORCA

Siglo de mayorías y minorías, España desconocía la sociedad de masas antes del arranque de la centuria, de tal forma que su nacimiento asustó a los pensadores y a los viejos políticos monárquicos. Había motivos para sobresaltarse. Orgullosa de sus realizaciones, la burguesía triunfante no había realizado esfuerzo alguno por impedir que en su camino quedaran jirones de una sociedad desigual y con marginaciones escandalosas. Las multitudes campesinas cercadas por el hambre, los obreros vomitados sobre el anonimato de la urbe... tenían necesidad de aliviar su desarraigo y lo van a hacer con la ideología, que ayudó a esas legiones de desarrapados a echar raíces.

En plena anarquía de la revolución de 1868 la protesta obrera había conocido la fuerza reivindicativa del asociacionismo, al que siempre había mirado con temor la burguesía, pero no fue hasta el cambio de centuria cuando se entregó a apurar su rendimiento. Los proletarios agrícolas e industriales estrenaban su militancia en el XX y, conscientes de su poder, convirtieron sus problemas en asunto de la nación. El progreso tenía su precio, los obreros aumentaban la conflictividad de la España industrial al tiempo que los campesinos incendiaban el campo andaluz y extremeño. No se trataba de los esporádicos estallidos de años anteriores. Ahora los marginados del régimen liberal reivindican mejoras políticas y económicas sobre la base de unos programas concretos de recambio, contra los que nada puede hacer el gobierno, salvo reforzar las medidas represivas.

Rota la abulia ciudadana de la Restauración, el movimiento obrero reivindicaba su condición de protagonista de la España del siglo XX, dividiéndose entre el credo anarquista y el Partido Socialista, fundado por el tipógrafo Pablo Iglesias en 1879. Pese a su filiación marxista y a la agresividad de su sindicato UGT, el PSOE no era una organización revolucionaria más que en su deseo de sustituir la monarquía por la República. Como sus hermanos europeos, los socialistas españoles se mostraban más inclinados a transformar el sistema que a destruirlo. Sin embargo, su largo tiempo de aislamiento político y su animosidad hacia los restantes partidos políticos les dieron fama de radicales, impidiendo durante años cualquier relación con los partidos republicanos. Hasta 1910 el PSOE no obtiene su primer diputado pero a partir de entonces ganó respetabilidad en los ambientes profesionales y universitarios con el fichaje de intelectuales como Besteiro y se transformó en un partido de masas, con gran implantación en Asturias, Vizcaya y Madrid.

Los socialistas hicieron pocos esfuerzos por penetrar en la España rural, dejando el terreno a los sindicatos católicos de Castilla y Navarra y a los anarquistas, que recogieron la rica tradición del individualismo español para ponerla al servicio de la utopía revolucionaria. Cuando ya en otros países era poco menos que un recuerdo, la leyenda anarquista se hizo fuerte en el atraso andaluz y en el triángulo dibujado por Zaragoza, Valencia y Cataluña, acompañando la historia de España con insólita perseverancia hasta la exaltación revolucionaria de la guerra civil de 1936 en la que los nietos de Bakunin creyeron sentirse cerca de alcanzar la sociedad imaginada. El anarquismo español se dividirá entre las bombas y los asesinatos de *la propaganda por los hechos*, que provocaron una cadena de atentados contra los símbolos de la burguesía —Liceo de Barcelona— y el poder político —asesinatos de Cánovas, Canalejas, Dato—, y la doctrina sindicalista, que se incrustó en su estrategia con la fundación de la CNT en 1911.

Comienzan a vibrar de sangre y violencia obrera las calles de Cataluña, Asturias, Vizcaya... y los choques con el ejército y la Guardia Civil arrojan negros balances al no disponer las fuerzas del orden público de más elementos disuasorios que el sable y el fusil. Las jornadas de trabajo que se aproximaban a las once horas, y en algunas ocasiones llegaban a las catorce, echaban a la cara de los obreros borbotones densos de rabia que dormirían con el vino de las tabernas o avivarían con la fuerza reivindicativa de las huelgas. Para ellos, condenados a una dieta estricta de patatas, judías, pan, tocino, garbanzos y aceite, las conquistas de la España liberal estaban guardadas bajo siete llaves por una minoría. En 1919, no obstante, se aprobó la jornada laboral de ocho horas y, con su promulgación, la España del atraso y las pésimas condiciones de vida obreras se adelantaba a la Europa industrial.

Tan a las claras ven los partidos monárquicos la realidad del fantasma que recorría Europa desde 1848, que intentan atemperar las piedras de la ira obrera con el desarrollo de una legislación social diseñada en torno al Instituto de Reformas Sociales: ley de Accidentes de Trabajo, ley de Trabajo de Mujeres y Niños, ley de Descanso Dominical, ley de Huelga... La introducción de los primeros elementos de una seguridad social estatal, tarde en relación con Alemania pero no respecto al resto de países europeos, rebajaría las durísimas condiciones de trabajo de los españoles, pero no acallaría la protesta de los obreros, que continuaban viviendo en condiciones infrahumanas y padecían las secuelas de una pobre dieta alimentaria.

La quimera de África

Dieciocho millones y medio de españoles saludaron la llegada del siglo XX, pero al cabo de veinte años ya habían aumentado en casi tres. Madrid, Barcelona, Valencia, Sevilla, Málaga y Murcia eran las únicas ciudades que superaban los cien mil habitantes. A la lista se unirían, al cabo de un tiempo, Zaragoza, Bilbao y Granada. La pérdida de las colonias cortó la hemorragia de aquellos jóvenes arrancados de sus hogares que se desmoronaban anónimos, perdidos para siempre de bala o enfermedad en las lejanas tierras de Cuba o Filipinas, y aproximó la demografía a los ritmos modernos de crecimiento de la Europa occidental. Poco a poco la mortalidad decreció con la mejora de las condiciones higiénicas, el desarrollo de los primeros servicios de salud o la presencia de médicos en el ámbito rural, aunque todavía las epidemias, las diarreas e infecciones se llevaban un gran número de vidas. La bonanza demográfica coincidió también con el desarrollo industrial y sus secuelas de hacinamiento obrero en instalaciones insalubres, que provocarían la irrupción de la pulmonía, la neumonía, la bronquitis o la tuberculosis en los escenarios de chimeneas y humo del norte y los barracones proletarios del sur minero.

Al despedir el siglo XIX, los españoles tuvieron la impresión de que lo que ocurriera en adelante nada tendría que ver con la centuria dejada atrás. Las ciudades, las esperanzas, la vida cotidiana, los vehículos de transporte... todo cambia. Una de las transformaciones más visibles traídas por el ímpetu del siglo es en el vestir, donde las diferencias sociales siguen resultando agresivas. Los hombres de las clases populares visten con blusa y visera en tanto los burgueses monopolizan el sombrero y el traje, que llegan a cambiar varias veces al día en un ejercicio de dandismo. Alfonso XIII impone un estilo de vida y la moda de los caballeros está pendiente de su bigote o sus cuellos altos, con gran esmero en los zapatos, siempre relucientes para dar la imagen de que en los desplazamientos sólo se usaba el coche de caballos o el automóvil. Mayores fueron las innovaciones en el vestuario de la mujer. La llegada de los bailes modernos arrinconó el corsé, vista su incomodidad para practicarlos, al tiempo que los nuevos deportes o *sports* acortaban la falda liberando las piernas. La novedad trajo consigo la moda de las medias, que pretendían evitar que las pantorrillas quedasen expuestas al sol y las miradas. Paradójicamente la que había sido una prenda varonil terminaría de símbolo erótico de la mujer. Cambia también el ideal de belleza femenina pues las mujeres metidas en carnes conviven, desde los años veinte, con las siluetas estilizadas que antes hubieran hecho sospechar algún trastorno. A los caballeros no se les permite, en ningún caso, la gordura, considerándose el exceso de peso una señal evidente de enfermedad o descortesía.

Cambian también las ciudades, embellecidas con grandes edificios y jardines y decoradas con los inventos de la modernidad. Los tendidos eléctricos, que sustituyen al alumbrado de gas; los tranvías; la edificación en altura daban un nuevo rostro a las urbes a la vez que la abundancia de novedades comunicaba al siglo XX una imagen de velocidad que los españoles identificarían en seguida con el automóvil, símbolo del dinero más que del transporte, ya que sus escasos ejemplares eran caros y se utilizaban solamente para hacer excursiones y carreras.

Desde comienzos de siglo, la España culinaria ya estaba claramente definida. Las salsas dominan los fogones norteños, los asados el centro y la frituras el sur. A pesar del hambre acumulada durante siglos, en España dominaba la idea de que en el campo se comía bien. Sin embargo, el culto a la mesa se podía practicar en muy escasas ocasiones, casi siempre relacionadas con la fiesta o acontecimientos familiares. Luego se volvía a la rutina diaria del alimento escaso y el pan, rey absoluto de la cocina. Mientras tanto, en las ciudades, la burguesía plagiaba de la aristocracia el ceremonial de las mesas, manifestando el deseo de patentar unos «buenos modales» y un lenguaje de clase, con clara voluntad de diferenciarse del común de los vivientes. El mismo afán por marcar distancias con la pequeña y media burguesía llevaría a las clases más acaudaladas a practicar el veraneo, que puso de moda San Sebastián. La ciudad se engalanó entonces con el color de las villas ajardinadas; el palacio de Miramar, donde la reina regente María Cristina disfrutaba de su descanso estival; los paseos franceses; los veraneantes latiendo en la playa, salpicados de sol y de mar... todo un tiempo de glorietas y sombrillas que se desvanecía cuando el otoño hería tibiamente y la vida de la urbe recuperaba su pulso diario.

Bella Easo, bella Easo
primorosa y elegante
ciudad nueva y pueblo viejo
rosa nueva, antiguo esmalte.

MANUEL MACHADO

Poco a poco el norte se pone de moda y los veraneantes buscan playas cantábricas, huyendo del calor meseteño. Santander se suma pronto a la lista de destinos veraniegos de la aristocracia del dinero, sobre todo después de que Alfonso XIII y su esposa, Victoria Eugenia, eligieran la península de la Magdalena como solar de su nuevo palacio.

El teatro ejercerá también una fascinación considerable sobre la burguesía, que lo considerará como un género propio. Del hechizo de las candilejas se benefició también la zarzuela, de la que se desgaja con frecuencia alguna canción a modo de himno patriótico, y el cuplé, que invade los cafés cantantes de las ciudades españolas.

Los años de gloria de la zarzuela y el cuplé coinciden con la llegada del fútbol, que desde 1902 cuenta con un campeonato nacional, la Copa del Rey, y el esplendor del toreo, que divide a los aficionados a la fiesta en dos bandos de adoradores de Joselito y Juan Belmonte. Uno, clásico y refinado; el otro, rompedor, de gran tirón entre los intelectuales. En 1920, el toro *Bailaor* se llevaría a cuestas la muerte de Joselito en la plaza de Talavera de la Reina, arrastrando entre pañuelos de sangre y arsénico un trozo de la magia de la fiesta, la división de opiniones. Llanto y sangre arrancará más tarde la muerte de otro torero, Ignacio Sánchez Mejías.

> A las cinco de la tarde.
> Eran las cinco en punto de la tarde.
> Un niño trajo la blanca sábana
> a las cinco de la tarde.
> Una espuerta de cal ya prevenida
> a las cinco de la tarde.
> Lo demás era muerte y sólo muerte
> a las cinco de la tarde.
>
> FEDERICO GARCÍA LORCA,
> *Llanto por la muerte de Ignacio Sánchez Mejías*

Por las mismas fechas en que los cuernos de *Bailaor* encontraban la sangre abierta de Joselito, el cine prendía con entusiasmo en todas las capas sociales. Desde 1896, año en que se proyecta la primera película, la magia del celuloide atrapó la atención de los españoles, sobre todo de los obreros, que acuden al reclamo del invento y de los buenos precios del espectáculo, que solía completarse con cuplés y baile. Durante años, los españoles encontrarán en las películas, en la magia de aquellas imágenes en blanco y negro sujetas a la tijera del censor y a la mirada enemiga de los curas, un lugar alejado del tiempo, un refugio donde olvidar la miseria o las dificultades de la vida diaria.

Al principio nada fue.
Sólo la tela blanca
y en la tela blanca, nada...
Por todo el aire clamaba,
muda, enorme,
la ansiedad de la mirada.
La diestra de Dios se movió
y puso en marcha la palanca.

PEDRO SALINAS

Alfonso XIII reinaría en una España muy diferente de la que había visto la luz en 1876, cuando su padre visitaba los campos de batalla de la última guerra carlista. Los cambios sociales, la reflexión sobre España promovida por los intelectuales a raíz del 98, las agitaciones obreras, el auge del catalanismo... sacudieron los viejos cimientos de la Restauración. Amanecía el siglo XX para los partidos monárquicos con fuertes tensiones internas, crisis crónicas de jefatura, sonoros problemas sociales, el recuerdo del asesinato de Cánovas del Castillo y la muerte de Silvela y Sagasta. Todavía aturdidos por el Desastre, los gobiernos fallecen sin duelo y nacen sin alegría porque la política se convierte en la trampa de las grandes palabras. La urgencia, sin embargo, de dar autenticidad al sistema llevó a los conservadores de Maura y a los liberales de Canalejas a embarcarse en una imposible revolución desde arriba. Ellos ayudaron a que el sistema de la Restauración sobreviviese algún tiempo más.

Maura, un antiguo liberal que se alinea ahora en las filas

conservadoras, llegó al gobierno con un proyecto de expansión colonial, regeneración y demolición del caciquismo que alarmó a la clase política y a los grupos poderosos del régimen. El líder conservador pretendía sanear la práctica electoral, rebajar el centralismo que impedía el entendimiento con los catalanistas y consolidar el dominio español en el norte de Marruecos en un momento en que las potencias europeas se habían lanzado a una ocupación efectiva del continente africano. De esta manera buscaba fijar el andamiaje de la Restauración y trataba de recuperar el prestigio de España en el concierto mundial, pero su afán de desplegar una política de expansión en el norte de Marruecos acabó estallándole en las manos al chocar con la corriente antimilitarista que alzaba el vuelo en España.

En julio de 1909, la falta de preparación del ejército español de Marruecos provocaba el desastre del Barranco del Lobo, que dejó cientos de soldados pudriéndose bajo las arenas del Rif y obligó a Maura a movilizar a los reservistas. Fue la chispa que hizo explosionar el descontento popular contra la nueva intentona colonial y la retórica patriótica de la derecha, que salvaba a sus hijos de la sangre del desierto pagando las mil quinientas pesetas necesarias para rehuir el servicio militar. Comenzaba la Semana Trágica de Barcelona, cuyo muelle veía partir a los desheredados de la Restauración hacia el sol abrasador y el olvido. Al grito de «¡Tirad vuestros fusiles, que vayan los ricos; o todos o ninguno. Que vayan los frailes!», prendía la mecha de la huelga general, la rabia desesperada de quienes ponían los muertos en la aventura africana, y los reservistas se fundían con las masas populares. La protesta, pacífica en un principio, estalla en guerra cuando el ejército toma las calles de la Ciudad Condal y se habilitan barcos prisiones en el puerto para acoger a los detenidos. Los huelguistas brotan de los callejones, de la noche, de la nada, levantan barricadas en las calles, el torbellino se revuelve contra la Iglesia en una marejada que arrasa conventos, templos y escuelas... hasta deshacerse finalmente contra los cañones que el ejército dispara a bulto para asaltar los barrios obreros.

Una vez sofocado el levantamiento popular, Barcelona y sus comarcas amanecían con jirones de sangre en las calles. La avalancha de detenciones, los procesos sumarios llevados a cabo por los tribunales militares y la pena de muerte que cayó sobre la cabeza del supuesto líder de la insurrección levantaron una oleada de indignación contra el gobierno de Maura, despertando en Europa la imagen de la España negra de la Contrarreforma. Gritos de ¡Maura no!, pérdida de confianza de Alfonso XIII en el jefe conservador, recrudecimiento de la oposición republicana y socialista a la guerra de África..., la Semana Trágica labró el sepulcro político del primer ministro pero no sacó a los partidos dinásticos ni al ejército del avispero marroquí. Había demasiados intereses en juego como para abandonar aquella guerra colonial hecha a la medida de la concepción que tenía Alfonso XIII del mundo y del lugar que debía ocupar su país. La nueva aventura colonial interesaba a la oligarquía financiera de la Restauración, que había encontrado en las minas de hierro de Marruecos y la construcción del ferrocarril la oportunidad de compensar las pérdidas coloniales, y atraía al ejército, que podía vengar el honor perdido en Cuba y rehabilitarse ante la sociedad. Pero la quimera africana, reforzada en 1912 con la consolidación del Protectorado, sólo gustaba a la derecha y al rey, que azuzaron a los ya convencidos generales para extender el dominio español por las áridas tierras del Rif.

Los catorce años de guerra modificarían la fisonomía del militar español, al reducir su horizonte mental al patriotismo bullicioso, la disciplina cuartelaria del ordeno y mando y el escarnio de la democracia. Alejados de la península Ibérica, lanzados a la conquista de ascensos y medallas, los oficiales africanistas se convencerán de la superioridad de la milicia y de su misión histórica en la regeneración de España. Con el paso del tiempo, en los cuarteles de Melilla fermentaría una fuerte ideología nacionalista que exaltaba la España del Imperio y la Castilla ancestral de la Reconquista y veía en el ejército la reencarnación de la patria. La vieja ciudad colonial era entonces un bazar de murallas, sexo y armas, un hervidero de gente andrajosa y mercaderes atraídos por la perspectiva de trapicheo que ofrecía el horizonte de la guerra. La cercanía de la muerte, el asedio de las enfermedades... alimentaban las ganas de vivir de los miles de soldados que aprovechaban la intermitencia de la contienda para perderse en la barahúnda del placer y la juerga con los ojos inflamados de sueño y vino. Más de sesenta y cinco mil soldados fueron enviados a morir o reverdecer las glorias de la patria en tierras marroquíes. Muchos no volverían, pudriéndose para siempre entre las palmeras, sobre los matorrales resecos de África. Para aquellos jóvenes arrancados de los pueblos y la fábrica y llevados a la fuerza al matadero del Rif con el entusiasmo de un puñado de empresarios y la aquiescencia del rey, Marruecos no fue más que un campo de batalla, un burdel, una taberna y una tumba.

Desacreditado el intento regeneracionista de Maura, el rey nombró a Canalejas jefe de gobierno. En plena campaña africana, Canalejas llevó a cabo un nuevo ensayo de renovación del sistema. El líder del partido liberal atemperó el ejército a los tiempos nuevos con el servicio militar obligatorio sin excepciones a los ricos —que inspiraría a Blasco Ibáñez sus reflexiones sobre el obligado patriotismo de los pobres—, intentó reconducir por vías pacíficas las agitaciones sociales y trató de reducir la influencia de la Iglesia en la sociedad española con la Ley del Candado, limitadora de los privilegios eclesiásticos. Ni las críticas de la derecha ni la impaciencia de las pistolas anarquistas habrían de permitírselo. Su labor modernizadora se vería truncada trágicamente cuando un terrorista lo tiroteó en la madrileña Puerta del Sol el año 1912. Era el fin de la revolución desde arriba. Tras el rastro de sangre del político liberal se perdían los años tranquilos de

Alfonso XIII. Mientras los partidos monárquicos se tambaleaban en el teatro de la política, los desencantados de la monarquía se multiplicaban y el sentimiento enraizado en los movimientos republicanos luchaba por romper el estrecho marco caciquil de la Restauración. A medida que avanza el siglo, la voz de Blasco Ibáñez y sus correligionarios abandona el gueto de las minorías y se deja oír con más fuerza, creciendo en importancia política con los triunfos electorales del Partido Radical de Lerroux en Barcelona y la fundación del Partido Republicano Reformista de Melquíades Álvarez, en cuyas filas militarán los intelectuales del 14 y lo mejor del republicanismo histórico.

Cuando los políticos monárquicos, asediados por las agitaciones sociales y la creciente marea republicana, trataban de olvidar las calamidades de Marruecos, el estallido de la primera guerra mundial asustó a los españoles. Alfonso XIII comprendió inmediatamente la imposibilidad de tomar partido en la batalla que sembraba de cadáveres los campos del Viejo Continente y declaró la más estricta neutralidad de España en la contienda. Paz de armas pero no de ideas, ya que el conflicto europeo alteró el país ideológicamente al dividir la opinión pública en aliadófilos y germanófilos. La Iglesia, el ejército, el partido conservador, la gran burguesía agraria veían en el II Reich la encarnación del orden y la paz y tomaron partido por las potencias centrales, en tanto el partido liberal, los republicanos y los socialistas defendieron la causa aliada porque Francia representaba la libertad y los derechos del hombre.

La primera guerra mundial no sólo dividió a los españoles en dos bandos espiritualmente beligerantes sino que también provocó una gran alteración económica con alzas de precios, desorganización del mercado interior y enriquecimientos súbitos. Madrid era entonces una ciudad cosmopolita y secreta, refugio de apátridas de medio continente y capital de espías, agentes furtivos, especuladores, arribistas y empresarios sin escrúpulos. En esa atmósfera de negocios y turbias inversiones, la burbuja de la prosperidad económica promovida por la neutralidad sólo sirvió para redondear las fortunas de la burguesía, que no dejaba a los demás ni las migajas del gran botín del siglo, y disparar la conflictividad social. Bailes, fiestas, excursiones en automóvil..., la euforia de la burguesía contrastaba con la miseria de las familias obreras, que después de arrancar a duras penas al patrono un pequeño aumento de salario, contemplaban cómo el coste de la vida subía un cincuenta por ciento.

El ruido por la carestía de vida alcanzó también los cuarteles, donde las clases medias militares se amotinaron contra los salarios menguantes, la roña del armamento, la sangría de la guerra de Marruecos y el tráfico de influencias en el escalafón, al que no era ajeno el mismo rey. Retumban los cuarteles y el movimiento sindical se nutre de la miseria obrera originada por la recesión económica posterior a las ganancias de la guerra europea. Fue en ese momento cuando socialistas y anarquistas creyeron que había llegado la hora de desatar la gran huelga general con la que venían soñando desde hacía tiempo. Forzar la caída de la monarquía y organizar unas elecciones sinceras eran los objetivos principales de la huelga de 1917, liderada por el PSOE y UGT. Sin embargo, la burguesía republicana, atemorizada, no respondió, los campesinos estuvieron ausentes del estallido de violencia que reventó las calles de Barcelona, Madrid, Vizcaya o Asturias y el ejército decapitó el movimiento revolucionario tras una semana de durísimos choques con los huelguistas.

Aunque no logró derribar a Alfonso XIII del trono, la furia callejera de 1917 evidenció la debilidad del régimen y su dependencia del ejército al tiempo que enterró para siempre el turno de partidos y enconó el problema social. La época dorada de la CNT se abre ahora, cuando el fracaso de la huelga general revolucionaria compromete, sobre todo, al Partido Socialista y a su sindical obrera, cuyos líderes son condenados a cadena perpetua.

Barcelona y su oscuro mundo de parias se erige en cabeza de la España conflictiva con los anarquistas dejando a oscuras la ciudad, obligando al cierre masivo de fábricas y ganando batallas laborales a patronos intransigentes. La revancha de la Federación Patronal de Cataluña sería implacable. Ya no servían las listas negras, las detenciones masivas, los despidos sin indemnización, las deportaciones o el destierro. Los capitalistas de Barcelona sueñan con aniquilar el sindicalismo revolucionario y para conseguirlo financian bandas de pistoleros a sueldo, apoyadas por el gobierno y los catalanistas. Es el tiempo del terror. Los serenos de la Ciudad Condal, farol en mano, dan la última voz. Suenan balazos y caen acribillados patronos, guardias, políticos, sindicalistas, obreros. Eduardo Dato, jefe de gobierno, es asesinado en 1921 por autorizar la ley de fugas y dos años después cae tiroteado Salvador Seguí, el anarcosindicalista más influyente.

> PRESO. Por siete pesetas, al cruzar un lugar solitario, me sacarán la vida los que tienen a su cargo la defensa del pueblo. ¡Y a eso llaman justicia los ricos canallas!
>
> MAX. Los ricos y los pobres, la barbarie es unánime.
>
> PRESO. ¡Todos!
>
> MAX. ¡Todos! ¿Mateo, dónde está la bomba que destripe el terrón maldito de España?
>
> VALLE-INCLÁN, *Luces de Bohemia*

Tiembla Barcelona y llamea también el campo, que se contagia del ambiente violento de las ciudades. Es la respuesta desgarrada a muchas humillaciones, el deseo de resolver por la fuerza los males e injusticias de siglos. Entre 1918 y 1921, las revueltas de los labradores extremeños y andaluces resuenan en España amplificadas por los ecos de la revolución bolchevique y los gritos que exigen el reparto de tierras. Mientras tanto, el crimen social arrojaba terribles balances en las calles de Barcelona y el vals de los ministerios, con un nuevo gobierno cada cinco meses, hacía crecer la confusión y el descrédito de la política. Desprestigiada la España oficial, la de los partidos monárquicos, y enfrentadas a muerte y lucha de clases las Españas vitales, la burguesa y la proletaria, empezó a abrirse camino la idea de remediar los males de la nación enterrando el régimen.

Fue entonces cuando los militares se cubrieron de sangre propia y deshonra con la desgraciada ocurrencia de Annual. Fue un día de julio de 1921. El bravucón amigo de Alfonso XIII, el general Fernández Silvestre, salió al mando del ejército español de Melilla creyendo dirigirse a la victoria y a la gloria, y no volvió nunca; quince mil soldados no volverían nunca. Alhucemas era el sueño del general español y a él se lanzó en una ofensiva disparatada hasta que los rebeldes de Abd el Krim frenaron su avance a medio camino, en la ratonera de Annual, y lo obligaron a batir sus tropas en retirada. El viaje de regreso a Melilla sería una cacería, una caravana de muertos polvorientos y harapos que andaba y respiraba. Los soldados peregrinaban tras los pasos de los oficiales, eran de arena y desierto, carne de alfarería que el sol y las balas de los rifeños cocinaban sin prisa. Muchos caen por disparos y muchos más por extenuación y sed, y en el camino quedan, tendidos sobre la tierra seca o en las fortalezas arrasadas por los moros del Rif.

> Aquellos muertos que íbamos encontrando, después de días bajo el sol de África que vuelve la carne fresca en vivero de gusanos en dos horas; aquellos cuerpos mutilados, momias cuyos vientres explotaron. Sin ojos o sin lengua, sin testículos, violados con estacas de alambrada, las manos atadas con sus propios intestinos, sin cabeza, sin brazos, sin piernas, serrados en dos. ¡Oh, aquellos muertos!
>
> ARTURO BAREA

La guerra de Marruecos, una aventura obstinada que más de media España no quiso, acabó revolviéndose contra los partidos monárquicos, el propio rey, de quien se especulaba que había animado a Silvestre en su delirio africano, y los mandos del ejército. Republicanos, socialistas y liberales exigieron el castigo de los temerarios, pero no encontraron demasiado eco entre los conservadores, partidarios de minimizar las responsabilidades. Otro 98, pero éste sí destructor, se le venía encima a una España aturdida, cuya burguesía desorientada, desoyendo las voces de los intelectuales, sólo espera el cuartelazo de un ejército cada vez más autoritario que no estaba dispuesto a aguantar el banquillo de acusación de los civiles. En 1923, mediante un golpe de Estado, el capitán general de Cataluña, Miguel Primo de Rivera, enterraba el atrofiado sistema de la Restauración con la colaboración del rey y la burguesía catalana y la pasividad del conjunto de la sociedad española.

La primavera de la razón

Volvían los generales al ruedo de la política, pero los sucesos posteriores iban a demostrar al rey que los sables no eran la mejor manera de salvar su trono de la revolución y el asedio de los partidos republicanos. Primo de Rivera pensaba que una labor de saneamiento y represión sería suficiente para desterrar de España la corrupción política, acallar las voces de los intelectuales, cuya labor crítica consideraba nefasta para el país, y frenar la oleada de atentados que ensangrentaban Cataluña. La mano de hierro del Dictador, el silencio o el exilio de los políticos monárquicos y la inactividad del movimiento obrero —extenuado el anarquista por años de persecución y combate en las calles de Barcelona y a la espera el socialista— aseguraron una época de tranquilidad, culminada con la pacificación de Marruecos tras el desembarco de Alhucemas, la primera operación conjunta en la historia de la estrategia militar española que reunió fuerzas de mar, aire y tierra.

En 1925, Primo de Rivera había resuelto las cuestiones de emergencia que habían justificado la entrada en liza de la Dictadura y la economía vivía una época de abundancia bíblica, favorecida por el control social y la férrea disciplina impuesta en las relaciones de trabajo, que convertía a los empresarios en los mejores valedores del régimen. Por fin, los patronos catalanes alcanzaban lo que habían intentado desde 1898: la paz burguesa reinaba en los hogares y en las fábricas.

Los espumosos años veinte, compañeros de la prosperidad de Europa, vieron la construcción de cinco mil kilómetros de carreteras y nueve mil de caminos vecinales, que trajeron aire fresco a los sectores de la siderurgia y el cemento. La electrificación rural y la creación de confederaciones hidrográficas cambiaron el paisaje español, abierto ya al tráfico rodado y al popular coche de línea, mientras las regiones españolas estrechaban vínculos y reducían diferencias. No sólo los caminos construían la nación, como decían los ilustrados, sino que ahora también contribuía a ello la radio, que llegaba hasta donde arribaba la electricidad.

Desaparecieron casi por completo los atentados político-sociales, las huelgas revolucionarias y los conflictos laborales. Sin embargo, la Dictadura fracasó en su pretensión de liquidar para siempre el sistema de partidos, la lucha de clases y los nacionalismos. No se lo permitieron ni los intelectuales ni los universitarios ni tampoco el movimiento obrero que, a medida que pasaba el tiempo, pensaba que la única salida era la República. «Me ahogo, me ahogo en este albañal y me duele España en el cogollo del corazón», gritaba Miguel de Unamuno, uno de los enemigos declarados de la Dictadura, al que ésta alejó a las soledades de Fuerteventura.

> Logré morir con los ojos abiertos
> guardando en ellos tus claras montañas
> —aire de vida me fue el de sus puertos—,
> que hacen al sol tus eternas entrañas
> ¡mi España de ensueño!
>
> MIGUEL DE UNAMUNO

Las torpes e ineficaces medidas represoras de la Dictadura perfilaron el desprestigio de Primo de Rivera, cuyas decisiones comenzaban a ridiculizarse en los salones de la aristocracia y en las tertulias de la burguesía. Pudo la bonanza económica retrasar la muerte del régimen por un tiempo, pero su popularidad acabaría desplomándose entre manifestaciones estudiantiles y el descontento del cuerpo de artillería, que rompió la armonía de la familia militar. Cuando los mandos del ejército dejaron de apoyar al dictador campechano, Alfonso XIII retiró su confianza al general. Otro militar, Dámaso Berenguer, sería el encargado de gestionar el retorno al sistema parlamentario y devolver a la monarquía el prestigio y el respeto perdidos por su apoyo a la Dictadura.

En aquellas horas, sin embargo, pocos españoles estaban dispuestos a perdonar el pecado constitucional del rey, asediado por las críticas de los movimientos proletarios, la burguesía progresista y los intelectuales. De pronto los salones reales se quedaron mudos, huérfanos de las risas y los bailes de la corte. Primo de Rivera, abandonado, había caído y en su descenso hacia el olvido y la muerte de París se llevaba a un Alfonso XIII que no supo o no pudo detener el desprestigio de la monarquía. La firma del Pacto de San Sebastián en agosto de 1930 señalaba el primer acto de defunción de la Corona, desarbolada por los sangrientos sucesos de la rebelión militar de Jaca, la detención de los líderes republicanos, la crítica de la prensa y las huelgas obreras y universitarias. El monarca sentía ahora el peso de la soledad, acrecentado por la muerte de su madre y la actitud de antiguos políticos monárquicos que, como Niceto Alcalá Zamora, confesaban públicamente su fe republicana. En abril, tras ganar las elecciones municipales en las principales capitales de provincia, donde a diferencia del campo, de aplastante dominio monárquico, la libertad de voto era real, los enemigos de la monarquía proclamaban la República y Alfonso XIII se apresuraba a dejar España, hundiéndose para siempre en el exilio.

«Con las primeras hojas de los chopos y las últimas de los almendros, la primavera traía a nuestra República de la mano», escribía Machado, cantando con emoción la promesa del nuevo régimen. Mientras tanto, la Puerta del Sol se desbordaba de entusiasmo, las calles se llenaban de gente que soñaba una España distinta y trepaba por balcones, aceras, camiones y farolas como una enredadera de ilusiones. Madrid tenía entonces un dulce sabor a Nochevieja. La idea de que era urgente cambiar parecía aceptada por una buena parte de españoles que recibía con esperanza un régimen llamado en apariencia a enterrar la España caduca de la Restauración, la de los ministros y caciques electoreros, la de los militarotes salvapatrias y los latifundistas. Pero ¿cuál era la tarea por realizar? La conjunción republicanosocialista, Azaña, Prieto, Fernando de los Ríos, Alcalá Zamora, Largo Caballero..., no iba a tardar en responder. Cambiar el rumbo de la historia y construir una sociedad moderna y en libertad. Gracias a la Constitución de 1931, España se afirmaba como un país democrático, laico y centralizado que ofrecía, no obstante, una respuesta a las viejas tensiones regionales mediante la promulgación de estatutos de autonomía. El cordobés Niceto Alcalá Zamora fue elegido presidente de la República por el Congreso de los Diputados y Manuel Azaña quedó ratificado como jefe de gobierno. Este burgués e intelectual madrileño, empeñado en «rectificar lo tradicional por lo racional», encarna mejor que nadie el espíritu republicano de 1931, audazmente reformista y enraizado en la larga tradición del arbitrismo español.

Convencido de que el atraso de España podría remediarse con un buen sistema educativo, el gobierno se lanzó decididamente a sustituir la enseñanza religiosa por otra de naturaleza más progresista. En los más madrugadores discursos de abril de 1931 ya había quedado reflejada la inquietud pedagógica de los dirigentes republicanos, muchos de ellos formados en las aulas de la Institución Libre de Enseñanza. Diez mil nuevas escuelas vieron la luz durante el primer gobierno de Azaña. Se aumentó el sueldo de los maestros y, con la reforma de los planes de estudio, se pretendió dotarlos de una mejor preparación, acorde con la función transformadora que se atribuía a la escuela en una España con un 44 % de población analfabeta. Ni el tiempo ni el dinero permitirían a los reformistas de 1931 deshacer el monopolio docente de la Iglesia. La mayoría de las disposiciones de la República pertenecían al repertorio legislativo de las naciones cultas pero algunas otras, como la disolución de la Compañía de Jesús o la prohibición a las congregaciones religiosas de impartir enseñanza, eran excesivamente agresivas y entrañaban un grave riesgo de confrontación con la opinión católica.

Las reformas militares emprendidas por Azaña tampoco contentaron a todos; antes al contrario, irritaron a amplios sectores del ejército que vieron en ellas un propósito de minar el poder y el prestigio de los oficiales. No se atrevió el gobierno a disolver la Guardia Civil, que tenía pocas simpatías entre el pueblo, acostumbrado a verla disparar a quemarropa contra manifestantes campesinos y huelguistas, aunque sí procuró quitarle competencias de orden público. Prefirió crear frente a ella la Guardia de Asalto, una fuerza leal, especialmente entrenada como policía urbana.

Los intelectuales y políticos que intentaron el sueño republicano de 1931 creían en un Estado fuerte y veían España como una unidad histórica y cultural en la que coexistían las singularidades biográficas de Cataluña, País Vasco y Galicia. En defensa de la autonomía catalana dentro de la República democrática española pronunció Azaña uno de sus más brillantes discursos, arriesgando la vida de su gobierno y su prestigio personal con la aprobación del Estatuto, impugnado por distintas posiciones políticas, pero sobre todo por la derecha. «Antes una España roja, que una España rota», exclamaría más tarde Calvo Sotelo en el Congreso de los Diputados, dando voz a la calentura emotiva que dominaba el país por el «desgarrón de la patria». En el País Vasco, mientras tanto, el PNV redactaba su propio Estatuto de Autonomía, pero el proceso tropezaría con la negativa de Navarra, que se descolgó del proyecto, la debilidad nacionalista en Álava, el rechazo de la derecha vasca y la frialdad de socialistas y republicanos, para quienes la autonomía era un asunto menor, supeditado a la consolidación de la República. La aprobación del Estatuto de Autonomía vasco se retrasó hasta comienzos de la guerra civil, después de que el PNV venciera los recelos del gobierno y en plena ofensiva de los militares sublevados. Era el botín de guerra que exigían los batallones nacionalistas para batirse en los viejos páramos de España por la República.

Azaña tocaba el cielo de su carrera política en setiembre de 1932. El intelectual madrileño aparecía entonces como el jefe de un gobierno que construía escuelas, sujetaba a los militares tras el estrepitoso fracaso del pronunciamiento militar de Sanjurjo y cosía Cataluña, con su flamante Generalitat, a la República. Pero la esperanza de la primavera del 31 llevaba, sobre todo, el nombre de la reforma agraria, el grave problema de España sobre el que venían reflexionando desde hacía dos siglos políticos e intelectuales. Extensos latifundios en Andalucía y Extremadura, campesinos hambrientos, patronos ausentes y arrendatarios explotados dibujaban el horizonte sombrío del agro español y ofrecían a los gobernantes materia urgente de legislación. Ahí también actuó con diligencia Manuel Azaña, pero su proyecto de reparto de tierras chocó con los obstáculos tendidos por los latifundistas y los partidos de derecha y de centro. La lentitud burocrática, los altos costos de las expropiaciones, los bajos presupuestos y la resistencia de los propietarios afectados por las disposiciones de la Ley de la Reforma Agraria apenas iban a permitir asentar a doce mil familias. La efímera aventura, encallada en las discusiones del Congreso, no pudo dar respuesta a los miles de campesinos que, desengañados de la República, rotos bajo el pródigo sol de España, entre surcos y semillas, se dejaban cautivar por el credo anarquista y caían tiroteados al intentar ocupar por la fuerza las tierras prometidas. La coalición socialista-republicana comenzaría a morir en la oscura y pobre aldea de Casas Viejas, donde guardias civiles y de asalto aplastaron en enero de 1933 un levantamiento de jornaleros anarquistas cercados por el hambre y la desesperación.

Después de los sangrientos sucesos de Casas Viejas, la bella utopía de Azaña, construir y regir una nación en la que la idea de comunidad superase en todos los españoles la lucha de clases, se deshinchaba. Mientras Primo de Rivera había gobernado sin reformar, los intelectuales y políticos republicanos pretendían innovar pero gobernaban dificultosamente, desbordados por la exigencia revolucionaria de buena parte del proletariado y acosados por las ideologías fascistas que llamaban a la puerta de las clases medias. La quema de decenas de conventos e iglesias, que ardían en la pira del anticlericalismo más rancio, y los desórdenes públicos, reprimidos por las fuerzas de seguridad en un tiempo en que las pelotas de goma no se habían inventado, hirieron gravemente la imagen del gobierno de Azaña. Olvidada la euforia primera de la República, a los socialistas, de día en día, les resultó más incómodo apoyar una política liberal, tan alejada de su ideario marxista y, sobre todo, respaldar con su participación en el gobierno el endurecimiento de la legislación represiva que intentaba frenar las revueltas de los campesinos.

La movilización de la derecha y el fracaso en el mantenimiento del orden público dieron la puntilla al gobierno de Azaña, haciéndose necesarias unas elecciones en las que por vez primera votaron las mujeres. El desencanto del reformismo progresista, la miseria recrudecida por la crisis económica, la agitación social y la división de las izquierdas, que concurrían por separado a los comicios de noviembre de 1933 o, como los anarquistas, no acudían, dieron un giro a la República. José María Gil-Robles y su Confederación Española de Derechas Autónomas (CEDA) obtuvieron un resonante triunfo compartido con el centro, representado por Alejandro Lerroux. Alcalá Zamora encargó entonces al líder del Partido Radical, envejecido y desacreditado, formar gobierno, aunque serían Gil-Robles y sus diputados quienes atesorarían el poder efectivo.

Bajo las presiones de la CEDA, el gobierno de Lerroux bloqueó los escasos avances tocados con las manos, como la Ley de la Reforma Agraria, la secularización de la enseñanza o el descentralizador Estatuto de Cataluña. Mientras los patronos aprovechaban la oportunidad para bajar los salarios, la derecha suspendía o derogaba la legislación social proyectada por los gabinetes de Azaña, enconaba las relaciones entre Madrid y Cataluña, devolvía la facultad docente a la Iglesia y concedía la amnistía a los antiguos colaboradores de Primo de Rivera y a los militares implicados en el golpe de Sanjurjo. La ofensiva antirrepublicana de la derecha, con las continuas manifestaciones autoritarias y antiparlamentarias de Gil-Robles y las concentraciones en masa que la CEDA organiza en Covadonga, cuna del mito de la Reconquista, y El Escorial, símbolo de la Contrarreforma, despertaron en la mente de los dirigentes socialistas el temor a que triunfara en España el totalitarismo que entonces cabalgaba por Europa a hombros de Hitler y Mussolini. Fue en ese momento de dictadores y noches lúgubres en el Viejo Continente cuando la dirección del PSOE, convencida de que Gil-Robles quería destruir la República, se manifestó decididamente a tomar el poder por la fuerza rompiendo la legalidad y a practicar una política abiertamente revolucionaria.

El grito largo

El año 1934, Madrid amanecía aterida de miedo, como una ciudad sonámbula, y en los cafés se respiraba la agitación que precede a los estallidos de cólera. En octubre de ese año, la huelga general lanzada por los socialistas recorre la capital, asalta por unas horas Barcelona y Vizcaya, y en Asturias, donde el proletariado está unido y preparado para la lucha armada, estalla en insurrección popular. Los trabajadores asturianos se alzan contra quienes a su juicio querían seguir viviendo con anacrónicas desigualdades, asaltan y arrasan cuarteles de la Guardia Civil, toman la cuenca minera, ocupan las fábricas de armas, se apoderan de Oviedo y fundan comunas obreras y repúblicas libertarias. Se alzaban desde la miseria y desde el ingenuo convencimiento de una sociedad sin clases, soñando con sepultar aquella otra sociedad que ignoraba sus padecimientos. Asturias era su revolución, la mañana abierta, llena de ilusiones y venganzas domésticas, y el ejército acudía rápido a la voz de alarma del gobierno; acudía con sus cañones a la caligrafía de los muertos, que eran viejos como las calles, como la sangre y la triste geometría de los cadáveres. La revuelta asturiana desbordó al gobierno, que declaró el estado de guerra para sofocar aquella expresión desenfrenada de violencia y utopías sociales. Cuando, después de nueve días de duros combates, el ejército entró en Oviedo con sus tribunales metidos en los camiones, la derecha exigió que se persiguiese no sólo a los responsables del terror revolucionario sino también a cualquiera que hubiera contribuido a hacer posible la insurrección.

Octubre de 1934 fue una desgraciada aventura que navegó hacia orillas de sangre, un ensayo de la cercana guerra civil en el que se embarcaron los socialistas Francisco Largo Caballero e Indalecio Prieto y en el que como asesor del ministro de la Guerra intervino Franco, cuya actuación levantó oleadas de entusiasmo entre los conservadores y troqueló definitivamente su personalidad, creyéndose un predestinado por Dios y la historia para salvar a España de la invasión comunista. Las represalias se extendieron por todo el país, una vez que el ejército africano sofocó el movimiento revolucionario más amplio de la historia de España. Treinta mil personas fueron encarceladas, acusadas de participar en el levantamiento, y se estableció la censura previa. Si la brutalidad de los revolucionarios de octubre había soliviantado a la derecha, la represión gubernamental enconó los ánimos de la izquierda, que intentaría justificar los sucesos de 1934 como una defensa del auténtico espíritu republicano. La brecha entre los defensores del viejo orden y los soñadores de revoluciones era tan honda que los moderados de ambos lados se encontraban rebasados, alejándose, cada vez más, la sociedad española del camino del entendimiento.

Después de la caída del gobierno de Lerroux, comprometido en sobornos y escándalos financieros atribuidos a miembros del Partido Radical, y el éxito electoral del Frente Popular en las elecciones de febrero de 1936, Azaña intentó recuperar el pulso de 1931. Era ya tarde. Otra vez arden los edificios eclesiásticos; la Iglesia, acurrucada en las sacristías, muerde su llanto de conventos y no disimula su deseo de que termine el calvario de la República; los cuarteles retumban; José Antonio Primo de Rivera y sus escasos pero decididos pistoleros falangistas, retoños españoles del fascismo europeo, practican de día y de noche terrorismo de señoritos en la Gran Vía y Cuatro Caminos de Madrid o en las redacciones de los periódicos de izquierdas. El intransigente Francisco Largo Caballero se cree el Lenin español y empuja a la UGT hacia el callejón del comunismo. Todo se precipita el verano de 1936. El 12 de julio tiroteaban en la calle a un teniente de la Guardia de Asalto que figuraba en la lista negra de Falange; al día siguiente caía el líder de la derecha José Calvo Sotelo. España entera se estremecía, temerosa o esperanzada, sospechando que la conjura militar podía estallar en cualquier momento.

Y el golpe militar salta a la luz. Fue un error destinar a Mola a Pamplona, desde donde diseñó la rebelión que debía devolver el país a la ley y el orden, y alejar a Franco de la Península, que aprovechó su retiro en las islas Canarias y su prestigio en las guarniciones del Protectorado de Marruecos para conspirar a sus anchas. La guarnición de Melilla encendía la mecha de la sublevación militar el 17 de julio. Comenzaba el horror incivil de la guerra. Mientras Franco saltaba el océano en avión para dirigir el correoso ejército africano, Mola se levantaba en el norte con el apoyo del brazo armado del carlismo. La guerra civil, sangre relatada de muchas guerras enconadas en el corazón de España, combate de apasionados de izquierdas y derechas, lucha de fascistas y comunistas, de monárquicos y republicanos, de católicos y ateos, de separatistas y centralistas, de campesinos hambrientos y terratenientes rapaces, vaivén de crímenes y campos de batalla, vaivén de rabia que era el adiós a la ilusión republicana, que era el naufragio de la razón, cubrió aquel verano de *miradas de muerte*. Tres años de enfrentamiento se llevarían por delante seiscientas mil vidas y dejarían por el camino buena parte de la riqueza material e intelectual de España.

Fue en la edad de nuestro primer amor,
cuando los mensajes son propicios al precoz embelesamiento
y los suaves atardeceres toman un perfume dulcísimo
en forma de muchacha azul o de mayo que desaparece,
cuando
unos hombres duros como el sol del verano
ensangrentaban la tierra blasfemando
de otros hombres tan duros como ellos;
tenían prisa por matar para no ser matados
y vimos asombrados con inocente pupila
el terror de los fusilados amaneceres,
las largas caravanas de camiones desvencijados
en cuyo fondo los acurrucados individuos
eran llevados a la muerte como acosada manada,
era la guerra, el terror, los incendios, era la patria suicida,
eran los siglos podridos reventando.

MIGUEL LABORDETA, 1936

Preparada por el general Mola como un hachazo simultáneo en todas las comandancias, la rebelión fracasó en su objetivo de apoderarse de la totalidad de España. Los militares se dividieron y fueron muchos los que manifestaron su fidelidad a la República. El país mismo se partió en dos. Castilla la Vieja, Galicia, gran parte de Andalucía, Navarra y Aragón, la España rural, dominada por señoritos y sotanas, cayó en manos de los sublevados. Por el contrario, en la zona de la República quedaban Madrid, Vizcaya, Guipúzcoa, Asturias, Cataluña, el Levante y Andalucía oriental. Mientras estuvieran inmovilizadas las tropas españolas de Marruecos, la superioridad correspondería a la República. La ventaja inicial, sin embargo, empezó a desbaratarse cuando Franco y su ejército africano aprovecharon el desbarajuste creado en el bando republicano por anarquistas, socialistas, comunistas y nacionalistas, enfrentados entre sí por cuestiones ideológicas y de estrategia, para cruzar el Estrecho con la ayuda de aviones alemanes e italianos, adueñarse de toda Andalucía occidental, progresar por Extremadura, tomar Badajoz y entrar en Toledo. Largo Caballero, jefe de gobierno, tuvo que elegir entonces entre hacer la revolución o intentar ganar la guerra, lo que en estrategia militar quería decir inclinarse por las milicias o el ejército. Contra lo que de su currículum podía esperarse, optó por la segunda vía y ordenó la organización del ejército popular de la República, cuyo debut en Madrid no pudo ser más esperanzador. Las tropas sublevadas, acostumbradas a la victoria fácil y a los enemigos débiles y divididos, se estrellaban por fin con una defensa organizada y combativa. La resistencia de la capital de España, dirigida por José Miaja, frenaba el avance relámpago de aquel ejército labrado en las arenas del desierto africano, confirmando la idea que tenía Franco de la guerra, una contienda larga que había que ganar palmo a palmo por cada población.

Tras la batalla de Madrid, el grito de *¡no pasarán!*, resucitado por la dirigente comunista Dolores Ibárruri, la Pasionaria, se convirtió en símbolo internacional de la resistencia al fascismo. Fue un poco la guerra de todos. Entre 1936 y 1939, España absorbió la atención de medio mundo a través de la prensa y la radio. Los intelectuales españoles, convertidos en embajadores de la República, buscaron alianzas sin conseguir poco más que unas simples palabras de aliento provenientes de las potencias democráticas de Europa. Gran Bretaña y Francia, cobardes, miraban hacia otro lado. No estaban dispuestas a correr el riesgo de enfadar a Hitler y Mussolini ni a sufrir un parto bélico prematuro. La República sólo logró el apoyo de la Unión Soviética y el aliento literario de los Mann, Faulkner, Gide, Dos Passos, Sartre, Auden, Neruda o Vallejo, aunque sus peticiones de socorro bastaron para que los defensores de causas perdidas de todo el mundo se alistaran en las Brigadas Internacionales. Anarquistas, socialistas, comunistas, progresistas... vinieron a España con el sueño de que el aire fuera más libre y los hombres tuvieran esperanza.

> Venís desde muy lejos... Mas esta lejanía
> ¿qué es para vuestra sangre, que canta sin fronteras?
>
> RAFAEL ALBERTI, *A las Brigadas Internacionales*

Muchos, cerca de siete mil, murieron, derrumbados en las ruinas y la sangría de la batalla. Otros, como el escritor George Orwell, dejaron en los campos de España la ilusión de una Europa que oliera a libertad, al descubrir que tras aquella visión romántica de la resistencia antifascista de la República aparecía el terror de las checas y la sombría mano de Stalin, que utilizaba el mando de las Brigadas Internacionales para fines menos confesables. Orwell, acusado de agente provocador del fascismo, como tantos otros idealistas que luchaban en aquella España de 1936 por un puro acto de fe en el hombre, tuvo que huir para ponerse a salvo del delirio depurador de los dirigentes comunistas. Tiempo después, cuando palidecieron los retratos y la quimera de un ejército del pueblo se desvaneció, el escritor británico comentaría que la historia se había parado en la guerra civil española.

No pudo contar Franco con la inspiración de los poetas pero a cambio obtuvo el apoyo de Alemania, Italia y Portugal, que le facilitaron unidades militares, armamento y dinero mientras la Sociedad de Naciones, que había prohibido la participación internacional en la guerra, desviaba pudorosamente la mirada. Además de estas ayudas, Franco sabía que, para salir triunfante de una guerra que se aventuraba larga, el liderazgo debía estar bien definido, por lo que apretó las filas de los carlistas y falangistas con un decreto de unificación que atajaba las diferencias. La suerte, legendaria desde sus campañas en Marruecos, volvería a sonreírle en 1937, ratificando su aureola de jefe político y militar de la España nacional. Mola se estrellaba con su avioneta en una colina burgalesa mientras preparaba su asalto a Bilbao. Al otro general —Sanjurjo— que también se podía haber enfrentado al jefe del gobierno de Burgos, la muerte le sorprendió la víspera del alzamiento. Lo mismo que a los dos políticos, José Calvo Sotelo y José Antonio Primo de Rivera, ejecutado éste por los republicanos en los primeros meses de la contienda, que hubieran podido desafiarlo. Como remate del proceso de legitimación de la guerra, el episcopado español se dirigió a los católicos del mundo con una pastoral colectiva en la que explicaban el carácter religioso de la contienda. La Iglesia echaba todo el peso de su fuerza legitimadora en apoyo de Franco para acallar las voces de los intelectuales católicos extranjeros, que oían alarmados historias de fusilamientos y ejecuciones sumarias. Numerosas consignas inventadas o recicladas por la retórica del Movimiento Nacional sirvieron para identificar esta conjunción precaria de altares, sables monárquicos, ideales falangistas y mosquetones del carlismo; la más popular, la de *España, una, grande y libre,* fue la música de fondo del nacionalismo franquista.

> En un Burgos salmantino de tedio y plateresco, en una Salamanca burgalesa de plata fría, Francisco Franco Bahamonde, dictador de mesa camilla, merienda chocolate con soconusco y firma sentencias de muerte.
>
> FRANCISCO UMBRAL, *La leyenda del César Visionario*

El terror de la guerra prendió de tal forma en la población civil que muchos españoles consiguieron en esos días ejecutar las venganzas que habían gestado durante demasiados años en la oscuridad de sus mentes. En cada ciudad, en cada pueblo, los partidarios de uno y otro bando aprovecharon el río revuelto de la guerra para saldar viejas cuentas. Todos los que pensaban de otro modo, los políticos de partido o sindicato, los curas o, simplemente, los diferentes por heterodoxos o poetas, fueron obligados a dar *un paseo* del que nunca regresarían.

En la zona de la República, la Iglesia vio aumentar la nómina de sus mártires a manos de incontrolados que también se vengaron en la burguesía, los caciques rurales y los políticos conservadores. La violencia revolucionaria inundó Madrid, donde la legalidad se vino abajo por las cacerías nocturnas de los grupos más situados a la izquierda. Las checas, organizadas por aventureros, militantes de sindicatos o partidos políticos, en unos casos sin el consentimiento de sus jefes y responsables, en otros con su beneplácito, o mirando hacia otro lado, conquistaron las calles de aquella ciudad asediada por el ejército sublevado y destripada por la jauría revolucionaria. Militares, religiosos, falangistas, aristócratas, personalidades de la vida pública como el ideólogo Maeztu o el dramaturgo Muñoz Seca, que permanecían detenidos en las prisiones o eran sacados de sus casas de madrugada, fueron fusilados en los arrabales de Madrid, contra cualquier tapia, sin otro proceso que aquella parodia de justicia popular.

Mientras tanto, el general Franco revestía de legalidad las sacas y los paseos nocturnos con la Ley de Responsabilidades Políticas. La matanza de Badajoz, donde el ejército franquista fusiló a más de dos mil personas, los asesinatos públicos de Salamanca y Valladolid y la voz turbia de crímenes de Queipo de Llano viajando por las ciudades a través de Radio Sevilla, llenó de estupor la zona sublevada. «Mis tropas pacificarán España cueste lo que cueste y todo esto parecerá una pesadilla», había respondido Franco a un periodista norteamericano en julio de 1936. Y ahora, en plena guerra, los señoritos de Falange y los oficiales de su ejército iban a ponerse manos a la obra. Los zumbidos lejanos de camiones cargados de maestros, personas de izquierda, obreros, campesinos, simples simpatizantes de la República o poetas, como García Lorca, y los disparos aislados, que resonaban en Salamanca, en Burgos, en Granada... como en sueños, hacían realidad la pesadilla.

> —¿Por qué me matan? ¿Qué he hecho yo? Nosotros no hemos matado a nadie. Diga usted que yo no he hecho nada. Usted sabe que soy inocente, que somos inocentes los tres.
> —Sí, hijo. Todos sois inocentes; pero ¿qué puedo hacer yo?
>
> RAMÓN J. SENDER, *Réquiem por un campesino español*

La mayoría de los españoles, no obstante, se verían rebasados por el extremismo de aquellos que necesitaban el fusil y la venganza para construir su ideal de patria. Ellos pertenecían a la tercera España, ese imaginario colectivo poblado por gente refugiada en el cascarón de sus hogares a la espera de conocer el ganador, exiliada en Europa o anclada en sus puestos de responsabilidad con la mirada poblándose día a día de cenizas. Aquélla era la España desbordada de Alcalá Zamora, Julián Besteiro, Miguel Maura, Casares Quiroga, Ortega y Gasset, Luis Companys... y cientos, miles de personas que se vieron involucradas en la guerra civil con horror, víctimas de bombardeos y represalias, de secretas ambiciones y ajustes de cuentas, reclutas a la fuerza de la España del crimen y el desvelo, proscritos del odio, soldados de reemplazo... Todos ellos perdedores de algo: de la vida, la infancia, la libertad, la ilusión, la esperanza, la decencia.

En el segundo aniversario del estallido de la guerra, el presidente de la República, un Azaña envejecido y abatido, hundido en una penumbra que no era la vida ni la muerte, que no era la luz ni la sombra, cada vez más cerca de esa tercera España olvidada por la Historia, hablaba en Barcelona y sus palabras eran un epitafio conmovedor para quienes habían perdido su vida en la guerra luchando en uno u otro bando.

> Y cuando la antorcha pase a otras manos, a otros hombres, a otras generaciones, que se acordarán si alguna vez sienten que les hierve la sangre iracunda y otra vez el genio español vuelve a enfurecerse con la intolerancia y con el odio y con el apetito de la destrucción, que piensen en los muertos y que escuchen su lección. La de esos hombres que han caído embravecidos en la batalla, luchando magnánimamente por un ideal grandioso y que ahora, abrigados en la tierra materna, ya no tienen odio, ya no tienen rencor. Y nos envían con los destellos de su luz tranquila y remota, como la de una estrella, el mensaje de la patria eterna que dice a todos sus hijos: paz, piedad y perdón.

Azaña hablaba en Barcelona y mientras hablaba, mientras soñaba, su ilusión se derrumbaba en las calles de Madrid, reino de checas y justicieros, se deshacía en las matanzas nocturnas de Salamanca, Granada... Paz, piedad, perdón, palabras que no le sugerían nada a Franco que, para entonces, había empezado a cavar la tumba de la democracia en Guernica, bombardeada por la legión Cóndor de Hitler, y en Bilbao, donde el cinturón de hierro se había fundido a mediados de 1937 por la llegada del fuego de las tropas nacionales. La luz roja había comenzado a encenderse para una República cada vez más dividida una vez que, perdida la fabril Vizcaya, los batallones nacionalistas se negaron a seguir luchando y el ejército sublevado se apoderó de Santander y las minas asturianas.

En 1937, Franco había destrozado el frente del norte, pero no tenía prisa en ganar la guerra. La preocupación del jefe sublevado de asegurar todas las posiciones conquistadas antes de ordenar un nuevo avance propició una lucha de metraje largo. Por ello, a pesar de su crítica situación militar, los republicanos, conducidos por el general Vicente Rojo, pudieron quemar el último cartucho en la batalla del Ebro (julio de 1938), la más larga, áspera y demoledora de la contienda. La contraofensiva de los nacionales, dura y pausada, proporcionaría a Franco la victoria que él deseaba. Tras cuatro meses de encarnizados combates durante los cuales las dos fuerzas se masacraron entre sí, el ejército republicano quedaba desguazado y su derrota abría una brecha aprovechada por Franco para entrar en Cataluña, defendida por unas tropas maltrechas y bajas de moral. En enero de 1939 caía Barcelona, atrincherada entre la desesperación y el grito. Miles de personas fieles al ideario republicano partían entonces hacia la frontera francesa. Los muertos eran una negra cosecha olvidada sobre la tierra y los heridos, soldados derrotados, políticos, mujeres y niños que huían hacia Francia en un éxodo alucinado, una procesión de vencidos que parecían venir de una batalla más hermosa.

La suerte de la guerra estaba decidida. Sólo los comunistas y Juan Negrín, que actuaba de jefe de gobierno desde que Largo Caballero, desasistido por sus ministros y también por Stalin, le pasara el testigo en mayo de 1937, creían posible prolongar la resistencia, a la espera de que algún acontecimiento internacional resolviera el conflicto. La deflagración de la segunda guerra mundial llegó tarde para ellos. En Elda, el jefe de gobierno recibía la decepción del reconocimiento de Franco por Francia y Gran Bretaña y la dimisión irrevocable del presidente Azaña. Todavía aguardaba la capital de España, pero perdida toda posibilidad de paz negociada, el coronel Segismundo Casado se rebeló contra el jefe de gobierno y, tras duros enfrentamientos en las calles madrileñas con los partidarios de Negrín, ordenaron la rendición de la ciudad. El 28 de marzo de 1939 Franco entraba en Madrid. Todos eran conscientes de que no había llegado la paz, ni la piedad, ni el perdón. Había llegado la victoria. La victoria con su rueda de rencores, cárceles, penas de muerte y juicios sumarios.

> Y tú, ¿qué harás ahora? Ya la tierra no existe
> y habrá que unir de nuevo la arena entre las manos
> para soñar, de nuevo, con su contorno huidizo.
> ¡La carne de tus muertos no conoce su tumba!
> Y tú, la España unida por el polvo, la España
> virginal que ha nacido del tiempo y la promesa;
> y tú, ¿qué harás ahora? Murieron los varones
> cuya sola presencia cantaba en silencio
> llena de luz entera como el cuerpo del día.
> Quieta está para siempre la hermosura del mundo,
> quieta, sin movimiento, que muestre su esperanza,
> quieta, divinamente, mientras la luna deja
> su doliente esplendor sobre la carne joven.

LUIS ROSALES, *La voz de los muertos*

El tiro y el crisantemo

En abril de 1939, Franco se disponía a reinar en la cumbre de un Estado que él mismo había levantado entre los escombros de la guerra. No contaba más que con su exiguo equipaje de oficial colonial y una imprecisa idea de lo que debía ser un régimen autoritario, conservador y católico que afirmase la unidad nacional y los valores tradicionales de la sociedad española. Como libro de cabecera, él, que era muy poco lector, dispuso del ideario de José Antonio Primo de Rivera, que, al encontrarse ausente para siempre, pudo interpretar de la manera que le vino en gana. Convencido de la superioridad de los militares sobre los políticos, el general gallego tuvo España acantonada para poder organizar la vida de sus habitantes al modo cuartelero, en el que las decisiones se transmiten no con argumentos de razón sino de autoridad y jerarquía. La mentalidad castrense y el ardor guerrero fomentaron las peores desviaciones del machismo nacional, que adquiere naturaleza reglamentaria al otorgar las leyes superioridad civil al varón respecto de la mujer. Y a falta de un ideal de movilización laico y democrático, el régimen de Franco se agarró al nacionalcatolicismo, una ideología que consideraba consustancial al ser español la fe católica y que por su simplicidad intelectual le resultaba fácilmente comprensible al pueblo sencillo. Una nueva alianza del altar y el trono asomaba entre las ruinas de la guerra cuando Ciano, ministro de Mussolini, observaba alarmado que el régimen estaba levantando iglesias en vez de reconstruir sus vías ferroviarias.

España entera despertaba en 1939 con una mordaza de acero en la boca. Partidos políticos y sindicatos son prohibidos, las libertades democráticas, suprimidas y los medios de comunicación puestos bajo la férrea censura del Estado. «Franco manda y España obedece», pregonaba una de las más madrugadoras consignas del régimen. No tuvo, pues, el Generalísimo que gobernar: le bastó con la fuerza legitimadora de la Iglesia, que a cambio obtenía todo lo que cualquier institución humana hubiera podido desear, con el apoyo del ejército, con reforzar la policía y la Guardia Civil, con mandar y levantar las cejas para hacerse entender y obedecer. Todos bajarían la cabeza delante de quien sólo se responsabilizaba ante Dios y la Historia que él mismo ordenaba escribir.

> Media España ocupaba España entera
> con la vulgaridad, con el desprecio
> total de que es capaz, frente al vencido,
> un intratable pueblo de cabreros.
> Barcelona y Madrid eran algo humillado.

> Como una casa sucia, donde la gente es vieja,
> la ciudad parecía más oscura
> y los Metros olían a miseria.
>
> JAIME GIL DE BIEDMA, *Años triunfales*

Las primeras disposiciones del Caudillo ya se encaminaban a tal fin. Universidades, institutos y, sobre todo, el cuerpo de maestros sufren implacables procesos de depuración. Los novelistas maduros, la generación del 27 casi al completo, los estudiosos de la lengua, los poetas... se van y su voz se silencia. Buscan refugio en América o en una Europa lúgubre, sacudida por la segunda guerra mundial. Uno de aquellos huidos, el poeta Antonio Machado, moría en Francia unas pocas semanas después de haber cruzado la frontera bajo una lluvia silenciosa. En el bolsillo de su gabán dejó un verso, quizá el primer verso del exilio y el último de su ingenio:

> Estos días azules y este sol de la infancia...

La España del exilio es toda una metáfora sobre el tiempo y los sueños rotos. Los perdedores siempre mueren más veces. Como la mayoría de aquellos republicanos anónimos que recorrieron los caminos invernales del destierro, los dirigentes de la República se enfrentarían a tres muertes. Huyendo de la represión, sufrieron, primero, una extinción lenta, corrosiva e implacable, provocada por la nostalgia de lo que dejaban atrás. Más tarde murieron de verdad y, con los años, la herrumbre del olvido pobló aquellos cementerios de Europa y América que cobijaron sus cuerpos sin vida. Azaña, Indalecio Prieto, Fernando de los Ríos... confiaron, como tantos otros, en un exilio provisional y en que las potencias democráticas facilitarían la caída de Franco en España. Azaña fallecería en Francia poco tiempo después de cruzar la frontera. Los demás vivirían lo suficiente para perder la esperanza en la restauración de la República.

> El destierro terminó ya.
> No es de nadie ese fondo ciego,
> que ignorando el nombre de arriba
> ni emplaza en sitio humano al muerto.
> No hay país por esas honduras,
> tan remotas, del cementerio
> donde sólo nosotros somos
> melancólicos extranjeros.
> Quien fue el ausente yace ahí,
> última tierra en el destierro.
>
> JORGE GUILLÉN,
> *Última tierra en el destierro*

Contra los que se quedaron en España, el régimen de Franco instruyó expedientes de depuración, por los cuales se encarceló a miles de personas a las que no se dejaría en libertad hasta que no presentaran los correspondientes avales que las pusieran al margen de toda sospecha. Cualquiera que no hubiera corrido a alistarse en el ejército *salvador* se vio empujado a demostrar con testigos y certificaciones su conducta neutral o favorable a Franco durante la contienda. Más de cuarenta mil sospechosos de fidelidad al ideario republicano fueron ejecutados. Otros trescientos mil acabaron en la cárcel. Era la resaca terrible de la guerra civil. Tiempo de delaciones, de ajustes de cuentas, de plazas llenas de sombras mal vestidas. La violencia estructural llenaba las calles, silenciaba la boca de algunos, se asomaba a sus casas con la cadencia inevitable del frío, les tocaba la espalda. En las calles la gente caminaba despacio, de la mano del miedo, tendiendo sus rencores al sol. En las prisiones se enjambraban poetas, políticos, republicanos, obreros, campesinos, periodistas, intelectuales... Morían a cientos, enfermos, locos, sufriendo ya un purgatorio previo de humedades, hambre y asco. Miguel Hernández, el joven soldado que recitaba versos en el frente, moría un día de 1942 en una cárcel de Alicante, cerraba los ojos al mundo entre los nombres de presos arañados en el yeso de la pared; en medio de los muertos quedaba silenciosa, no vencida, la muerte enamorada del poeta.

> Turbia es la lucha sin sed de mañana.
> ¡Qué lejanía de opacos latidos!
> Soy una cárcel con una ventana
> ante una gran soledad de rugidos.
> Soy una abierta ventana que escucha,
> por donde va tenebrosa la vida.
> Pero hay un rayo de sol en la lucha
> que siempre deja la sombra vencida.
>
> MIGUEL HERNÁNDEZ, *Eterna sombra*

Al concluir la guerra, España era un país arruinado con centenares de ciudades y pueblos devastados y las carreteras y el tendido ferroviario inservibles en largos tramos. A causa de ello, la economía estaría condicionada por la necesidad de levantar cuanto antes un país destrozado. El franquismo reglamentó su modelo socioeconómico en el Fuero del Trabajo y mediante el desarrollo de un sindicalismo único y obligatorio que para los obreros era muro de contención y para los empresarios, burocracia inservible. Rechazando la lucha de clases, se obligó a los españoles a vivir en una armonía productiva en la que los empresarios eran patronos y los obreros, productores. Esta supuesta hermandad laboral estaba amarrada, por si acaso, con prohibiciones extremas —la huelga era considerada un delito contra la patria— o con el recambio del orden público y laboral, impuesto si era preciso, y muchas veces lo era, con las porras y los fusiles. La economía política del Fuero del Trabajo tuvo como consecuencia una época de beneficios, en la que la burguesía zozobrante del período republicano rellenó avariciosamente sus balances y dividendos. El reparto de rentas, inusual desde los tiempos del capitalismo de hierro, facilitó con sus desigualdades la formación de una clase social satisfecha y afranquistada, no necesariamente fascista pero bien dispuesta a defender de forma vitalicia al inquilino de El Pardo.

Los salarios constreñidos, el paro, los aranceles autárquicos, la especulación liberada, la financiación de los negocios casi gratis coparon el ruedo ibérico de forma caótica. De resultas de todo ello, el hambre y el racionamiento pulularían debajo de aquel tinglado administrativo y judicial sólidamente apoyado en cuarteles y comisarías. Y es que con la represión política, el hambre fue la primera en aparecer en el escenario de la posguerra. Después de tanta sangre, la paz llegaba harapienta, carcomida de cartillas de racionamiento y mercado negro, sin que los comedores de Auxilio Social consiguieran lavar la imagen de pobreza que presidía España. La batalla contra el hambre hizo ingerir peladuras de patatas, cáscaras de naranja y variados residuos alimenticios que no fueron suficientes para evitar ciclos epidémicos graves de tuberculosis, tifus o disenterías. La decisión de repartir la escasez de alimentos de primera necesidad a precios razonables fomentó un mercado negro que muy pronto se hizo familiar a todos los españoles. En las alcantarillas de la burocracia franquista se fraguó una red comercial paralela que negociaba con el vacío de los estómagos e imponía el estraperlo como forma de comprar, vender y subsistir. Medio país comerció ilegalmente, en aquella posguerra en ruinas, a costa del otro medio. Fueron años de telarañas y despensas vacías, una edad floreciente para el enchufe y el arribismo, un tiempo sin calefacciones, descolorido, donde la gente se refugiaba en los cafés y las chabolas invadían el paisaje urbano de los cinturones industriales.

> Entre cuatro paredes
> comenzaba la noche del asedio.
> Ellos, los asesinos,
> alentaban la larga collera de los perros.
> El hambre por las sábanas
> se agazapaba oscura como un cepo.
> Ellos, los asesinos,
> nos pusieron el pan sobre unos ojos bellos.
> Fuimos muriendo todos
> hasta que todo se volvió desierto.
>
> JAVIER EGEA

Los que conocían a Franco le atribuían rasgos de impasibilidad y desconfianza, de prudencia y capacidad de adaptación a las situaciones imprevistas. Y en verdad su carácter le permitió maniobrar con naturalidad en las situaciones más difíciles, consiguiendo poco a poco ablandar la oposición de los países democráticos y ser admitido en la simplificada escena internacional de los años cincuenta. No fueron pocos, sin embargo, los obstáculos que tuvo que sortear. El estallido de la segunda guerra mundial tan sólo cinco meses después de que concluyera el horror de la lucha en España cogió por sorpresa al dictador. Franco dejó claro que consideraba España, en los asuntos internacionales, alineada a las potencias del Eje. Sin embargo, tras la reunión de Hendaya y la negativa de Hitler a entregarle como botín de guerra las posesiones francesas del norte de África, evitó una implicación directa y mantuvo el país al margen de los campos de batalla de Europa. No hubo declaración de guerra, pero la política española y la propaganda oficial siguieron mostrando una tendencia resueltamente favorable a la Alemania del holocausto judío y Franco envió al frente ruso una tropa de 47 000 voluntarios al mando de Agustín Muñoz Grandes, la División Azul. Más de cuatro mil miembros de aquella expedición no regresarían nunca, abatidos por las tropas soviéticas en los páramos invernales de Rusia, cubiertos de nieve o barro bajo un cielo hostil. Otros, prisioneros en las cárceles de la URSS, sólo podrían volver tras la muerte de Stalin, en 1954.

Cuando la derrota en la guerra mundial de sus amigos fascistas recompuso el mapa político de Europa, Franco fue consciente de que, dada la excepción española, se le avecinaban malos tiempos. Francia, Gran Bretaña y Estados Unidos lo consideraron entonces el último de los dictadores fascistas y la ONU ratificó la soledad del régimen español al condenar su falta de libertad y recomendar la ruptura de relaciones con Madrid. Pero el dictador no se arredró en ningún momento y tuvo la habilidad de convertir la ofensiva exterior en mayor cohesión nacional. El culto a la personalidad del jefe de Estado hizo rebosar las calles y cunetas de ciudades que visitaba con el pretexto de conmemoraciones históricas, inauguración de pantanos o apertura de escuelas. Días de gloria doméstica del Caudillo, con su baño de multitudes ante las narices de la opinión internacional que querían que se fuera. «A nosotros —diría—, no nos arrebata nadie la victoria.»

Mientras tanto, los vencidos vagaban sonámbulos por las calles grises, hablaban en voz baja en las tabernas, esperaban una intervención de las democracias occidentales para quitarse de encima al dictador o luchaban en las montañas, prolongando una guerra inútil. La despiadada represión de la posguerra y la rebeldía hacia una muerte subterránea había llevado a algunos españoles fieles al ideario republicano a refugiarse en el monte y escribir con su vida, con un arma en la mano, una historia de coraje, crímenes y resistencia.

En los bosques, los guerrilleros del maquis contaron sus secretos a los árboles y escondieron en la envoltura de la noche sus esperanzas, librando una batalla contra la dictadura que sabían perdida de antemano. Tampoco estaban mejor los exiliados en Francia, comunistas, socialistas, republicanos... que, desde aquellas ciudades grises de la Europa de la posguerra adonde llegaban trenes llenos de refugiados, proyectaban quijotescas reconquistas de España. A finales de 1944, confiada en la ayuda de los gobiernos aliados e ilusionada con los golpes de mano del maquis español, la dirección del PCE organizó la invasión del valle de Arán por un grueso de guerrilleros. En ellos se vertió la esperanza de sublevar una España humillada, hambrienta, desarmada y cansada de guerras. Fracasaron rotundamente, estrellándose contra la indiferencia y la apatía de la población y el rápido despliegue del ejército franquista. La mayoría de los expedicionarios se retiraron, salvando la vida sin mayores sustos, otros quedarían copados y buscarían cobijo en sus regiones de origen o emboscándose en las montañas, uniéndose así a la lucha del maquis.

Pero también a los hombres del monte les llegaría la hora de afrontar la realidad. La mano dura de la Guardia Civil y el desengaño ante una Europa que, con el tiempo, olvidó las promesas de libertad y decidió apostar por Franco pondría fin a la guerra silenciosa del maquis, vaciando los sistemas montañosos de España de disparos y partidas armadas. Entre seis mil y siete mil habían expuesto su vida por la República. Muchos de ellos, más de dos mil quinientos, quedarían para siempre, abatidos por las balas, en cualquier lugar de aquellos riscos, bajo la luna morada. Otros conseguirían alcanzar, tras múltiples penalidades, la frontera y el exilio.

El viento se abre paso por el desfiladero y sopla con fuerza. Agita nuestros capotes como banderas tristes de un ejército vencido. El viento se abre paso arrastrando los recuerdos hacia el profundo pozo helado de la noche.

JULIO LLAMAZARES, *Luna de lobos*

La guerra fría, en los años cincuenta, inclinó definitivamente la batalla por la supervivencia del lado del Caudillo, que con su currículum anticomunista bajo el brazo consiguió resquebrajar el asedio internacional. Gran Bretaña y Francia, las mismas naciones que lo habían puesto contra la espalda y la pared, preferían ahora mirar hacia otro lado y pasar por alto la falta de democracia del régimen franquista con tal de tener un aliado más en el nuevo orden mundial. Sin dejar de reprimir las libertades democráticas, negando los derechos sindicales, uniendo la fe y el rito, encarcelando a políticos y escritores, multando o desterrando a disidentes de todos los colores, Franco tuvo, no obstante, la satisfacción de entrar en el selecto club occidental. Primero, gracias al apoyo de Estados Unidos, con el que firmó un acuerdo en 1953 a cambio de la instalación de bases militares; luego con las bendiciones concordatarias del Vaticano, que le concedían el derecho a vetar obispos en contrapartida al monopolio religioso y el control moral, y finalmente con el premio no merecido del ingreso de España en la ONU. Débiles voces falangistas se opusieron a las bases de Estados Unidos en nombre de la soberanía española, pero quedaron barridas por el huracán de elogios del régimen a quienes hacía poco eran enemigos irreconciliables.

En la apertura al exterior, Estados Unidos fue una celestina que conocía bien su oficio. La superpotencia yanqui competía con la URSS en fichar para su equipo de barras y estrellas el mayor número posible de países. Y en esa lucha contra el imperio soviético nadie mejor que España, especializada en cruzadas anticomunistas, para salvaguardar el credo del capitalismo. Los estadounidenses compraron la fidelidad española a cambio de unos préstamos, auténtico salvavidas de una economía en pañales y de un sector industrial por el que apostaba el régimen. Cuando Franco abrazó emocionado al presidente Eisenhower nadie se acordaba ya de los cánticos a la Alemania nazi, sepultados por la alabanza a los nuevos señores de Occidente, a los que seguía sin sumarse el coro de Falange, heredera de la fobia antiamericana del 98. «Ahora sí que he ganado la guerra», exclamaba el Generalísimo, consciente de la trascendencia del abrazo del amigo yanqui. Y no le faltaba razón. La visita del presidente estadounidense y la mejoría económica —ir a la panadería sin la cartilla de racionamiento había empezado, durante los años cincuenta, a ser habitual y las despensas españolas volvían a tener algo más que telarañas, gracias a la libertad de precios y a la venta sin cortapisas de alimentos— colocaron a Franco en una cómoda situación respecto de la oposición exterior, incluida la monárquica de don Juan de Borbón con quien el dictador restauraba relaciones para atraerlo a su redil.

Llueve en los pantanos

Tras la firma del Concordato, los acuerdos con Estados Unidos y la visita de Eisenhower, el Generalísmo se siente mucho más relajado. Obtenido el refrendo internacional, Franco busca esforzadamente la justificación de su poder mediante la eficacia y la buena gestión del bienestar, aprovechando, aunque tarde, las ondas bienhechoras de Europa. A partir de ahora el desarrollo será la gran mercancía política del régimen y la subida de la renta per cápita el gran objetivo nacional. Los ministros francofalangistas, representantes del rugido de posguerra, van siendo desplazados de sus sillones por hombres formados en economía y derecho administrativo, algunos de los cuales militan en una asociación que desde entonces estaría en boca de todos los españoles: el Opus Dei. Para este instituto secular, fundado por Escrivá de Balaguer en 1928, llegaba su gran ocasión y terminaban los oscuros años, en los que se había peleado con los jesuitas por el cultivo de la juventud más valiosa y mantenido malas relaciones con la jerarquía.

Por vez primera en el franquismo se ensayaba algo parecido a una política económica, que servía a medio plazo para crear una clase consumidora, la mejor alternativa a un descontento de clase. Franco sabía adónde quería llegar, pero durante algún tiempo, casi sin advertirlo, siguió hablando de autarquía. La liberalización, aunque ésta fuera atribuida sólo a la economía, no sonaba bien en los oídos autoritarios del general gallego, que finalmente, después de deshacerse de sus ministros más trasnochados, se dejaba convencer de que el futuro tendría que ser de los economistas y no de los falangistas. La batalla la había ganado Laureano López Rodó, el ministro de Economía, encargado, con la mediación de Carrero Blanco, de amueblar de ideas desarrollistas el cerebro de Franco. Tres planes de desarrollo señalan el camino elegido por España para abandonar su reducto de marginalidad y meterse en el club de los privilegiados como décima potencia industrial del mundo. Los responsables de la aventura utilizaron, por primera vez, la publicidad económica para crear una conciencia de progreso y prosperidad que hiciera olvidar cualquier déficit político del régimen y su radical arbitrariedad. El franquismo trató entonces de ser el régimen del crepúsculo de las ideologías, confiando en que la clase obrera o los nacionalismos vasco y catalán relajarían sus puños, a imitación de los satisfechos ciudadanos europeos, en cuanto el dedo del dólar acariciase sus nóminas.

Quizá no haya elección o quizá haya
fabricantes de fe en todo momento
dispuestos a bajar la voz, el precio,

a rebajar al dogma lo que al dogma conviene,
asegurando así mejor camino
al sórdido creyente para alcanzar lo prometido.
Un río baja humano por las ramblas de julio,
con sudores mezclados,
prensa de otros países,
liberales acentos de la Europa vecina,
cuernos de la abundancia pregonando más dioses,
y el seminal y heroico tantán de los turistas.

JOSÉ ÁNGEL VALENTE, *Ramblas de julio*

Los años sesenta conocieron un progreso material sin precedentes, con la definitiva industrialización del país, el aumento del poder adquisitivo de los trabajadores y la creación de una clase media consumidora. Fueron casi tres lustros de apertura comercial, desarrollo de la industria, entrada de turistas y aprovechamiento de la exportación tradicional de vinos, cítricos y aceite. Los tejados de las casas, poblados de nuevas antenas de televisión, la marea de automóviles, cuyo consumo masivo se refleja en las calles de las ciudades, y la invasión de los hogares españoles por los electrodomésticos se alzaron, a los ojos de la propaganda del régimen, en ejemplo de una consolidada sociedad de consumo.

Franco y sus notarios no dudaban ahora en utilizar las conquistas de la economía como escaparate de la España alegre y pacificada, rendida a los beneficios del desarrollismo y a una subcultura de masas, carente de preocupaciones políticas y sociales, que favorecía la desmovilización de una población materialmente satisfecha. La evasión en la oscuridad amarilla de una butaca de cine, la literatura de quiosco, los concursos y seriales radiofónicos, los partidos de fútbol y las corridas de toros, rito lúdico y sangriento que tras la muerte de Manolete se nutrió de otros muchos animadores —Antonio Ordóñez, Luis Miguel Dominguín...— enlazaron con un público ávido de sueños, forjando un silencio artificial sobre los problemas reales. España era, en los años sesenta, una moderna sociedad de consumo, con una abundante clase media conformista a la que no le preocupaba demasiado la carencia de libertades políticas. Por esas mismas fechas, el régimen descubría el filón del turismo, el fenómeno social y económico de repercusiones más favorables en el conjunto español, que en 1960 traía seis millones de visitantes y sobrepasaba con creces los treinta y dos millones a comienzos de los años setenta. De repente, la España atrasada y puritana, la España oficial de peineta, faralaes y porompompero entraba en contacto con Europa a través de los turistas, quedando deslumbrada por su libertad de costumbres y formas de vida, tan distintas de las de la sacristía franquista.

La otra cara del desarrollo español la dibujaba el atraso de las dos Castillas, la agonía de Extremadura y Andalucía, corneadas por el hambre y el atraso del campo, y el grito de Galicia, una tierra hermosa y cálida, de un verdor hipotecado por el caciquismo y la resignación centenaria. Ni siquiera la pleamar del desarrollismo consiguió llevar la esperanza o el progreso de asfalto a unas tierras que venían siendo cantera tradicional de la emigración. Franco y sus ministros apostaban por la industria y su decisión la pagaba el campo, donde se sepultaban los intentos de reforma de la República. De esta manera, la España agrícola que había ganado la guerra perdía los cuarenta años de franquismo. La historia se empecinaba en descuidar la dolencia crónica de España, la de los montes pelados y calvarios, la de las tierras de agua seca que Blas de Otero lloraba. Después de tantos años y una guerra incivil, los empresarios mantenían su resistencia a invertir en el campo, donde los pueblos mueren, los cultivos se agrietan de soledad y las llanuras aparecen desolladas. Sin esperar más, muchos campesinos hicieron las maletas y corrieron lejos del sur y de Galicia al encuentro del norte rico y la Europa de la promesa. La emigración ofrecía una esperanza a toda aquella gente, hecha de montes, sol, arados y melancolías a la que el franquismo no podía ofrecer empleo ni salarios suficientes. Aquella España peregrina, perdida en las ciudades de Europa, entre el humo y el ruido de las fábricas, contribuiría con los ahorros y remesas que enviaban a sus familias a la financiación y el desarrollo económico del país que los veía marchar impasible.

> ... tierra
> arada duramente,
> todos te deben llorar,
> nosotros
> abrimos los brazos a la vida,
> sabemos
> que otro otoño vendrá, dorado y grávido,
> bello como un tractor entre los trigos.
>
> BLAS DE OTERO, *Otoño*

Desarrollo y alcanfor

Aunque Franco y su régimen seguían manteniendo un alto grado de adhesión y el consenso pasivo de una mayoría de ciudadanos, la resistencia bullía en la clandestinidad, redoblando sus acciones de protesta e implicando cada día a nuevos sectores de la población. La bonanza económica creó una sociedad materialmente satisfecha, pero al mismo tiempo desató entre algunos españoles el anhelo de una verdadera libertad política, social y sindical. A la larga, el bienestar se hizo subversivo y la conflictividad laboral, estudiantil, eclesiástica y regional se endureció. Todas las acciones de protesta obedecían a una razón inapelable: la incapacidad de un régimen anquilosado para responder a las demandas de una sociedad cada día más abierta y renovada, cuyos anhelos de libertad seguían sometidos a una rigurosa abstinencia.

El movimiento obrero rompe las barreras del sindicalismo vertical y no acepta los remiendos que los gobiernos franquistas tratan de poner bajo la forma de una nueva ley sindical. Barcelona, Madrid, País Vasco y, sobre todo, Asturias se ponen a la cabeza de los estallidos huelguísticos, reprimidos con los estados de excepción, las cargas policiales, las cárceles y las comisarías. Entretanto, la incorporación a las aulas de nutridas generaciones de profesores, reclutados por sus méritos intelectuales y no políticos, junto con el aumento galopante de alumnos, hacían perder al franquismo el control de las universidades, cuya sacudida no concluye hasta la muerte del dictador. Mayo del 68, con su promesa de adoquines y arenas de playa, empujó la protesta estudiantil, caja de resonancia de los problemas y aspiraciones de la sociedad española, y provocó continuas intervenciones de la policía, que ocuparía permanentemente algunos campus y universidades. A una España sometida a férreas restricciones políticas y culturales, llegó también el Vaticano II y sus encíclicas defensoras de los derechos humanos. Mientras la brigada político-social vigilaba de cerca los seminarios, los sacerdotes más jóvenes, que no habían asistido a las quemas de conventos ni luchado junto a los cruzados de la guerra, se amotinaban contra la jerarquía exigiéndole su ruptura con el régimen y poniéndose al frente de los deseos de cambio de sus parroquianos.

En este escenario de progreso económico y bienestar, mucho más apreciable en el País Vasco y Cataluña, a causa del proteccionismo del Estado a sus industrias, se recrudecieron los movimientos nacionalistas de las pequeñas burguesías regionales, alentados por la izquierda, que vio en su causa una manera de combatir el centralismo obcecado del franquismo. No obstante será la organización ETA, formada por aquellos retoños del nacionalismo vasco que no viven del recuerdo idealizado de los gudaris ni de la nostalgia inoperante de autonomías y libertades, la que se convierta en el principal problema del régimen al decidirse por el terrorismo y conseguir vincular la conciencia vasca a la repulsa hacia los agentes de la represión. Eran jóvenes que empezaron leyendo a Unamuno, por ser vasco y cristiano rebelde, para recalar como muchos otros católicos españoles en el marxismo. Mientras sus padres conjugaban sus desahogos privados contra Franco con la prosperidad económica y el medro social, ellos se asfixiaban en medio del progreso de la industria y del estancamiento político y ponían en pie una organización terrorista que adolecería siempre de idéntico defecto: dar la espalda a la realidad. A partir de 1970, ETA mantendría el liderazgo de la actividad subversiva contra el régimen junto con Comisiones Obreras, agitadoras del mundo laboral, y el Partido Comunista, cuyo pacto por la libertad perseguía la estrategia conjunta de las fuerzas antifranquistas.

La oposición se deshacía finalmente del «por favor» que había acompañado las primeras huelgas de los años cincuenta, y se pronunciaba en voz alta contra un régimen que no admitía el menor cambio en su estrategia fundamental. Franco y su lugarteniente, Carrero Blanco, respondieron a la escalada de agitaciones endureciendo la represión y desenterrando en los periódicos y televisores del país la antigualla de las conjuras internacionales y conspiraciones comunistas, discurso que en nada difería de la vieja proclama del alba franquista del 18 de julio. El régimen se mantenía en sus trece, inmóvil frente al griterío y las demandas de apertura, sin que las modificaciones introducidas por los tecnócratas del Opus Dei y los ministros más moderados supusieran ninguna alteración de su naturaleza dictatorial. De esta manera veía la oposición la labor del ministro Fraga Iribarne, que en 1962 pregonaba una liberalización cultural e informativa para desfogarse, al poco, con los intelectuales que achacaban torturas a la policía. Tampoco podía considerarse un paso adelante en el camino de las libertades la creación del Tribunal de Orden Público, encargado de castigar las opiniones políticas de obreros, curas, periodistas y estudiantes mediante procesos arbitrarios. Ni la Ley de Prensa de 1966 transformando la censura en autocensura, y cuya normativa no impidió que muchos editores fueran sancionados y algunos medios clausurados. Al concluir la década de los sesenta, Franco había hecho que las Cortes nombraran al príncipe Juan Carlos sucesor en la jefatura del Estado, una vez asegurado su compromiso con la nueva monarquía del Movimiento, y conseguía que la Europa del Mercado Común abriera parcialmente sus puertas a España mediante un acuerdo preferencial. Con unas clases medias amplias y gastadoras, un príncipe heredero y un almirante consejero, el Caudillo llegó a creer, por un tiempo, que todo quedaba atado y bien atado. No se daba cuenta el viejo general de que bajo el caparazón trasnochado de su régimen, España se había hecho mayor a golpe de modernidad y era un país laico con una ética civil manifestada en el respeto de los derechos de la persona y una mayor tolerancia con las relaciones sexuales.

> ¡A la calle!, que ya es hora
> de pasearnos a cuerpo
> y mostrar que, pues vivimos, anunciamos algo nuevo.
> No reniego de mi origen,
> pero digo que seremos
> mucho más de lo sabido, los factores de un comienzo.
> Españoles con futuro
> y españoles que, por serlo,
> aunque encarnan lo pasado no pueden darlo por bueno.
>
> GABRIEL CELAYA, *España en marcha*

El año 1971 se abría con la resaca del Consejo de Guerra de Burgos, cuyo final feliz de clemencia e indulto alegró a los obispos que se habían enfrentado al régimen e irritó profundamente al sector más duro del franquismo, que veían cómo los púlpitos dejaban de ser el factor unificador de la sociedad española. Y es que la Iglesia no estaba dispuesta a hundirse con la dictadura. Había llegado la hora de soltar las amarras y preparar el futuro. El hombre elegido para capitanear la reconversión política de la Iglesia era el cardenal Tarancón, que, gracias a las maniobras del nuncio y a la obsequiosa docilidad de los obispos para con el Vaticano, consiguió llegar a la presidencia de la Conferencia Episcopal.

Como respuesta al giro de la jerarquía eclesiástica, los entusiastas de Franco y su obra la asediaron con reproches y agresividad. Carrero Blanco le echa en cara su ingratitud por los 30 000 millones de pesetas que estimaba habían sido el montante de la subvención del franquismo a la Iglesia, los curas integristas se organizan en Hermandades provinciales, en las que milita también algún obispo, cuyo rancio mensaje se resumía en menos democracia y más disciplina, menos sociología y más piedad, y la ultraderecha se organiza en grupos parapoliciales que, bajo el nombre de Cristo Rey, atacaban a sacerdotes y militantes católicos, acusados de progresistas. Todo en vano. Al franquismo le empezaba a faltar su principal punto de apoyo y la Iglesia veía aumentar su prestigio en las filas de la oposición. Dios y también la salud abandonaban al anciano general, que a ratos infantil, a ratos lúcido, siempre desconfiado, con el rostro apergaminado y la promesa de la tumba impresa en la voz y en los ojos, empezaba a sospechar que las campanas doblaban por él y que su muerte traería consigo la desaparición de su régimen. «Desengáñese, Miranda, el franquismo acabará conmigo. Luego las cosas serán de otra manera», confesó un día a

Torcuato Fernández Miranda, que efectivamente pondría todo lo que estuvo en su mano para que ocurriera así.

En 1973, los achaques obligaban al Caudillo a renunciar a sus funciones de jefe de gobierno en favor de su fiel Carrero Blanco. El mandato de Carrero era como mínimo de cinco años y, consiguientemente, su presencia podía serle impuesta al futuro rey, caso de producirse antes la muerte del general. Era la venganza del dictador, contrariado por las noticias que le llegaban sobre las simpatías liberales de Juan Carlos. Los dos problemas que hubo de abordar Carrero y su gobierno fueron los mismos que desde finales de los años sesenta venían ocupando al régimen: el mantenimiento del orden público y la exigencia de una apertura, que debía manifestarse en la legalización de las asociaciones políticas. Su respuesta consistió en sujetar el asociacionismo y aumentar la represión. El 20 de diciembre de 1973, el control policial ejercido sobre la sociedad española y fundamento del orden público del que se vanagloriaba el régimen fallaba estrepitosamente por culpa de ETA, la organización terrorista que a lo largo del año había hostigado con terquedad a las fuerzas armadas. En esta ocasión apuntó alto, al jefe de gobierno Carrero Blanco, que caía asesinado en pleno corazón de Madrid.

Sin su espadón y anulado por la enfermedad, Franco no es más que un espectro poco decorativo en medio de las contradicciones que carcomen las dependencias de El Pardo. Fue inútil que el nuevo jefe de gobierno, Arias Navarro, sangrase el régimen en sus estertores, endureciese los castigos, amenazase a obispos o emplease sus últimos cartuchos contra el espíritu aperturista que dominaba amplios sectores del país. Los síntomas de descomposición y deserción entre los antiguos procuradores del Movimiento son alarmantes y los españoles reclaman desde variadas riberas la equiparación política con la Europa de la democracia. Por fin la rendija de las libertades se abría en forma de luz imparable en el patio de una sociedad que estaba cansada de esperar. Aprovechando la agonía de Franco y la desorientación política de un gobierno no acostumbrado a gobernar, los sintecho marroquíes, animados por su rey, se dirigen a la conquista del Sahara, el último reducto español por descolonizar. La presión dio como resultado la precipitada entrega del territorio a Marruecos y Mauritania sin que el Generalísimo en su lecho de muerte se enterara del todo de este último acto del sueño imperial de los militares africanistas. Cuando el 20 de noviembre de 1975 los médicos desengancharon la vida artificial a la que estaba sometido Franco, algunos españoles comenzaron a sentirse huérfanos, mientras que otros miraban las horas y los días con expectación. El general moría en la cama, atesorando las arcas del poder, con el anhelo de inmortalidad de todos los tiranos del mundo excavado en las montañas del Guadarrama. Y la sociedad española, encogida todavía por el frío de cuarenta años de dictadura, empezaba a enterrar el tiempo de los calmantes religiosos, la represión y los malos sueños.

> La libertad, Sancho, es uno de los más preciosos dones que a los hombres dieron los cielos; con ella no pueden igualarse los tesoros que encierra la tierra y el mar encubre; por la libertad así como por la honra, se puede aventurar la vida y, por el contrario, el cautiverio es el mayor mal que puede venir a los hombres.
>
> MIGUEL DE CERVANTES, *Don Quijote de la Mancha*

CAPÍTULO VIII

La historia en positivo

La madre de todas las provincias

Franco terminó de morir cuando el rostro quebrado de Arias Navarro invadió los televisores para comunicar la noticia. El vencedor de la guerra civil, el general que acuarteló a los españoles, el dictador implacable fallecía, como todos, sin salirse del guión humano. Quienes contemplaban la mirada acuosa del jefe de gobierno nunca olvidarían aquel momento en que la muerte liquidaba una ambición personal que había mantenido a los españoles en silencio durante cuarenta largos años. Por la televisión venía la Historia a recordar una cita rota en 1936, perdida entre fusiles. Una canción de abrazos sonaba en los tejados, buscaba las alamedas, las plazas, se desbordaba en las avenidas con sus árboles de plumaje mojado. Fue un momento de entusiasmo, un parto vibrante de ilusiones.

La movilización ciudadana, dispuesta a tomar la iniciativa y darle la vuelta a la legalidad vigente, se apoderó de las ciudades con sus manifestaciones y huelgas, reprimidas duramente por unas fuerzas de orden público educadas en la caza de la libertad. Las calles eran una conquista, porque tras las caravanas de gente volvían otra vez a escucharse palabras como libertad, democracia, autonomía... Una y otra vez, al no estar regulados los derechos de reunión y manifestación, los enfrentamientos de la policía con los manifestantes pondrían en aprietos la normalización democrática, urgiendo al gobierno a extirpar las malas costumbres adquiridas por los cuerpos de seguridad del Estado. Ya nada, sin embargo, podía retener aquella marea que crecía de ola en ola, de grito en grito, de manifestación en manifestación. Era entonces la calle otra esperanza, otra clase de luz, el pulso acelerado del poeta.

> Hay que creer, resurgir.
> La España de que sufrimos fue una historia mal contada,
> no su verdad hasta el fin.
> Hoy me siento tan cargado de secretos no explotados,
> que domino el porvenir.
>
> GABRIEL CELAYA, *Todo está por inventar*

Después de una guerra civil y una dictadura, la sociedad española pedía por fin la paz y la palabra. Mientras líderes sindicales, representantes de partidos clandestinos, opositores del régimen, todos aquellos presos políticos que no estaban mezclados con delitos de sangre, salían a la calle tras su paso obligatorio por la cárcel, los primeros exiliados regresaban de América. La España peregrina volvía por fin de su destierro, deshecha de tiempo y recuerdos —Sánchez Albornoz, Tarradellas...—, traída por la nostalgia y la ilusión de que muerto Franco, su obra duraría poco más. Una idea que parecía aceptada también por una gran parte de españoles que soñaban con llevar a cabo lo que durante tanto tiempo la historia había escamoteado, la reforma de España desde el ideario liberal y el sentimiento democrático, sin poner en peligro las conquistas sociales y económicas de los últimos años.

Aquella esperanza se había dejado entrever ya en el primer discurso de Juan Carlos I. Enterrado el dictador, el monarca no estaba dispuesto a interpretar el papel de continuador y, en poco tiempo, supo reconvertir su deuda franquista en crédito democrático, gracias a la conquista de las libertades individuales y colectivas que abanderó desde el mismo momento de la asunción del mando. Si durante los primeros soles del cambio, don Juan Carlos mantuvo al menos sobre el papel las desmedidas competencias heredadas de Franco, lo hizo porque la democracia naciente necesitó de su autoridad para desguazar los impedimentos que le obstruían el camino. Luego, por vez primera en la historia de España, un rey promovió la limitación constitucional de sus poderes y no pretendió gobernar. Reinó, nada más.

Cuando Juan Carlos I y Torcuato Fernández Miranda, presidente del Consejo del Reino y uno de los hombres de máxima confianza del monarca, pensaron que el ejército ya no iba a intervenir, se encargó la transición a un candidato desconocido. Adolfo Suárez, que obligadamente había rellenado su currículum en la burocracia del franquismo, fue el encargado de derribar el andamiaje de la dictadura, pero su trabajo habría resultado baldío sin la renuncia del comunista Santiago Carrillo a sus viejas tentaciones rupturistas.

La transición fue un tiempo de amnesias y claroscuros, de tonalidades grises y opacas, de sobresaltos nocturnos y tormentas de metralla y sangre. Suárez tomó la batuta con la premisa de no hurgar en las heridas del pasado. Y es que, amortajado el anciano general en el panteón del Valle de los Caídos, no fueron pocos los que pensaron que había que hacerse los desmemoriados y no hurgar en las úlceras dejadas por el franquismo. De ahí que los hombres que volvieron del revés el régimen para traer una democracia duradera pensaron que era preferible dejar de lado los años oscuros que habían vivido los viejos supervivientes de todas las derrotas del 39 y enterraron, entre negociación y negocios, su historia perdida. Muerto Franco, borrón y cuenta nueva y ¡viva el Rey! Otros españoles, en cambio, que durante los años de silencio habían jugado a enriquecerse, nerviosos ahora y asediados por los aires de cambio que se respiraban, abandonaron el búnker del régimen y se apuntaron a la feria democrática. Los pícaros, granujas y colaboracionistas encontraron pronto acomodo y, beneficiándose del clima de olvido que presidió los años setenta, pudieron liquidar de su currículum sus pasadas fidelidades y asistir a tiempo al reparto testamentario del franquismo. Mientras tanto, los oportunistas de siempre hacían desaparecer de sus casas y de su público los símbolos, liturgias y toda la iconografía de España, torpemente identificada con el nacionalcatolicismo del régimen.

En aquella hora la palabra España, tantas veces destartalada en la boca del Caudillo, era como una vieja melodía que los españoles recordaban con tristeza y los intelectuales de izquierda sólo pronunciaban entre dientes, con gestos y miradas de arrepentimiento. Cuarenta años de rodillo centralizador acabaron asociando en la mentalidad colectiva regionalismo y libertad por un lado y unidad nacional y represión por otro, de tal forma que en aquellos tiempos de tránsito, la nación española quedó aparcada en beneficio de la provincia o la región. La intelectualidad progresista y la izquierda acomplejada contribuyeron más que nadie a esta disolución de España, reducida a una mera construcción jurídico-política, sin sociedad ni cultura. Hasta tal punto las cegó Franco que todavía hoy muestran un infantil y patológico rechazo a hacer una simple profesión de fe nacional en esa realidad histórica abrumadora que es España. El discurso de la izquierda derivó en una tácita aceptación de la palabrería del españolismo del 18 de julio mientras se tragaba, se traga, el sapo de los otros nacionalismos sin considerar sus rasgos excluyentes ni su imaginario sentimental. Marx, que había escrito que los trabajadores no tienen patria, se extrañaría de ver cómo en España la izquierda contribuía a crear varias.

> Regreso al territorio
> que no pude vivir,
> remonto la tiniebla de los días
> que ya me señalaron para siempre
> con el contrario signo
> de la paz, pongo
> lo que me queda de alegría
> en la ultrajada casa de mi hermano.
> Podría hablar
> y no terminaría nunca. No
> terminaría nunca.
>
> J. M. CABALLERO BONALD,
> *No terminaría nunca*

El paso más decisivo en el camino hacia la democracia se dio cuando Torcuato Fernández Miranda ideó la ley para la Reforma Política y Adolfo Suárez presentó al país aquel texto breve, claro y preciso que anunciaba elecciones democráticas y dinamitaba toda la estructura del franquismo sin vulnerar una sola coma de su legislación. «Este proyecto de ley está en conflicto con la filosofía política del Estado que surgió de la cruzada», exclamaría en el pleno de las Cortes el líder ultraderechista Blas Piñar. Nada más cierto. Su diagnóstico era perfecto pero no encontraría suficiente entusiasmo en unas Cortes metidas en la realidad del cambio. La palabra en acto de Adolfo Suárez, su programa de venta y encanto del proyecto reformista, consiguió que los procuradores del régimen cerrasen los ojos mientras sentían la espada de sus propias leyes internándose por las venas. De este modo, en 1976, las viejas Cortes autorizaban la transición a la democracia y el franquismo como movimiento político, no como nostalgia, se diluía en el torbellino de la transición.

Entre el continuismo, la ruptura o la reforma, los ciudadanos, mediante referéndum, optaron por ésta pero la bendición popular al proyecto político del gobierno no consiguió apaciguar las calles y la tempestad que se abatió sobre España hizo temer una nueva catástrofe de violencia. Los grupos paramilitares de extrema derecha levantaron una oleada de atentados contra periódicos, revistas, librerías y estudiantes, asesinando a sangre fría a cinco abogados laboralistas en la madrileña calle de Atocha; ETA forzó su dialéctica de terror y sangre en las calles y plazas del País Vasco y el GRAPO, un grupúsculo de extrema izquierda, continuó tiroteando a miembros de las fuerzas de seguridad y secuestró al presidente del Consejo de Estado y a un alto miembro del ejército, amenazando con poner sus cadáveres sobre las urnas.

La reforma pareció súbitamente amenazada y todas las miradas se volvieron hacia los generales, que acosaban con sus armas negras al gobierno de Suárez para que no legalizara el Partido Comunista y estancara el proceso democrático. Los cuarteles, controlados por oficiales nada entusiastas de la democracia, eran entonces un enigma poblado de murmullos y sables ruidosos. Había que desactivar el principal motor de la dictadura y había que hacerlo mientras el terrorismo se obstinaba en provocar el caos político para forzar una salida golpista. La Corona jugó fuerte la baza de la jefatura suprema de las fuerzas armadas y las gestiones del gobierno consiguieron enfriar la ira contenida de los altos mandos del ejército, desterrando la posibilidad de una recaída autoritaria. España había estado al borde del golpe de Estado, pero la estrategia terrorista, que no rebajaría su dogma de sangre, fracasó y el 15 de junio de 1977 se celebraron las primeras elecciones democráticas desde 1936.

Después de más de cuarenta años de ayuno electoral obligado, los ciudadanos eligieron a sus representantes parlamentarios con la ilusión de quien piensa que su voto puede, efectivamente, cambiar el país. Las elecciones eran un paseo de multitudes, un vértigo secreto entre gestos que hoy son fotografías o rebecas de humo; eran las calles sin canciones tristes, la emoción presentida en los sueños de tantos años y días sin espera. Un tornado de democracia se respiraba en España y las ciudades amanecían con el color estival de cuando se sacan las colchas y las banderas a los balcones. La coalición UCD, formada por minúsculos partidos de centro en torno al reclamo de Adolfo Suárez, obtuvo la victoria sin mayoría absoluta, seguida del PSOE, capitaneado por Felipe González. De la sopa de letras de las agrupaciones políticas nacidas con la euforia del cambio surgía un bipartidismo imperfecto, antecedente del actual sistema de partidos: dos grandes formaciones de centro derecha y centro izquierda, flanqueadas por la derecha conservadora de Manuel Fraga y la izquierda eurocomunista de Santiago Carrillo. Las urnas sacaban a la luz otra realidad política que había dejado sentir su latido en el País Vasco y Cataluña durante los últimos años del franquismo: la existencia de una conciencia nacionalista, reflejada ahora en la considerable representación obtenida por el democristiano PNV y CiU.

Una nueva amenaza se sumó entonces al delirio terrorista, haciendo tambalear el invento democrático. Y es que por aquellas fechas la transición política se vio atropellada por la crisis económica mundial, que cabalgaba sobre el aumento del precio del barril de petróleo. De pronto, la vida de los españoles se encontró invadida por los malos espíritus del paro, con una inflación tercermundista y un déficit público que no hacía más que engordar en plena época de vacas flacas. Muchos empezaron a musitar en voz baja que con Franco se vivía mejor y la transición pudo haber sido ahogada por los antagonismos sociales, consecuencia de los despidos masivos, el cierre de fábricas o la congelación de salarios. No ocurrió así. Y aquí también actuó con diligencia el presidente del gobierno. Para detener la escalada de la conflictividad, Adolfo Suárez recurrió a la política de acuerdos sociales realizados a tres bandas —gobierno, empresarios y partidos-sindicatos—, cuya puesta de largo en los Pactos de la Moncloa de octubre de 1977 fue uno de los mayores aciertos de la transición. Por medio de ellos, los socialistas y comunistas convalidarían, en contra de sus convicciones ideológicas, el modelo económico y social establecido en seguida en la Constitución.

Fruto de la modernización política y económica del país, la Constitución de 1978 recupera los principios democráticos y liberales y consigue el difícil acuerdo entre los representantes de las caducas dos Españas, dejando en el camino los sueños de muchos. Por primera vez en la historia era el acuerdo, y no la imposición unilateral de un partido ni la expresión de una sola ideología, quien escribía la letra redonda de una Constitución. España se equiparaba por fin a las democracias europeas, dotándose de un profuso margen de libertades y definiéndose como un «Estado social y democrático de Derecho», cuya forma política era la monarquía parlamentaria. En el imaginario de la mayoría de los españoles, la República seguía siendo el régimen que había desembocado en la guerra civil. La izquierda, sin embargo, alimentaba una fervorosa tradición republicana, que no le impidió ahora aceptar con sentido práctico la monarquía, al considerarla un buen instrumento para la reconciliación y ver en Juan Carlos I un rey que deseaba serlo de todos los españoles y no sólo de una porción de ellos, como pretendía quien le había nombrado su heredero.

La Constitución de 1978 trató además de dar solución a las reivindicaciones históricas de autonomía de los nacionalismos vasco y catalán y reorganizar la estructura territorial del Estado. La España *una* había naufragado durante el largo invierno franquista, al ser manipulado su centralismo para desplegar una absurda quimera de nación arcaica y totalitaria. Llegaba el tiempo de la España varia, la que, aprendida la lección de errores anteriores, apostaba por una descentralización de mayor calado que la de muchas naciones de arquitectura federal, aun cuando nunca habrían de faltar los que reclamaran esta forma de Estado a la que atribuyen propiedades curativas. No obstante resulta difícil encontrar un solo español que consiga explicar las novedades prácticas que el federalismo introduciría respecto del Estado de las Autonomías.

Superada la borrachera de españolidad del franquismo, la Constitución de 1978 reconocía la heterogeneidad de la nación española y diseñaba el marco de las diecisiete autonomías, que para bien o para mal luego recuperaría las fronteras sentimentales o regionales heredadas de la Historia. Como la emoción autonomista casi se reducía a Cataluña y el País Vasco, los políticos de uno u otro partido se obstinaron en forjar conciencias y sentimientos regionales por toda España, que sirvieran de fundamento a la generalización del modelo autonómico. Copiando siempre a los nacionalistas catalanes y vascos, se bombardeó a los ciudadanos de cada autonomía con nuevas identidades y raíces, tratando de socializarlos en un localismo vulgar que revestía de esplendor los minúsculos sucesos ocurridos junto a la plaza, el campo de fútbol o la cocina del pueblo.

Desde el comienzo de los ochenta empezó a verse con claridad que el proceso autonómico carecía de planificación y coherencia y que lejos de atornillar definitivamente la reorganización del poder territorial del Estado dejaba sin definir los límites de descentralización que puede soportar la idea de España. La evolución posterior, marcada por el apetito de competencias de las comunidades autónomas, debilitaría el propio esqueleto constitucional del Estado haciendo crecer la burocracia y enredando al ciudadano en el laberinto de la administración. Buena parte de la culpa se encuentra en la indefinición nacional de los grandes partidos que, incapaces de ponerse de acuerdo ni tan siquiera en el modelo político de España, no han sabido acotar el movimiento autonomista, pero, sobre todo, en el asedio continuo de los nacionalismos vasco y catalán, empeñados con su afán soberanista en convertir el Estado de las Autonomías en un cascarón vacío. La Comunidad Autónoma Vasca tiene el mayor índice de funcionarios de todas las administraciones regionales, seguida muy de cerca por Cataluña. Ello obedece no sólo al número de transferencias recibidas sino a su impaciencia por «nacionalizar» sus sociedades y dotarlas de aparatos administrativos propios que introduzcan las necesarias reformas con las que impulsar la identidad considerada verdadera.

«¿Qué esclavitud es esta que me prohíbe decir lo que siento?», se quejaba Elio Antonio Nebrija adelantándose a muchos españoles, que por miedo a ser acusados de ideales franquistas no se atrevían a manifestar públicamente sus pensamientos contra el secuestro de la idea de España por la política oficial y el discurso de las autonomías. La siembra del grano de la diferencia, el fomento inmoderado del apetito local y la invención de identidades comarcales contribuyeron a crear una conciencia nacional desconcertada a la que le impide salir de su agujero negro la hipertrofia particularista servida en las escuelas autonómicas.

> No he de callar, por más que con el dedo,
> ya tocando la boca, o ya la frente,
> silencio avises o amenaces miedo.
> ¿No ha de haber un espírtiu valiente?
> ¿Siempre se ha de sentir lo que se dice?
> ¿Nunca se ha de decir lo que se siente?
>
> FRANCISCO DE QUEVEDO

Pese a ser la primera que reconocía las reivindicaciones históricas vascas, la Constitución de 1978 no consiguió más que la respuesta abstencionista del PNV. Para los nacionalistas, la imaginería sentimental tenía más importancia que la realidad. Por ello, prefirieron discutir de soberanía y, como sus antepasados carlistas, siguieron jugando a no ser constitucionalmente españoles y a convencerse de que los Fueros eran su única Constitución. Luego vendrían sus jerigonzas para explicar, una vez aprobado el texto, su interés y diligencia en sacar adelante el soñado Estatuto de Autonomía, hijo primogénito de la ley constitucional. Mientras tanto, ETA hacía el trabajo sucio y arrojaba su cotidiana remesa de cadáveres en las calles de un País Vasco mudo, herido de ciegos y de muerte, donde los familiares de las víctimas lloraban en soledad, como mordiéndose el dolor hacia dentro porque nadie les prestaba un abrazo. Hay algo en el País Vasco que asusta más allá de la brutalidad con que los pistoleros roban el aliento de muchos demócratas. La memoria de las víctimas, sus rostros y lugares amados están llenos de silencios, de bofetadas «equidistantes» de lágrimas de cocodrilo. Tras la misa y la manifestación de condena, a ser posible silenciosa, las plazas y calles se llenan de sombras. La gente camina unas horas, despacito, de la mano del miedo, tendiendo su repulsa al sol pero las primeras luces del día lavan muy pronto la indignación. Al amanecer no pasa nada. Hay bares abiertos, niños jugando, hombres y mujeres anestesiados por la nómina del bienestar y el espíritu dionisíaco de la región. «Que ayer volvieron a matar» y hoy todo el mundo camina de prisa con temor a no llegar.

Durante los años de la transición, la sociedad no nacionalista hizo un esfuerzo de conciliación extraordinario y aceptó con generosidad la bandera del PNV, sus rituales públicos y su escapulario simbólico. Habló a media voz y siempre a media voz, desahogando en privado sus diferencias con el nacionalismo por temor a habitar una lista de futuros muertos, compró la convivencia a duro precio. Fueron muchos los que vivieron aquellos tiempos, y viven hoy, con un miedo hobbesiano, cobijados en la liturgia del silencio, como enterrados vivos, enterrados hasta el cuello, esperando día tras día las últimas paletadas de los sepultureros etarras.

> ¿Te preguntas, viajero, por qué hemos muerto jóvenes,
> por qué hemos matado tan estúpidamente?
> Nuestros padres mintieron: eso es todo.
>
> JON JUARISTI, *Spoon river, Euskadi*

En Cataluña, sin embargo, no hubo problema. La vieja cabeza conflictiva de España emergía por fin, tras un siglo de barricadas y estallidos sociales, como una región estable y equilibrada, dominada por los valores de la moderación y la tolerancia. Recuperada la libertad, los revólveres y las viejas quimeras revolucionarias permanecían mudos en las calles de Barcelona. Y es que la democracia conquistada a partir de 1975 no hubiera resistido una Cataluña con el cáncer terrorista del País Vasco y su desafío permanente al Estado. La mesura y el instinto posibilista guiaron durante la transición los pasos del nacionalismo catalán, cuya colaboración a la estabilidad de España quedó reflejada desde la primera hora en la tarea del diseño del nuevo Estado definido por la Constitución.

España infrecuente

Bastaron unos pocos años para que el franquismo, como cultura autoritaria, amarilleara en su soledad definitiva. A medida que el nacionalismo español dejaba de ser el eje del sistema político y desaparecía, los nacionalismos vasco y catalán intentaban construir, cada uno a su estilo, sus naciones, levantando la frontera de un *ellos* y un *nosotros* con una idea tan beligerante de lo autóctono que en cuanto pueden practican la misma discriminación que dicen sufrir. Dan por hecho que su proyecto político, incluida la lengua, es un derecho irrenunciable y los de los demás una imposición abusiva. De espaldas a la realidad histórica, muchos nacionalistas consideran el español un idioma impuesto, olvidándose de que las elites catalanas de la Corona de Aragón lo utilizaban aun antes del matrimonio de los Reyes Católicos, que se habló antes en Vitoria que en Madrid y que desde el siglo XVIII es la lengua del Estado y la educación. Su mensaje aparece diáfano; hay una lengua inocente y otra culpable, una que fue oprimida y otra opresora, rivalidad radical que deja exigua esperanza al bilingüismo impulsado por la ley.

La riqueza lingüística de España aún proyecta sombras sobre la convivencia política, a pesar del reconocimiento por la Constitución de los idiomas peninsulares que el propio rey acostumbra a utilizar de forma testimonial. El asunto es grave por el contenido patriótico que los nacionalismos dan a sus idiomas propios, por la fuerte carga emocional que gira en torno a su fomento o por la ausencia de espacios reales de libertad que garanticen la eliminación de todo dispositivo de coacción lingüística. Y a lo largo de los veinte últimos años la debilidad del Estado ha dejado indefensos a muchos castellanohablantes, permitiendo al nacionalismo exhibir y desplegar una hegemonía que no se corresponde con el pluralismo real de la sociedad.

Los nacionalistas reclaman pluralidad al Estado pero la descartan donde ejercen su poder. Y son implacables con la disidencia, a la que castigan con una mezcla de silencio, marginación y desprecio, de la que muchas veces no se entera la opinión pública. Sólo quien no conozca el discurso, el imaginario y la combatividad de los nacionalismos costeros puede pensar que en España haya un nacionalismo español con sustancia. En el Valle de los Caídos había quedado atrapada aquella nación irreal de las preferencias divinas y la gloria militar.

Desde los primeros tiempos de la transición y en un clima de olvido de las experiencias del pasado, se abrió camino un inusual espíritu de tolerancia respecto a actitudes y opiniones, una especie de pragmatismo desideologizado que impregnaba España mientras la democracia traía para sus ciudadanos numerosos descubrimientos. El sexo dejó de ser un tabú y la tentación de describirlo o comercializarlo fomentó la exhibición generosa de la pornografía en las publicaciones periódicas, el teatro o el cine, una vez suprimida la censura de espectáculos en 1977. Al mismo tiempo, las primeras manifestaciones feministas de la historia de España rompían con el modelo franquista que confinaba a las mujeres en la alcoba y la cocina con la misión patriótica de reproducir la raza y mantener las virtudes de la familia. Y auguran un futuro mejor a las nuevas Evas que son más numerosas y obtienen mejores resultados que los hombres en las universidades y empiezan a sentarse en los consejos de administración. Pasaban a la historia las familias numerosas de la reserva espiritual de Occidente, donde el preservativo era un producto de importación tan exótico como las medias de cristal. Con el paso de los años, tres hijos serían multitud en una España occidentalizada, con un índice de natalidad de los más bajos del mundo y unas clases medias educadas en el bienestar y en sintonía con una cultura del placer que ha reducido hasta la mínima expresión los márgenes de la España profunda.

A la monarquía parlamentaria nacida a la muerte de Franco le correspondió la misión histórica de despojar al Estado de su ropaje confesional y dejar a la Iglesia a su propia iniciativa. Para ambas instituciones la insoslayable decisión de separarse resultó un acierto: el Estado se quitaba el pesado fardo de una jerarquía eclesiástica entrometida y dejaba de hacer teología mientras que el episcopado se ponía a salvo del vía crucis del anticlericalismo. Aunque tarde, la Iglesia había sido la única institución en pedir perdón públicamente por su complicidad con el franquismo e incluso en los últimos años del régimen había conspirado con la oposición liberal para demoler el régimen construido por el viejo general en 1939. Por un momento, el clero español, moldeado en el espíritu progresista del Vaticano II se puso a la cabeza de la carrera de la libertad y la democracia. Sin embargo, la clerecía del País Vasco, mucho más nacionalista que su propia clientela, no acertó a ejercer entre ésta la misión liberadora que la Iglesia española en su conjunto logró desempeñar durante la transición. Antes al contrario, la religión y sus ministros, bajo capa de juicio moral han bajado, con demasiada frecuencia, a la arena política, siendo acusados de defender un nacionalcatolicismo vasco y de contagiar no escasa dosis de fanatismo.

Menos locuaces, los obispos y clérigos catalanes son menos conocidos que los curas vascos en sus aficiones nacionalistas pero presentan, como la propia sociedad a la que dicen servir, mayor consenso en su deseo de afirmar la nación catalana. Más allá de la Barcelona laica y europea hay una Cataluña profunda de mosenes ultraconservadores, de los que, con el obispo Torras y Bages, se alimentó el primer catalanismo. De vez en cuando, la sociedad española se entera de sus apetencias, casi siempre en torno a la fiesta catalanista de la Diada y por medio de alguna hoja parroquial que en seguida adquiere notoriedad gracias a la música y la letra de sus reivindicaciones patrióticas.

A lo largo de los últimos treinta años, la jerarquía eclesiástica ha perdido de modo progresivo su antigua influencia como elemento de integración de la sociedad española. Los seminarios están semivacíos y sólo algunos movimientos del catolicismo más conservador consiguen reclutar adeptos. Por su falta de estructura y tradición democráticas, la Iglesia se encuentra incómoda en situaciones de pluralismo y secularización, lo que le hace estar permanentemente a la defensiva y quejarse, de vez en cuando, del poco caso que se le presta. Y es evidente que la jerarquía eclesiástica ha cedido posiciones y que su viraje político —por ejemplo, su apuesta nacionalista donde el nacionalismo es el vencedor— desata la sospecha de oportunismo y provoca una devaluación del magisterio eclesiástico. El disenso de los creyentes respecto de la doctrina de la Iglesia en cuestiones de moral sexual y familiar cada día es más importante, lo que comporta un incremento del subjetivismo de la conciencia individual, una forma de luteranización del catolicismo hispano. Como deseaba Blas de Otero para su patria mañanada, España ha aterrizado por fin de su cielo teológico y pisa tierra firme.

> ¿Cuándo será que España
> se ponga en pie, camine
> hacia los horizontes
> abiertos aterrice
> de su cielo teológico y pise tierra firme
> y laboree y prosiga
> su labor y edifique
> una casa con amplias ventanas?
>
> BLAS DE OTERO

El contraste de ideas, el flujo incesante de nuevos valores bien distintos de los pregonados en el franquismo tuvo también su reflejo inmediato en los medios de comunicación, cuyo horizonte informativo y cultural se amplió de forma notable. Fue un tiempo de gran protagonismo e influencia social de los periódicos, de sueños fabricados en tinta impresa. La palabra reventó los viejos bozales y los diarios aumentaron sus tiradas y surgieron nuevos proyectos. Ninguno tan exitoso como *El País*, nacido en Madrid en la primavera de 1976, que tras recoger una bandera que estaba tirada en la calle y que durante cuarenta años había sido pisoteada por la mayoría silenciosa de la dictadura —la bandera de las libertades, la democracia, el progresismo...— conquistó los quioscos, y sus editoriales, las más de las veces críticos con los gobiernos de UCD, sirvieron a muchos españoles para entender los conceptos y entresijos de la democracia. Reflejada en la prensa, el cine, las artes plásticas o la literatura, la libertad política creó un nuevo clima cultural que rompió el asedio del franquismo y abrió de par en par la historia a jóvenes escritores —Manuel Vázquez Montalbán, Eduardo Mendoza, Antonio Muñoz Molina, Almudena Grandes, Luis Mateo Díez, Goytisolo, Gimferrer, García Montero...— que conviven en los años ochenta con otras voces ya consagradas —Camilo José Cela, Miguel Delibes, Buero Vallejo, Rafael Alberti, José Ángel Valente...—. Como espaldarazo internacional a aquella cultura que abandonaba los cuarteles de invierno y recuperaba su libertad, el poeta Vicente Aleixandre recibía en 1977 el premio Nobel de Literatura y, tres años después, el recién creado Ministerio de Cultura conseguía recuperar el *Guernica* de Picasso, en cumplimiento de la voluntad del pintor, que había ordenado la devolución del cuadro a España cuando se restaurase la democracia.

> Mañana he decidido ir adelante,
> y avanzaré,
> mañana me dispongo a estar contento,
> mañana te amaré, mañana
> y tarde,
> mañana no será lo que Dios quiera.
> Mañana gris, o luminosa, o fría,
> que unas manos modelan en el viento,
> que unos puños dibujan en el aire.
>
> ÁNGEL GONZÁLEZ, *El futuro*

Diez millones de ilusiones

Toda la unanimidad alcanzada por Suárez en el desmantelamiento del régimen franquista se desvaneció cuando llegó el momento de llevar el cambio democrático a la vida cotidiana de los españoles. El gobierno de UCD tenía que afrontar la reforma de los aparatos del Estado, todavía en poder de los viejos dirigentes —la administración, el ejército, la policía— y afrontar el desarrollo de la Constitución en asuntos tan espinosos como el divorcio, la enseñanza o el empleo. Y debía hacerlo en un momento en que la crisis económica y el frenesí terrorista evocaban las circunstancias adversas en que había naufragado la Segunda República. En 1980, ETA asesinaba a 96 personas, la mayoría miembros de orden público, y los cuarteles acusaban al gobierno de desvertebrar España con su política autonómica y de no atajar la oleada terrorista. La democracia no parecía poder garantizar el orden y el bienestar del país y Suárez comenzaba a ser un recuerdo solitario, un jefe de gobierno errante por los despachos del poder, sin verdadero proyecto político, acosado por la crisis intestina de UCD y los ataques del Partido Socialista. Empujado al precipicio de la inestabilidad por la rebelión del ala democristiana de su coalición, el presidente traspasaba en enero de 1981 el poder a Leopoldo Calvo Sotelo, más culto que él pero menos atractivo.

«Yo no quiero que el sistema democrático de convivencia sea una vez más un paréntesis en la historia de España», dijo Suárez en los televisores españoles el día que hacía pública su renuncia a la presidencia del gobierno, como queriendo dar a entender que la democracia naciente podía estar amenazada. El 23 de febrero de 1981 la pesadilla se cumplía; el golpe de Estado se hizo realidad cuando el teniente coronel Tejero irrumpió en el Congreso de los Diputados al mando de un destacamento de la Guardia Civil y el capitán general Milans del Bosch sacó los tanques a las calles de Valencia. Parecía que la historia volvía a repetirse, que el ejército limpiaba de nostalgia los fusiles y se alzaba de nuevo en conciencia de la nación. Fue el día más largo del régimen de 1978, y por un momento se pensó que la noche lúgubre del 18 de julio podía caer sobre España. El golpe, sin embargo, fracasó, derrotado por la rápida intervención del rey, que exigió del ejército el respeto a la Constitución, y la soledad de los militares sublevados. Los golpistas se habían equivocado, habían confundido el clima del país. En España podía haber indiferencia, apatía política, desencanto, pero no malestar con la democracia. Millones de personas desbordaron las calles y las plazas del país en los últimos días de febrero, manifestándose a favor de la libertad y en contra del sainete militar de los golpistas. Por su decidido rechazo de la sublevación, los reyes Juan Carlos y Sofía redoblaron su apoyo popular y hasta merecieron el elogio de viejos corazones republicanos como el de Santiago Carrillo.

Entre el golpe de Estado y la llegada de los socialistas en 1982, los gabinetes de Calvo Sotelo procuraron recuperar la normalidad democrática. Nadie, sin embargo, pudo detener el suicidio político del partido en el poder, carcomido por la batalla ideológica de sus barones e incapaz de encontrar el equilibrio centrista en asuntos como la universidad o las televisiones privadas. Cada vez que Calvo Sotelo definía el programa del partido, orientándolo a la izquierda o a la derecha, invariablemente abría fisuras en la otra camarilla. UCD se destripaba en medio de disputas y traiciones y mientras se hacía el harakiri perdía la tercera parte de sus diputados y hasta su mismo fundador, Adolfo Suárez, abandonaba aquella formación artificial que había pilotado la transición. En medio del naufragio, el partido centrista logró todavía apretar las filas para meter a España en la OTAN, el sueño nunca cumplido de Franco, que se había estrellado durante años contra la resistencia de los miembros de la Alianza.

La impopularidad de la medida erosionó aún más la imagen de UCD en la opinión pública, que abandonada en brazos del PSOE, pidió a gritos un cambio de política. Vencido, cansado, Calvo Sotelo no espera a agotar la legislatura, sino que adelanta las elecciones a octubre de 1982 y, con ellas, el gentío tomaba posesión de la calle, escribía revoluciones en el agua, trepaba a los balcones... Llegaban las elecciones, y con ellas, alcanzaban los ministerios los herederos de Pablo Iglesias, los portadores de la rosa, aún sin las espinas de la corrupción.

> Íbamos con pancartas y con llamas, diez millones de votos, alta España, íbamos con palabras y con puños, diez millones de votos, España/España, íbamos o veníamos, ni se sabe, qué tercera república, qué grito, qué alta revolución de las canciones, revolución pacífica, gentío, íbamos con la izquierda, entre la izquierda, nosotros éramos la izquierda, toda la izquierda parda de cien años, todos los españoles sojuzgados, tremolaba un Madrid como bandera, ondeaba la ciudad entre mendigos. Fue un milagro.
>
> FRANCISCO UMBRAL, *La década roja*

En 1982 culminaba la transición política. Llegaba ese año al poder la generación del 68, que no estaba comprometida con la herencia histórica de la guerra civil, sino que se había formado en el antifranquismo de los años sesenta, entre las quimeras de playa de los campos Elíseos y el crepúsculo de la dictadura. Miles de rosas se lanzaron por los aires aquella noche de otoño de 1982, celebrando el triunfo electoral más aplastante de todos los tiempos. El PSOE ganaba los comicios tras asegurar que la democracia dejaría de ser algo sobrentendido, donde todo se diera por concluido tras la redacción de la Constitución. Los descamisados, los progresistas de melena y botas que interpretaban el papel de revolucionarios entre espumas de pancartas y puros de Fidel habían sabido contagiar de ilusión a la sociedad con su filosofía de honradez, cambio y modernidad, toda una revolución de porros y pacifismo que quería volar en el submarino amarillo de los Beatles y se iba a quedar en la absolutización del poder, los maletines de ida y vuelta y una banda sonora de ideales traicionados.

El jolgorio de aquella noche de otoño de 1982 que quería más luz y más reparto se disolvió pronto, se perdió en la barahúnda de la reconversión industrial y no hubo nacionalizaciones ni ocurrió nada, salvo que los nietos de Pablo Iglesias pasaron de cantores de la revolución a juglares del primer socialismo de derechas. Y es que una vez en el poder, los socialistas se iban a entregar a la tarea de modernización de España, que en su lenguaje equivalía a parecerse a Europa, aunque ello supusiera decolorar su imagen de izquierda. Había que desterrar la crisis económica, conseguir una sociedad más igualitaria, consolidar la democracia y aumentar la presencia de España en el exterior. El gobierno socialista se armó entonces de coraje político y afrontó la impopularidad de emplear el bisturí en el sector industrial público creado por Franco y promover el necesario reajuste económico. Muchos comprendieron que la situación heredada —inflación, déficit público, deuda exterior...— había llegado a un punto en el que era ineludible tomar medidas drásticas que los gabinetes de UCD no se habían atrevido a decidir, y aplaudieron la valentía de los jóvenes políticos. Otros, los hombres y mujeres afectados por las medidas del ejecutivo, con el paro como único horizonte, sintieron que el PSOE los había engañado y que todo seguiría igual que antes. Eran los miles de españoles sin voz, los árboles caídos, los olmos viejos que malmorían en los arrabales de la Historia. La reconversión industrial supuso el desmantelamiento de numerosas fábricas dedicadas a la siderurgia, la construcción naval y los electrodomésticos, aparte de jubilaciones anticipadas de trabajadores y reducciones de plantillas. Fue un tiempo de huelgas, de batallas campales entre policía y trabajadores en las regiones industriales del norte, y los socialistas, convertidos en verdugos de sus clientelas obreras, tuvieron que acostumbrarse a los abucheos masivos mientras la creciente marea del paro no cesaba de subir.

A pesar de su coste social, las medidas de saneamiento económico rebajaron la inflación y los españoles comenzaron a ver Europa más cerca. Tras largos años de negociación, en enero de 1986 España entraba en la Comunidad Europea, recobrando así la identidad continental que le había sido negada durante dos largos siglos. Ese mismo año el Partido Socialista desandaba su historia reciente para evitar el derrumbe del gran sueño de Franco, la OTAN, y Felipe González, sumergido en la realidad exterior, hacía apología del gigante yanqui y el Nuevo Orden Mundial, que era el orden del petróleo y la gendarmería atómica del Tío Sam. «OTAN, de entrada no», había sido en 1982 la ambigua consigna electoral de un Felipe González que tan pronto se había visto en el poder había sacrificado la ideología en los altares del pragmatismo y que, ahora, metido en el referéndum sobre la permanencia o no en la Alianza Atlántica, hacía lo mismo que había hecho Franco para recibir al amigo americano, abrazar al presidente Ronald Reagan, sólo que a él, a Felipe, no le legitimaba el brillo negro de los fusiles sino las urnas y diez millones de votos. La retirada de la OTAN era un error si se quería recobrar presencia internacional y Felipe González lo había comprendido a tiempo. Hubo manifestaciones en contra de la decisión del PSOE; intelectuales, comunistas, libertarios, poetas y pacifistas tomaron las calles con sus carteles desgarrados y papeleras volcadas. Los discursos, los gritos, las conferencias improvisadas anti-OTAN, las canciones perdidas... eran como una promesa triste, una esperanza que se sabía derrotada, como volver al París del 68 o regresar a los primeros años de la transición. Luego el referéndum pasó de largo, el PSOE atropelló las pancartas con su aluvión de votos y los tiempos de protesta se destiñeron.

> Nosotros, los de entonces, ya no somos los mismos,
> aunque a veces nos guste una canción.
>
> JAIME GIL DE BIEDMA

España resolvía ahora el problema de su lugar en el mundo, pendiente desde que perdió en 1898 las últimas colonias del viejo imperio ultramarino. El ingreso definitivo en la Alianza Atlántica abrió a los militares españoles el horizonte de las misiones en el extranjero, que no desempeñaban desde la pérdida del protectorado de Marruecos, y permitió al gobierno socialista canalizar el patriotismo del ejército en la defensa de los valores democráticos y ponerlo al servicio de la nación, no la homogénea del XIX, sino la descentralizada y plural del 78. La reforma militar diseñada por Narcís Serra, ministro de Defensa durante nueve años, dio el tiro de gracia al espectro de la intervención militar que planeaba sobre la democracia española y los nombres de los generales dejaron de ser conocidos por primera vez en la historia. Hoy, mientras los jóvenes se desmilitarizan de alma y revoluciones y el gobierno del Partido Popular los desengancha del servicio militar obligatorio, el ejército es una fuerza flexible, moderna, operativa y obediente al poder civil.

En 1986, Felipe González figuraba al frente de un gobierno que había consumado el proceso democratizador y quebrado el aislamiento internacional de los dos últimos siglos. La europeización diseñada a comienzos de su gobierno traía por fin una época de esplendor económico que iba a mejorar la calidad de vida de los españoles. Desde la hora de la incorporación en la Europa comunitaria, España se benefició de los fondos europeos para el desarrollo regional y la inversión extranjera bombeó un gran caudal de negocios que hinchó la economía y fomentó altas tasas de crecimiento. La prosperidad permitió al gobierno de González ampliar la participación pública en la educación y sanidad, los dos bienes preferentes en las sociedades modernas; extender notablemente las prestaciones sociales, y avanzar en la consolidación del Estado del Bienestar. El esfuerzo de los gabinetes del PSOE también se centró en acortar la distancia que separaba España de Europa en cuanto a infraestructuras de comunicaciones y mitigar las desigualdades históricas entre las diversas regiones. Las enormes inversiones realizadas con motivo de la Exposición Universal de Sevilla pasaron a la historia como el intento más serio de sacar al sur de su aislamiento y dar esperanza a la mayor bolsa de marginación de España.

El viejo proteccionismo español había muerto en Bruselas y la burbuja económica sumergía en la cultura del dinero y la filosofía del enriquecimiento a un país que Ortega y Gasset había definido a comienzos de siglo como puro pueblo. En 1987, España era, en palabras el ministro de Economía, Carlos Solchaga, uno de los países donde más y más rápido se podía ganar dinero y Madrid parecía una fiesta de banqueros, inversores, aventureros y cerebros de las finanzas que conquistaban las portadas de las revistas y escribían su éxito a golpe de información privilegiada. Aquella atmósfera de lujo, especulación, negocios, maletines y estraperlistas del corazón convirtió España en un glamour de dinero... pero pronto amanecería aterida de escándalos y corrupción.

Toda esta vida es hurtar
no es el ser ladrón afrenta
que como este mundo es venta
en él es propio robar.
Nadie verás castigar
porque hurta plata o cobre

que al que azotan es por pobre
de suerte, favor y trazas.
Este mundo es juego de bazas
que sólo el que roba, triunfa y manda.

FRANCISCO DE QUEVEDO

Todo se vendría abajo tras los últimos fuegos artificiales de la ceremonia que clausuraba los Juegos Olímpicos y las vanidades tecnológicas de la Expo. El 1992 fue el año de la confirmación de la modernidad de un país plenamente europeo que se proyectaba internacionalmente con el fulgor de las Olimpiadas de Barcelona y la Exposición Universal de Sevilla. A partir de entonces un moderno tren de alta velocidad, el AVE, recorrería el trayecto entre Madrid y la capital andaluza en dos horas y media y Barcelona y Sevilla quedaban rediseñadas como grandes urbes de Europa. Pero asombrar al mundo costó demasiado a un país que al término de aquellos grandes acontecimientos se encontró con una crisis económica reactivada y un conjunto de tres millones de parados. Los hijos de la democracia, la generación mejor preparada de la historia de España, se pudrían en las largas listas del Inem y el mito de Europa se desvanecía en los hogares españoles cuando la nueva Roma de Maastricht desmantela industrias, arranca las vides, persigue a los olivos y sacrifica la flota pesquera.

Los heraldos negros de la crisis invadieron también el campo, que agonizaba derruido por el envejecimiento y la fascinación que ejercían las ciudades sobre unas masas de labradores que habían dejado de soñar con la reforma agraria. Europa y la inercia histórica de los gabinetes socialistas, la inercia del Mercado Común y los bancos, escribían el final infeliz del desarraigo campesino, aquella tristeza de soledades sobre la que cabalgó el milagro económico del franquismo y que, después de tantos años, ha hecho de España una nación de ciudades desperdigadas en medio de grandes despoblados. La desbandada hacia las urbes no ha acallado, sin embargo, el grito de agua de la España seca, la España de huertas agrietadas y terruños calvos que busca saciar su sed entre los egoísmos regionales y las cuencas de los ríos de Castilla-La Mancha y Aragón.

Tras catorce años de estancia en el poder, el PSOE comenzaba a desmoronarse en 1995, incapaz de sobrevivir a los casos de corrupción destapados por la prensa. Felipe González no conseguía eliminar el olor a podrido y a dinero sucio que salía de las filas de su gobierno y los cien años de honradez, que habían servido al partido fundado por Pablo Iglesias de eslogan electoral, se transformaban en un esperpento de tramas de Estado mortíferas —los GAL—, espías vigilados, jefes del dinero conducidos entre guardias y jefes de guardias huidos con el dinero. Como en el siglo XIX, los medios de comunicación servían para descabalgar ministros.

En 1996 las elecciones generales, llenas de crispación y desesperados intentos de despertar el miedo a la derecha, daban la victoria al PP de José María Aznar, que había sabido renovar la dirección del partido imaginado por Manuel Fraga para sintonizar con el centro y atraerse el voto moderado. El PSOE había obtenido grandes logros, había consolidado la democracia, metido a España en la Unión Europea, apuntalado la entrada en la OTAN y avanzado en el diseño del Estado del Bienestar, pero todo aquello se perdía ahora entre escándalos de corrupción, guerras sucias contra ETA, cuyos pistoleros habían impregnado de sangre toda la etapa socialista, desempleo y déficit público. Felipe González, como los emperadores, había gobernado durante demasiado tiempo, y el PSOE, errático y confuso, naufragaba en una crisis interna que todavía hoy, con Rodríguez Zapatero en la secretaría general del partido, parece no haber superado del todo.

El aire se serena

El triunfo del PP no supuso una involución conservadora, en contra de lo que temía la izquierda. Aznar dio muy pronto pruebas de que su política no sería una contrarreforma cultural y que, en el campo social, garantizaría el Estado del Bienestar. Después del largo mandato socialista, los españoles no deseaban más aventuras que las inevitables y lo que el gobierno popular iba a procurar ofrecerles era estabilidad, crecimiento económico, paz social y poca ideología. Al cabo de unos pocos meses de su llegada al poder, Aznar lograba un acuerdo con los sindicatos, por el que quedaba garantizado hasta el año 2000 el poder adquisitivo de las pensiones, comprometiéndose el gobierno a estrechar su vigilancia sobre las relaciones laborales. La economía iba a conocer, además, una nueva época de dinamismo y prosperidad, con reducción del déficit público, control de la inflación y descenso de los tipos de interés. Esta mejora económica contribuyó a que los ciudadanos invirtieran parte de sus ahorros en la bolsa, alcanzando la negociación de títulos en el mercado bursátil máximos históricos, y desvió los intereses de muchas empresas españolas a Hispanoamérica, donde pelean con las norteamericanas en busca de mercados. El sector más representativo de la expansión empresarial española es el bancario. La historia en el Nuevo Continente del BSCH y el BBVA, lanzados a la compra de entidades iberoamericanas de crédito, tiene etapas de éxito, pero también importantes contratiempos. Hoy los síntomas de recesión mundial y la crisis Argentina han rebajado las previsiones de beneficios y amenazan con agujerear los bolsillos de los inversores.

El gobierno de Aznar se había traducido en progreso económico y paz laboral. La derecha había regresado al poder, pero ya no era aquel delirio anacrónico que identificó la nacionalidad con una confesión religiosa y utilizó el nombre de España para condenar a los discrepantes. Después de todo, aquélla había emergido de la transición como una nación de ciudadanos, moderna e ilustrada que, por encima de derechos históricos, fronteras imaginadas y antiguos contenciosos, recuperaba un espacio de convivencia estrangulado por la guerra civil y la mística nacional del general Franco. Ya no son españoles los que no pueden ser otra cosa, como bromeaba el pesimista Cánovas del Castillo, o poetizara desde el exilio Luis Cernuda, pedazo de una historia doliente y desengañada, que arruinó grandes espacios de libertad y obligó a muchos compatriotas a vivir transterrados. Son españoles los ciudadanos plenamente libres que manifiestan su voluntad de vivir en una comunidad de cultura semejante, respetuosa con las minorías y sensible al reconocimiento de la diversidad territorial.

Dejados atrás sus silencios y mercadeos con CiU y el PNV, cuando no tenía mayoría absoluta, el Partido Popular se dispuso a articular una respuesta doctrinal no sólo a la deriva independentista del nacionalismo vasco sino también a la perpetua insatisfacción del nacionalismo catalán, al creciente radicalismo del gallego o al discurso poco integrador de las comunidades autónomas. Había que hablar de España no desde el complejo, ni desde la inhibición ideológica impuesta por la agresividad de los nacionalismos, ni desde la mala conciencia inducida por la verborrea del régimen de Franco. Y sobre todo era preciso corregir la trayectoria política anterior en la que los partidos estatales habían actuado siempre a la defensiva frente al discurso desvertebrador de los nacionalistas. Si el PSOE quería seguir buscando nuevas fórmulas políticas para tratar de satisfacer a los nunca satisfechos nacionalistas, el PP prefería decir bien alto que la Constitución marcaba los límites del único consenso posible.

Como el principal campo de fabulación nacionalista es siempre la historia, el PP busca enmendar el desaguisado de la enseñanza de las humanidades sin conseguir hasta el presente que el saber comarcal ceda terreno en los planes de estudio al legado histórico y cultural de todos los españoles o que la esquizofrenia autonómica respecto de España tenga su cura. Aquí se ha llegado a tal disparate que el Estado no puede desarrollar las competencias que le asigna la Constitución al redactar los programas escolares o llevar a cabo la labor de inspección a la que está obligado. La obsesión por diferenciarse del PP ha llevado al PSOE a boicotear irresponsablemente los pocos intentos serios de recuperar el papel de la historia en la formación cívica de los jóvenes, aun a sabiendas de reforzar el victimismo diferencial de los nacionalistas.

> Un fantasma de estandartes
> una bandera quimérica
> un mito de patrias: una
> grave ficción de fronteras.
>
> MIGUEL HERNÁNDEZ

Mientras tanto, ETA continúa sin creer en la palabra de las urnas, cree más en la leyenda y quiere reforzar la suya con sangre. Los violentos y sus pensadores ven esta eternidad de cuchillos largos como una guerra por la independencia y las pistolas suenan como ladridos, tratando de instaurar la miedocracia y silenciar la paz y la palabra de los ciudadanos, que ya se manifestaban en defensa de la libertad. Lo hicieron también aquella tarde de julio de 1997, cuando, doloridos por el secuestro y asesinato de Miguel Ángel Blanco, joven concejal de Ermua, más de seis millones de personas se lanzaron a las calles en nombre de lo que tenían en común, en un estallido de civismo como no se había visto desde las manifestaciones contra la intentona golpista del 23-F. Aquélla era la demostración palpable de la vitalidad de la España real frente al desconcierto inducido durante años por los políticos respecto de la conciencia nacional. Aquella explosión de emociones en las plazas y calles era también el destello de una luz remota y tranquila, como la de una estrella, el mensaje de las víctimas del horror terrorista y de aquellos que una vez fueron hombres y mujeres y que hoy son sólo recuerdos: paz, piedad, libertad. Las víctimas, cuya memoria se desmorona de silencios en la noche vasca, están en posesión de la verdad moral de los golpes que todavía suenan en el cráneo y por lo tanto, como aquellas sombras que habitaron los campos nazis, están más legitimadas para juzgar no sólo a los ejecutores sino también a la sociedad que sólo piensa en su supervivencia.

> Desearía mirarme
> con las pupilas duras de aquel que más me odia,
> para que así el desprecio
> destruya los despojos
> de todo lo que nunca enterrará el olvido.
>
> ÁNGEL GONZÁLEZ, *Otras veces*

Los nacionalistas vascos y catalanes, para cuya satisfacción diseñaron los constituyentes de 1978 uno de los Estados más descentralizados del mundo, han sido a partir de los años noventa quienes más insistentemente han cuestionado la validez de la fórmula autonómica. La puesta en escena de PNV, CiU y BNG en la declaración de Barcelona o la carlistada que el PNV y EA más el añadido exótico de Izquierda Unida representaron en Estella, mientras ETA seguía apuntando objetivos, reflejan el anhelo de la comunidad nacionalista de liquidar el Estado de las Autonomías. Pero la estrategia de la tensión ha recorrido además otros muchos escenarios de la mano del nacionalismo vasco buscando en todos dramatizar el enfrentamiento con el gobierno central para justificar la secesión de una nación, España, que a un líder del PNV le da más miedo que ETA y a otro, más líder aún, le mueve a declarar que prefiere cortarse la mano antes que votar con ella la Constitución.

De acuerdo con el guión escrito en Estella, el PNV prosiguió su viaje independentista, que se manifiesta en un lenguaje bronco y agraviante que en otros lugares del planeta liberal lo descalificaría como interlocutor autorizado de los partidos democráticos. Pero al mismo tiempo, la radicalización del nacionalismo vasco en su conjunto y su explícita convergencia en los fines de ETA trazó una nítida línea divisoria entre las fuerzas políticas que perseguían la secesión de Euskal Herria y disfrutaban por ello de inmunidad ante la acción terrorista, y las que enarbolaban la defensa de la Constitución y el Estatuto, que se convertían en objetivos preferentes de la banda.

Una de las consecuencias más inesperadas del frentismo *abertzale* fue convertir a los no nacionalistas en «constitucionalistas», es decir, dotar de cierta identidad común y simbólica a unos partidos que hasta entonces habían carecido de ella. La estrategia agresiva del PNV consiguió liberar al PSE de su condición de fámulo del nacionalismo vasco, aceptada hasta entonces con resignación en aras de una pretendida «estabilidad institucional» que llevaba aparejado un compensatorio derecho a gestionar algunas consejerías de la comunidad autónoma. Igualmente concedió un protagonismo inédito a un PP que hasta entonces había permanecido en una semiclandestinidad política, nacida tanto de un sentimiento vergonzante de su naturaleza de partido nacional como de la presión terrorista a que había sido sometido desde los tiempos de la UCD. Esta identidad de oposición concedida por el PNV a los dos partidos no nacionalistas del País Vasco allanó el camino a la firma en diciembre de 2000 del «Pacto por las libertades y contra el terrorismo» por el que el PP y el PSOE cerraban filas contra ETA y aumentaban la soledad del nacionalismo vasco, cada vez más aislado tanto dentro como fuera de España.

La progresiva formulación de una estrategia común por parte del PP y PSE fue acompañada de una renovada movilización ciudadana orientada a denunciar la agresión de que era objeto la democracia en el País Vasco, así como, y aquí residía buena parte de la novedad, la impunidad que gozaban sus agresores. Con este fin, diversas plataformas no partidistas decidieron ocupar un espacio público que hasta entonces había sido coto privado de los escuadrones de choque del nacionalsocialismo vasco.

No sin dificultades y desánimos logró levantarse un movimiento de opinión pública abiertamente crítica del nacionalismo vasco que rompía el espeso silencio en que éste había encerrado a la sociedad civil a lo largo de sus veinte años de gestión omnímoda del poder autonómico. El esfuerzo por la paz y la concordia de los movimientos pacifistas tradicionales, fuertemente impregnados algunos de ellos por el catolicismo de base de sus miembros, había derivado, sin embargo, en una confusa retórica de la culpa colectiva y de la igualdad sufriente entre víctimas y verdugos. Su estrategia del silencio había acabado por convertirse, involuntariamente, en el mejor aliado de quienes, desde el gobierno vasco, necesitaban una sociedad sedada, donde, como decía el poeta Rosales, el labio que calla se transforma en cicatriz; unos súbditos manejables, satisfechos con su bienestar económico fruto del privilegio fiscal e incapaces de reivindicar a gritos lo que por derecho les correspondía: la libertad y la paz sin condiciones ni contrapartidas políticas de ninguna clase.

Por vez primera la exigencia de disolución de ETA llevaba aparejado el rechazo a la deriva del nacionalismo vasco gobernante cuyas condenas verbales de los crímenes etarras quedaban siempre devaluadas por su actitud de confraternización con quienes los provocan. Por vez primera la ambigua reivindicación de la paz se hacía carne en la exigencia de una libertad concreta sin miedos ni escoltas para la mitad de la ciudadanía vasca. Bajo la lluvia, las amenazas, los golpes, las advertencias de muerte y los señalamientos miles de vascos marcaron en febrero de 2000 el comienzo de una primavera sin retorno en la que las cuentas a ETA acababan implicando al nacionalismo que, a su sombra, construyó el País Vasco durante dos décadas. Luego se repetiría el ritual de improperios con el que el nacionalismo vasco pretende aplastar la disidencia y reforzar su comunidad: todos los que se movilizan democráticamente contra sus dictados son antinacionalistas, todos los antinacionalistas son nacionalistas españoles y todos los nacionalistas españoles sólo pueden ser franquistas.

La crónica de España no es, como decía Gil de Biedma, la más triste de todas las historias de la Historia, porque ya no termina mal e incluso la nueva conciencia mundial sobre el terrorismo, refrendando las tesis defendidas por el gobierno de Madrid desde hace años, permite avances notables en su lucha con la creación del espacio judicial europeo. España es, por fin, una nación moderna, aferrada a la realidad esperanzada de la Europa del euro, cuya siesta cada vez resulta más incompatible con el teléfono móvil que guardan sus ciudadanos en el bolsillo de la americana. Sin sacar pecho, ni brazo en alto, los españoles pueden alegrarse de vivir en un país moderno y bien alimentado, no lejos de la cabecera industrial del planeta, cuya creatividad se derrama más en el jardín de las bellas artes y las letras que en el huerto de la ciencia. Sería para repicar campanas si el ángel exterminador del paro no llamase a la puerta de los de siempre y algunos más, acrecentando entre la población el sentimiento de que la cabalgada de la desigualdad resulta imparable. Con todo, jamás España presentó en su historia un perfil más igualitario. Hoy la España profunda, la España rural, mísera y cavernaria es un recuerdo marginal, un paisaje desierto que sólo existe en las páginas de la literatura. La España de comienzos de siglo XXI es una sociedad de 41 millones de habitantes, dominada por el timón de unas clases medias urbanas con niveles relativamente altos de bienestar, y sus problemas —financiación de los servicios sociales, inseguridad, paro, drogadicción, marginación social, sida, medio ambiente...— se confunden con el oleaje del tráfico de las ciudades, que ya es un océano de automóviles, un frenesí de ruido derramado sobre el asfalto.

Criatura del siglo XX, el jeroglífico urbano está formado por una mezcla de contrariedades sobre las que planea la acción transgresora de colectivos de marginalidad e indigencia, y es en este escenario donde se desarrolla el forcejeo entre lo nuevo y lo viejo, la seguridad y la delincuencia, el trabajo, el paro y la soledad anónima, desarraigada y perdida de los emigrantes. A las ciudades españolas llegan los desheredados de la globalización que huyen del Magreb, del África negra, de la hecatombe hispanoamericana, de las últimas guerras de Europa, que llegan al filo del naufragio y la muerte y se encuentran con una sociedad que pese a haber vivido una historia de barcos y migraciones desde sus orígenes es reacia a compartir un palmo de abundancia.

> La Gran Vía nocturna es un hondo pasillo de antracita
> y hay cuartos por detrás de agonizantes solos, sollozos y rateros.
> Bajo las casas nobles de principio de siglo —polvorientas—
> africanos y yonquis, navajas, viejas putas, jovencitos oscuros,
> [jeringuillas, travestís y camellos
> cantan la gloria opaca, la cochambre sin letra de este fin
> [de milenio macilento.
>
> LUIS ANTONIO DE VILLENA

«España, pasión por la vida», proclamaba un eslogan turístico, ideado tras las celebraciones de 1992, que pregonaba la naturaleza lúdica de un país, que a lo largo de su historia había patentado, por el contrario, el estereotipo de su fascinación trágica por la muerte. A los escritores del 98, metidos en el tópico, les gustaba retratar España con palabras como tétrico, sombrío o melancólico, pero estos adjetivos ya no sirven para la España de la movida madrileña, elevada de anécdota bulliciosa a nostalgia de época como un *Concierto de Aranjuez* embalsamado en el aire. Madrid tiene fama de ser la capital europea más parrandera, la que congrega mayor número de noctívagos y filósofos de barra, la más divertida y España, en general, aparece ante los ojos de los extranjeros como un gran lugar de entretenimiento. Un país vivo y dinámico, donde la gente habla a gritos y donde el nivel de ruido supera ampliamente el límite aconsejado por la Organización Mundial de la Salud.

Desde la recuperación de la democracia, España aparece en el itinerario cultural del mundo y ejércitos de visitantes con divisas se pierden por los jardines de la Alhambra, las calles de Sevilla, la catedral de Toledo o las plazas de Santiago, conjugando en la retina un pasado de luces y sombras con un presente labrado en el Guggenheim y atrapado en el hechizo de viento de la escultura de Chillida. La Historia no pasa en vano y, tras un invierno de siglos, la imagen típica y tópica de peineta, confesonario y toreo se esfuma mientras se van perdiendo aquellas señas de identidad postizas, nada acordes con la pluralidad de culturas. España ha cambiado, como si amaneciera en la realidad iluminada de los cuadros de Antonio López, y sus escritores obtienen premios Nobel y venden en Europa y América, sus escultores y pintores exponen en París y Nueva York y sus películas se pasan en Los Ángeles, donde meten ruido y gracia las obras de Almodóvar y conmueve la mirada poética y personal del cine de Armendáriz. Cada día más europea, España se sienta sin complejos entre las grandes potencias culturales del mundo al tiempo que protege su activo más valioso, la lengua de Cervantes, el segundo idioma de comunicación internacional, destinado a ser hablado el año 2025 por 600 millones de personas.

Concluido el siglo XX, y tras años de quimeras y naufragios, ya no duele España, que ha dejado de ser el país ideal para los decrépitos, los pesimistas y los fracasados. Superados los graves problemas que marcaron el siglo pasado —falta de libertad, subdesarrollo, inestabilidad social...— y en plena lucha por solucionar otros nuevos, como el terrorismo, hay un único lugar donde el ayer y el hoy se encuentran, se reconocen y se abrazan, y ese lugar es mañana. En esta frontera de tiempo, entre la historia y la imaginación, en ese andén donde el chapoteo metálico de los relojes escribe todas las poesías y los viejos lugares toman otra luz, el mañana deja abierta la utopía de un país más igualitario, desnudo de políticas egoístas y asfaltado de paz recta. Al fin y al cabo, la esperanza de las naciones, como los cuerpos humanos, sólo se corrompe con la muerte masiva de la ilusión de sus habitantes.

EPÍLOGO

Poema de España

Desde aquí yo contemplo, tendido, sin memoria
el campo. Piedra y campo, y cielo y lejanía.
Mis ojos miran montes donde sembró la historia
el dulce sueño amargo que sueñan todavía.

Pero el amor fundido en piedra día a día;
pero el amor mezclado con monte, o con escoria,
es duradero, y te amo, oh patria, oh serranía
crespa, que te levantas bajo el cielo, ilusoria.

Campos que yo conozco, cielo donde he existido;
piedras donde he amasado mi corazón pequeño;
bosques donde he cantado: sueños que he padecido.

Os amo, os amo, campos, montañas, terco empeño
de mi vivir, sabiendo que es vano mi latido
de amor. Mas te amo, patria, vapor, fantasma, sueño.

CARLOS BOUSOÑO, *España en el sueño*

Atrapada entre Europa y África, el Mediterráneo y el Atlántico, España ha soñado bajo sus párpados de tiempo todos los sueños del hombre. Los caminos de la Historia le hicieron llegar modos de vida y alimentos, dioses y lenguas, grandezas y miserias que embellecerían su mirada y le harían deudora de olvidados pueblos viajeros. Más allá de castillos y epopeyas marítimas, sin embargo, la memoria de España, su latido, es el fulgor que sus muertos anhelaron y la esperanza que tiende la vida sobre el silencio del futuro.

España, deja que te nombre,
y queme en tu amor mis palabras
sin odio, puras y sin muerte,
pero rojas de sangre cálida.
... En tus planicies y en tus ríos,
en tus bosques y tus montañas,
pero más en tus hombres, vivos
y muertos, en sus nobles almas,
sobre las hondas ruinas, veo
un rostro hermoso ¡España, España!

acertó a escribir Eugenio Nora, mientras Luis Rosales, habitado por la tragedia de la guerra civil, volvía su mirada al paisaje.

Y España son los ríos, y los montes azules.
Y los valles y el mar que ciñe su alegría,
y España son los árboles y los trigos sonoros,
y el cielo como espejo de la tierra desnuda.

España del mar y de la mar, cuyas olas son esperanza de paz en la voz de Blas de Otero...

El mar
alrededor de España,
verde
Cantábrico,

azul Mediterráneo,
mar gitana de Cádiz,
olas lindando
con la desdicha,
mi verso
se queja al duro son
del remo y de la cadena,
mar niña / de la Concha,
amarga mar de Málaga,
borrad / los años fratricidas,
unid / en una sola ola
las soledades de los españoles.

travesía de puertos y rostros en la pluma de Antonio Machado

Al andar se hace camino,
y al volver la vista atrás
se ve la senda que nunca
se ha de volver a pisar.
Caminante no hay camino,
sino estelas en la mar.

y soledades de panteón para el poeta-guerrero Jorge Manrique:

Nuestras vidas son los ríos
que van a dar en el mar
que es el morir,
allí van los señoríos
derechos a se acabar
y consumir;
allí los ríos caudales
allí los otros medianos
y más chicos

allegados son iguales
los que viven por sus manos
y los ricos.

España de ríos caudalosos y ríos chicos. La emoción de Manuel Machado ante el río que contempla, lejano, la primera estrofa de la civilización hispana,

¡Oh Guadalquivir!
Te vi en Cazorla nacer;
hoy, en Sanlúcar morir.
Un borbollón de agua clara
debajo de un pino verde
eres tú: ¡qué bien sonabas!

y el romance que el río Duero susurra al oído de Gerardo Diego

Río Duero, río Duero,
nadie a estar contigo baja,
ya nadie quiere atender
tu eterna estrofa olvidada,
sino los enamorados
que preguntan por sus almas
y siembran en tus espumas
palabras de amor, palabras.

se funden con la música de agua del Tajo, cantado siglos atrás por Garcilaso de la Vega:

Cerca del Tajo, en soledad amena,
de verdes sauces hay una espesura
toda de hiedra revestida y llena,
que por el tronco va hasta el altura

y así la teje arriba y encadena
que el sol no halla paso a la verdura;
el agua baña el prado con sonido,
alegrando la hierba y el oído.

Tierra de aluvión humano, de ríos, montañas y valles de frondosos rumores...

Yo soy de una tierra dura y pedregosa,
reacia e insumisa a toda vegetación;
pero si algunas plantas afincan sus raíces,
no han de cuidarse de que abunden las lluvias de primavera

escribe Ibn Hazm de Córdoba en el siglo XI. Dos centurias después, Gonzalo de Berceo refrescaría su verso dulce y grave en la sombra de los álamos de La Rioja, tierra de monasterios y soldados.

Manaban cada extremo fuentes claras, corrientes,
en verano bien frías, en invierno calientes.
Gran abundancia había de buenas arboledas,
higueras y granados, perales, manzanedas;
había muchas frutas de diversas monedas,
pero ninguna había ni podrida ni aceda.

Aquellos campos de Castilla, con sus murallas roídas y castillos arruinados sobre el Duero, que los poetas habían cantado en su esplendor, atraviesan de tristeza los poemas de Antonio Machado.

... caminos blancos y álamos del río,
tardes de Soria, mística y guerrera,
hoy siento por vosotros, en el fondo

del corazón, tristeza,
tristeza que es amor! ¡Campos de Soria
donde parece que las rocas sueñan,
conmigo vais! ¡Colinas plateadas,
grises alcores, cárdenas roquedas!...

El mismo sentimiento, pero empañado de inviernos y rebeldía, empuja el verso de Rosalía de Castro, que defendía, a orillas del Sar, su Galicia, presa del hacha y la deforestación.

Los que ayer fueron bosques y selvas
de agreste espesura
donde envueltas en dulce misterio
al rayar el día
flotaban las brumas,
y brotaba la fuente serena
hoy son áridas lomas que ostentan
deformes y negras
sus hondas cisuras.

Y entre los campos, las ciudades, muchas de ellas milenarias, capaces de renacer de sus cenizas para ofrecer una imagen semita, romana, visigoda, musulmana, cristiana... Cuando ya había pasado su grandeza romana y omeya y antes de que los galeones la renovasen como puerto de la abundancia europea, Sevilla era capaz de inspirar al palentino marqués de Santillana este soneto:

Roma en el mundo y vos en España
sois solas, ciudades ciertamente,
fermosa Ispalis, sola por fazaña,
corona de la Bética excelente.

No se queda atrás el bilbaíno Miguel de Unamuno al referirse a Salamanca, ciudad que guarda entre las paredes de sus edificios renacentistas y barrocos el eco de los más brillantes pensadores de que puede gloriarse la cultura hispana, desde el «decíamos ayer» de fray Luis de León, «al venceréis, pero no convenceréis» del mismo don Miguel.

Oh, Salamanca, entre tus piedras de oro
aprendieron a amar los estudiantes
mientras los campos que te ciñen daban
jugosos frutos.
Del corazón en las honduras guardo
tu alma robusta; cuando yo me muera
guarda, dorada Salamanca mía,
tú mi recuerdo.

La ciudad imaginada por la burguesía del XIX quedaría personificada en la Barcelona que inspira su oda a Maragall y en aquella nostalgia de palacios, parques, avenidas de tilos, tristes edificios y pérgolas por donde pasea en los años cincuenta su culpabilidad de clase Gil de Biedma.

Algo de aquel momento queda en estos palacios
y en estas perspectivas desiertas bajo el sol,
cuyo destino nadie recuerda.
Todo fue una ilusión, envejecida
como la maquinaria de sus fábricas,
o como la casa en Sitges, o en Caldetas,
heredada también por el hijo mayor.

Mares, ríos, campos, ciudades, iglesias, mezquitas, castillos... España refleja en su piel las huellas de viejas civilizaciones que le dieron su savia mejor. La vieja Iberia, gran monte de plata y arcilla, mejoró su fortuna al convertirse en cuba de sedimentación de pueblos, culturas y religiones. Hispania, Toledo, Al Andalus, Sefarad, sería su nombre. Todo comenzaba con la llegada de marinos procedentes de Oriente a la bahía de Cádiz, odisea de barcos y metales preciosos que canta Alberti en su *Ora marítima.*

Y así naciste, oh Cádiz,
blanca Afrodita en medio de las olas
[...]
Traías en tus manos fenicias el olivo
y un collar para Tarsis,
para su poderosa garganta plateada.
En ella se abrasaron tus ojos, sobre ella
reclinaste la frente y fuiste rica,
la avara marinera que el viento
a nuestro Mar tendía, victoriosa, su nombre.

Objeto de deseo de las grandes potencias mediterráneas, la tierra ibérica recoge la sangre de las milicias de Cartago y Roma en su batalla por la supremacía del mundo conocido. Tras el triunfo de Escipión sobre el rival más poderoso de su tiempo, la lengua latina, el saber clásico, el derecho, los dioses del Olimpo, el cristianismo y los estandartes de los ejércitos unen las regiones peninsulares en un destino común. El derrumbe del Imperio y las ruinas de Itálica, donde las manos del tiempo esculpirían el fracaso de Roma, inspiran en el siglo XVII estos versos a Rodrigo Caro.

Este llano fue plaza; allí fue templo;
de todo apenas quedan las señales.
Del gimnasio y las termas regaladas
leves vuelan cenizas desdichadas;

las torres que desprecio al aire fueron
a su gran pesadumbre se rindieron.
Este despedazado anfiteatro,
impío honor de los dioses, cuya afrenta
publica el amarillo jaramago,
ya reducido a trágico teatro,
¡oh, fábula del tiempo!, representa
cuánta fue su grandeza y es su estrago.

Cuando el brillo de Roma se marchita, los visigodos reaniman la antigua Hispania con su ardor guerrero, aunque no pueden evitar que, poco a poco, sus dirigentes caigan postrados ante el prestigio de la cultura romana. En los concilios de Toledo se consagra la imparable romanización de aquel pueblo germano y se abre camino la alianza entre el trono y el altar. Nadie como san Isidoro de Sevilla dedica a la España del reino de Toledo páginas tan bellas, a pesar del latín bárbaro de la época.

Entre todas las tierras que existen desde el Occidente
hasta la India, eres tú la más hermosa, sagrada España,
madre afortunada de príncipes y de pueblos. Con razón
eres la reina de las provincias: das tu luz no sólo a
Occidente sino también al Oriente.
Tú honor y ornamento del mundo eres...

Tampoco el reino de Toledo resistirá el paso de los siglos, diluyéndose ante el empuje arrollador de los ejércitos musulmanes del norte de África. Durante tres largos siglos, la Córdoba de la dinastía omeya deslumbra a Europa con el fulgor de su cultura cosmopolita, compendio de las mejores influencias del mundo clásico y la renovada mirada asiática. Tiempo después, en una España que caminaba entre fusiles y generales, Ricardo

Molina evocaría el hermoso canto de los poetas de aquella Bagdad española.

Los hombres que cantaban
el jazmín y la Luna
me legaron su pena,
su amor, su ardor, su fuego.
La pasión que consume
los labios como un astro,
la esclavitud a la
hermosura más frágil.
Y esa melancolía
de codiciar eterno
el goce cuya esencia
es dudar un instante.

Las rencillas domésticas derrumbarían el califato de Córdoba el año 1031 al tiempo que los anónimos pastores, campesinos y guerreros de los reinos cristianos del norte ganaban terreno, poblando las tierras desiertas del Duero y el valle del Ebro. Es un tiempo de guerras, de fronteras construidas y destruidas por el paso de los ejércitos, de lenguas romances y conquistas dedicadas al apóstol Santiago, que habita el verso de Gerardo Diego e inflama el pecho de los creyentes norteños y cubre con prendas de guerrero, ruda malla y espuelas, a los reyes.

Un caballo de nieve los cielos eléctricos cruza;
las estrellas salpica: galopa, galopa, galopa,
y el jinete —oro y fuego— es el hijo del trueno divino.
Descabalga, Santiago, en el porche de la Catedral eterna,
que alas abiertas, te aguarda el águila santa,
inmóvil en un dulce éxtasis de Apocalipsis.

Tras el declive de Córdoba, se perfilan los otros dos grandes actores de la historia medieval española: Castilla y Aragón. Castilla, mística y guerrera, refugio de Azorín y Antonio Machado tras el desastre del 98 y paisaje de los versos de Manuel Machado, que evocan el destierro del Cid, enfrentado a sus hermanos de fe y hermanado con los reyezuelos hispanomusulmanes.

El ciego sol se estrella
en las duras aristas de las armas,
llaga de luz los petos y espaldares
y flamea en las puntas de las lanzas.
El ciego sol, la sed y la fatiga...
por la terrible estepa castellana,
al destierro, con doce de los suyos
—polvo, sudor y hierro— el Cid cabalga.

Y en tanto Castilla se compromete en la empresa de recomponer la unidad perdida, la Corona de Aragón, con los mercaderes catalanes a la cabeza, no tarda en implicarse en la expansión mediterránea, aventura heredada luego por los Reyes Católicos y cantada por Jacinto Verdaguer en su oda a Barcelona.

Dio Condes a Provenza, también Duques a Atenas,
y por bandera a España de la suya un girón,
nunca cruzó del mar las anchuras serenas
un pez que no luciese las barras de Aragón.
Siempre fue para España el lucero de Oriente,
de Gutenberg la llama con una mano dio,
con la otra carriles; y un hijo de su mente
fue quien primero al rayo por mensajero envió.

Cuando ya sólo el reino de Granada se resiste al deseo de conquistas y botines de los nobles cristianos, los instruidos monarcas castellanos y aragoneses permitirán todavía el diálogo entre las culturas musulmana, hebrea y cristiana. Gracias a la Escuela de Traductores, el laberinto de razas de Toledo se convierte en centro de los intercambios culturales de Europa y el mundo clásico. Mientras tanto, los reinos levantinos entrevén su siglo de oro en las meditaciones filosóficas del políglota Ramon Llull, quien al recuperar la obra del murciano Ben Arabi compone una sinfonía religiosa que culmina en el éxtasis arrebatado del converso Juan de la Cruz, síntesis del mestizaje cultural y espiritual que vivió la península Ibérica en la Edad Media.

¡Oh llama de amor viva,
que tiernamente hieres
de mi alma en el más profundo centro!
Pues ya no eres esquiva,
acaba ya si quieres;
rompe la tela deste dulce encuentro.
¡Oh cautiverio suave!
¡Oh regalada llaga!
¡Oh mano blanda! ¡Oh toque delicado,
que a vida eterna sabe
y toda deuda paga!,
matando, muerte en vida la has trocado.

En las puertas de una nueva era, 1492 allana el camino de los Reyes Católicos con la conquista de Granada y la proeza marítima de Cristóbal Colón, descubridor de otro perfil hispano en el Atlántico: América. Los ojos afiebrados de unos marinos curtidos en mil viajes, ardientes ojos arrancados de las cárceles andaluzas y embarcados en la aventura de las Indias, ven ahora la costa, los juncos verdes, y más allá de los bosques sueñan con los reflejos de oro y plata que adivinan en la espuma de las olas. Mucho después, Pablo Neruda, trovador y quijote de América, bucearía con su intuición poética en la Historia para recoger en el fondo de su océano restos de odiseas y batallas y regresar con ellos al sol de su siglo.

Porque el siniestro día del mar termina un día,
y la mano nocturna corta uno a uno sus dedos
hasta no ser, hasta que el hombre nace
y el capitán descubre dentro de sí el acero
y la América sube su burbuja
y la costa levanta su pálido arrecife
sucio de aurora, turbio de nacimiento
hasta que de la nave sale un grito y se ahoga
y otro grito y el alba que nace de la espuma.

Es tiempo asimismo de intolerancia. La política represiva de los Reyes Católicos respecto de las minorías y el delirio cinegético de la Inquisición hacen olvidar los sufrimientos de los habitantes de Al Andalus bajo el rigor de los integristas islámicos, responsables del llanto del poeta hispanohebreo Moseh Ibn Ezra, expulsado de su Granada natal por la invasión almorávide, y de la parálisis intelectual del islam peninsular en los siglos XI-XII.

... llora paloma, por el errante viajero
y por sus hijos ausentes,
que él sabe que no hay quien les dé de comer,
no encuentra quien haya visto sus rostros
y no puede a nadie por ellos preguntar.

La unidad esbozada por los Reyes Católicos condenará a miles de españoles a vivir transterrados, extirpando hasta las últimas raíces de la España de las tres culturas. En 1492 la expulsión de los judíos deja huérfana Sefarad. Tras la estela de la diáspora judía, muchos serán los peninsulares que, con el paso del tiempo, se despidan de su tierra. En la época de Felipe III los moriscos, condenados a un éxodo de mares y tristezas, se llevan los últimos recuerdos de la gloria andalusí, después de que otros heterodoxos de la historia de España, los erasmistas Luis Vives, los hermanos Valdés o Miguel de Molinos, y los pensadores luteranos perdieran su batalla por la libertad del pensamiento en tiempos de Carlos V y Felipe II.

Los antes bien hadados,
y los agora tristes y afligidos,
a tus pechos criados,
de Ti desposeídos,
¿a dó convertirán ya sus sentidos?

escribe fray Luis de León, testigo y víctima del destierro espiritual de la España del siglo XVI, dando palabra a aquellos españoles exiliados en su patria, perdidos en los calabozos de la Inquisición, silenciados por la intransigencia religiosa o empujados a abandonar el país que soñaban suyo. No todo, sin embargo, es destierro en la España de los siglos XVI y XVII. Carlos V y Felipe II, dueños de un Imperio multiplicado en América con las conquistas de Cortés y Pizarro, hacen cabalgar a los españoles por tierras de Europa y modernizan el Estado. Y la Leyenda Negra queda contrarrestada por una estirpe de artistas —el Greco, Velázquez, Murillo...— y escritores —Cervantes, Quevedo...— que elevan el prestigio del castellano en todo el mundo y hacen del arte español una seña de identidad reconocible, por siglos, en el extranjero. Dámaso Alonso evoca el hechizo literario de aquella época de oro.

Juan de la Cruz prurito de Dios siente,
furia estética a Góngora agiganta,
Lope chorrea y vida canta:
tres frenesí de nuestra sangre ardiente.

Quevedo prensa pensamiento hirviente;
Calderón en sistema lo atiranta,
León herido, al cielo se levanta;
Juan Ruiz, ¡qué cráter de hombredad bullente!
Teresa es pueblo y habla como un oro;
Garcilaso, un fluir, melancolía;
Cervantes, toda la naturaleza.
Hermanos en mi lengua, qué tesoro
nuestra heredad —oh amor, oh poesía—,
esta lengua que hablamos —oh belleza—.

Con el fracaso de Felipe IV y su valido, el conde-duque de Olivares, la pesada herencia imperial de los Habsburgo se tambalea en Europa. El Tratado de los Pirineos (1659) pone término a más de treinta años de conflictos ininterrumpidos en los que la monarquía católica había tenido que hacer frente a la guerra total en los Países Bajos, Alemania, Italia, las posesiones americanas y hasta en la propia Península, ya que Felipe IV tuvo que ponerse al mando de sus ejércitos para sofocar la rebelión catalana. Los versos de Quevedo, atravesados de patrias desmoronadas y espadas vencidas por la edad, se hacían realidad con la llegada al trono de Carlos II, el último Austria español.

A Navarra tedio, justicia y maña
y un casamiento, en Aragón, las sillas
con que a Sicilia y Nápoles humillas,
y a quien Milán espléndida acompaña.
Muerte infeliz en Portugal arbola
tus castillos. Colón pasó los godos
al ignorado cerco de esta bola;
y es más fácil, ¡oh España!, en muchos modos,
que los que a todos les quitaste sola,
te puedan a ti sola quitar todos.

El siglo XVIII sienta a los Borbones en el trono de Madrid. Tras la guerra de Sucesión que rotula los campos de sangre, Felipe V da un salto adelante en el proyecto de la unidad administrativa, pero los verdaderos protagonistas de la centuria serán los reformistas ilustrados, quienes intentan modernizar el país y reconstruir el puente hacia Europa, derruido por la piqueta de la intransigencia de Felipe II. La reforma agraria es la gran ilusión de los Jovellanos, Olavide o Campomanes, empeñados en sacar el agro andaluz y extremeño de su atraso. Un problema, el del campo, que recorrerá la historia de España con su horizonte de campesinos hambrientos, patronos ausentes y arrendatarios explotados y que, todavía en los tiempos de silencio de la dictadura franquista, resuena en el humano verso que Blas de Otero escribe *hablando, escuchando, caminando.*

España
es de piedra y agua
seca, caída en un barranco rojo,
agua de mina o de monte,
es de tela también, a trozos
pisada por la sangre y a retazos
también por desnudos pies
de campesinos sin tierra.

Cuando el mundo de intrigas y hojarasca de Carlos IV se ve invadido por el delirio imperialista de Napoleón, las masas populares, los fusilados anónimos de las pinturas de Goya, defienden la independencia de la Península frente a los ejércitos franceses. Mientras la batalla, entre truenos de caballos y cañones, pare una nación, la generación liberal de Cádiz imagina una España progresista redactando el repertorio de sus nuevas libertades. La Constitución de 1812 será la brújula del progresismo ibérico y a ella sacrificarán su vida Mariana Pineda, Riego, Torrijos y un ejército anónimo de soñadores errantes que pueblan los versos de Espronceda, emigrado en Londres durante el oscuro reinado de Fernando VII.

Vírgenes, destrenzad la cabellera
y dadla al vago viento;
acompañad con arpa lastimera
mi lúgubre lamento.
Desterrados, ¡oh, Dios!, de nuestros lares
lloremos duelo tanto:
¿quién colmará, oh España, tus pesares?
¿quién secará tu llanto?

Por los mismos años en que el sueño liberal, triturado por la represión de Fernando VII, pugna por hacerse realidad en la Península, otros españoles defienden la libertad en tierras americanas frente al absolutismo de la metrópoli. Los ejércitos polvorientos de Bolívar y San Martín, héroes de los campos de batalla evocados por Nicolás Guillén en sus *Coplas americanas*, conquistan la independencia de las viejas colonias. Tras la lucha, nacen los nuevos Estados, pronto domesticados por los intereses de Gran Bretaña y Estados Unidos, y se derrumba el sueño, polvo, ceniza, nada... del Libertador, que había convocado a las nuevas patrias a unirse en una sola.

¡Padre! a Bolívar ¡oh Padre!,
Martí llamó.
Era una noche estrellada.
El viento lo repitió.
Va el viento por
nuestra América,
va el viento así,
con Bolívar a caballo,

en su tribuna, Martí.
Ah, pueblo de todas partes,
ah, pueblo, contigo iré;
pie con pie, que pie con mano,
iremos que pie con pie.

Amputada la España transatlántica, el afán por alcanzar un modelo progresista asoma y se esconde a lo largo del siglo XIX, dejando a su paso proyectos frustrados, guerras civiles y resentimientos. Después del intermedio revolucionario de 1868, la Restauración canovista dota a España de un régimen político conservador y falsamente liberal, cuya agonía había de prolongarse hasta bien entrado el siglo XX. Victoriano Cremer ilumina con la lámpara de sus versos aquella España caciquil y frailuna que, no obstante la pérdida de Cuba, vive una segunda edad de oro en la que conviven los ensayistas del 98, los europeístas del 14 y los poetas del 27.

España de milagros olorosos,
de monjas andariegas,
de frailes guerrilleros
y de navajas lentas
abriéndose camino como bueyes,
entre venas.
España de anarquistas y de obispos;
armonía completa,
gran España, insaciable de sí misma;
más corazón que cabeza.

El siglo XX es, asimismo, un tiempo de quimeras sociales. Los marginados de la revolución liberal rompen su silencio de siglos y el sueño de una sociedad sin clases, de aquella edad dorada de la que habla don Quijote a los cabreros en los eriales de La

Mancha, estalla impensado en las ciudades y los campos de Andalucía y Extremadura. Las multitudes campesinas tiradas sobre la urbe, los campesinos desfigurados y mutilados de hambre... desahogan su derrota diaria con ideología. Es ahora cuando los credos anarquista y socialista recorren la historia de España, porque entonces, como en la aventura de aquel estrafalario hidalgo manchego, había molinos que derribar e injusticias que deshacer.

> Dichosa edad y siglos dichosos aquellos a quien los antiguos pusieron nombre de dorados, y no porque en ellos el oro, que en esta nuestra edad de hierro tanto se estima, se alcanzase en aquella venturosa sin fatiga alguna, sino porque entonces los que en ella vivían ignoraban estas dos palabras de tuyo y mío. Eran en aquella santa edad todas las cosas comunes; a nadie le era necesario para alcanzar su ordinario sustento tomar otro trabajo que alzar la mano y alcanzarle de las robustas encinas, que liberalmente les estaban convidando con su dulce y sazonado fruto.

Las agitaciones sociales y las convulsiones políticas del primer tercio del siglo constituyen toda una señal de alarma que muy pocos llegaron a entender. Sólo un grupo minoritario de intelectuales y políticos se atrevería a abordar los viejos problemas cuando ya el fascismo llamaba a las puertas de las clases medias. Pero la utopía republicana de Azaña, Madariaga o Américo Castro se hace pedazos en una guerra civil que ensangrienta España, a la que esperan tres años de encarnizados combates. Ya en tiempos de posguerra, el poeta Miguel Labordeta lloraría encolerizado los *besos nunca recobrados* y la *alegría asesinada* de aquella generación perdida que vio pasar su adolescencia entre lutos y piojos.

... vimos las gentes despavoridas en un espanto de consignas atroces;
iban y venían, insultaban, denunciaban, mataban,
eran los héroes, decían golpeando
las ventanillas de los trenes repletos de su carne de cañón;
nosotros no entendíamos apenas el suplicio
y la hora dulce de un jardín con alegría y besos...

Fue el preludio de la segunda Gran Guerra. Los ciudadanos del mundo siguieron con puntualidad su evolución y estuvieron atentos a las batallas, avances y retrocesos de los ejércitos, informados por un asombroso despliegue de periódicos. Muchos creyeron que en España se jugaba el destino de la humanidad. La alta temperatura ideológica que acompaña la guerra civil desborda de compromiso el horizonte de un ejército de poetas y escritores extranjeros que cargan de ilusiones y bellos ideales sus versos. A la España de la República dedicaría el poeta peruano César Vallejo su libro *España, aparta de mí este cáliz*, el más conmovedor espejo de ilusiones y miedos que despertó la contienda:

Niños del mundo,
si cae España —digo, es un decir—
si cae
del cielo abajo su antebrazo que asen,
en cabestro, dos láminas terrestres;
niños, ¡qué edad la de las sienes cóncavas!
¡qué temprano en el sol lo que os decía!
¡qué pronto en vuestro pecho el ruido anciano!
¡qué viejo vuestro 2 en el cuaderno!

Y mientras unos escriben, otros defensores de causas perdidas dejan que el fragor de la guerra se lleve el *dolor de palabras que había de barrer el viento* y, enrolados en las Brigadas Internacionales, luchan en los tristes páramos de España para que el aire de Europa sea más libre. Allí, en los campos de Córdoba, quedaría atrapado para siempre el prometedor poeta británico John Cornford, a quien José Ángel Valente dedicaría este hermoso recuerdo lírico.

John Cornford, veintiún años
ametrallados sobre el aire
en que han nacido estas palabras.
El corazón de los fusiles
siguió latiendo inútilmente,
cuando ya nunca alcanzaría
el rastro claro de tu sangre.

El estallido de la guerra civil supuso también una eclosión de lirismo ideológico entre los escritores españoles. La sangre corría como el agua en aquellos años de viento; el odio, la crueldad de las represalias y la caligrafía de los muertos imponían su dominio con demasiada violencia como para que los poetas españoles pudieran seguir refugiándose en la torre de marfil edificada por Juan Ramón Jiménez. En el Madrid asediado de la guerra los versos de espuma y mar de Rafael Alberti se desvanecen de pólvora y balas:

Ahora sufro lo pobre, lo mezquino, lo triste,
lo desgraciado y muerto que tiene una garganta
cuando desde el abismo de su idioma quisiera
gritar lo que no puede por imposible, y calla.
Balas, balas.
Siento esta noche heridas de muerte las palabras.

La esperanza de la República se derrumba en la batalla del Ebro. La toma de Barcelona y la entrada de las tropas sublevadas en la capital de escombros y barrios en ruinas que es Madrid, escriben los últimos capítulos de la guerra. José María Pemán celebra la victoria del general Franco, *llamado por Dios y la Historia* para apuntalar las ruinas de un país que después de haberse soñado libre en 1936 despertaba preso en 1939.

Otra vez sobre el libro azul que baña
la luz naciente en oro ensangrentado
el dedo del Señor ha decretado
un destino de estrellas para España.

Tras el parte victorioso de Franco medio millón de españoles marcha hacia el exilio, entre ellos el 90 % de la inteligencia del país. En el destierro culminará su vida Manuel Azaña y en el destierro o en el exilio interior del Madrid de *más de un millón de cadáveres* de Dámaso Alonso se refugian los poetas. Los protagonistas del éxodo lírico de 1936, desposeídos de su paisaje y obligados a buscar un lugar en el mundo, en América o Europa, componen con diversos tonos la sinfonía de nostalgia y dolor de la España peregrina. Una sinfonía que se hace melancolía y añoranza en los poemas de Emilio Prados,

¡Cuando era primavera!
Pero, ¡ay!, tan sólo
cuando era primavera en España...
¡Solamente en España
antes, cuando era primavera!

desprecio en la voz soterrada de Luis Cernuda,

Soy español sin ganas
que vive como puede bien lejos de su tierra
sin pesar ni nostalgia. He aprendido
el oficio de hombre duramente,
por eso en él puse mi fe. Tanto que prefiero

no volver a una tierra cuya fe, si una tiene, dejó de ser la mía,
cuyas maneras rara vez me fueron propias,
cuyo recuerdo tan hostil se me ha vuelto
y de la cual ausencia y tiempo me extrañaron.

imprecación en el viento furioso que atraviesa el verso de León Felipe,

Español del éxodo de ayer
y español del éxodo de hoy:
te salvarás como hombre
pero no como español.
No tienes patria ni tribu. Si puedes,
hunde tus raíces y tus sueños
en la lluvia ecuménica del sol.

o patria inmaterial de la lengua en Jorge Guillén, que cree, o desea creer, que España está en la palabra, allí donde el poeta puede llevarla viajando, errante, transportando los paisajes de la infancia con su maletas de cartón, sus libros y versos.

¿Dónde estoy?
Me despierto en mis palabras.
Por entre las palabras que ahora digo,
a gusto respirando
mientras con ellas soy, del todo soy
mi nombre,
y por ellas estoy con mi paisaje:
aquellos cerros grises de la infancia,
o ese incógnito mar, ya compañero
si mi lengua le nombra, le somete.
No estoy solo. ¡Palabras!

Las muertes de Federico García Lorca y Antonio Machado, fallecido en su breve exilio francés, abren y cierran el triste capítulo de la guerra civil. Otro poeta, Miguel Hernández, moría en la cárcel de Alicante tres años después de acabada oficialmente la lucha. Los últimos versos del poeta de Orihuela quedarían escritos en una pared de la prisión que una mañana de 1936 había visto cómo soldados republicanos fusilaban al amanecer a José Antonio Primo de Rivera.

Adiós, hermanos, camaradas, amigos,
despedidme del sol y de los trigos.

La despedida de Miguel Hernández, la muerte solitaria en la cárcel... se llamaba posguerra, ese invierno de soledades y derrotas donde habitan los personajes del mejor Juan Marsé. Y es que las guerras civiles nunca terminan el mismo día que se acallan los fusiles. En 1939 había llegado la victoria, para desesperación de millares de españoles que padecerían la espiral de juicios sumarios, penas de muerte y cárceles activadas por Franco. El mismo Miguel Hernández había imaginado en su poemario *El hombre acecha* aquella noche lúgubre que ahora caía sobre España.

Las cárceles se arrastran por la humedad del mundo,
van por la tenebrosa vía de los juzgados:
buscan a un hombre, buscan a un pueblo, lo persiguen,
lo absorben, se lo tragan.

Durante los años de posguerra, escribe Jaime Gil de Biedma, *Barcelona y Madrid* —como el resto de ciudades—, *eran algo humillado*, viejo. El embrujo de la vida imaginada del cine haría olvidar a muchos españoles la cruda realidad. En la penumbra amarilla de una sala de cine, en el lejano Oeste o en las aventuras exóticas de sus pantallas, la gente podía huir por momentos de aquel mundo de cartillas de racionamiento y sombras a la deriva. Antonio Martínez Sarrión evoca su infancia como espectador de las sesiones dobles que programaban los cines de barrio.

Maravillas de cine galerías
de luz parpadeante entre silbidos
niños con sus mamás que iban abajo
entre panteras un indio se esfuerza
por alcanzar los frutos más dorados
ivonne de carlo baila en scherazade
no sé si danza musulmana o tango
amor de mis quince años marilyn
ríos de la memoria tan amargos
luego la cena desabrida y fría
y los ojos ardiendo como faros.

Una vez dejada atrás la pesadilla de la posguerra, los años sesenta, con el plan de estabilización, el abrazo del amigo yanqui y la entrada de capitales extranjeros dan un vuelco a la economía española que transforma radicalmente la sociedad. El horizonte de modernidad no consigue, sin embargo, llevar la esperanza a la España rural, que busca trabajo en las fábricas de Francia, Alemania o los Países Bajos. Eran los desheredados de la tierra, los hombres y mujeres expulsados por el hambre, los españoles que siguen la estela migratoria de quienes, a principio de siglo, habían buscado una esperanza de vida en América. La esquela de un emigrante español aparecida en un periódico de Nueva York alienta estos versos de José Hierro.

... Vino un día
porque su tierra es pobre. El mundo
Liberame Domine es patria.

Y ha muerto. No fundó ciudades
no dio su nombre a un mar. No hizo
más que morir por diecisiete
dólares (él los pensaría
en pesetas). Réquiem aeternam.
Y en D'Agostino lo visitan
los polacos, los irlandeses,
los españoles, los que mueren
en el week-end.

Tampoco trajo el progreso económico de los sesenta las libertades soñadas por los jóvenes universitarios, la oposición, los poetas, los intelectuales o los curas progresistas del Vaticano II. El régimen franquista mantiene hasta los últimos estertores del general la represión de toda forma de protesta política. En su poema *Orden de registro* José Agustín Goytisolo disecciona, en boca de un intelectual que responde de forma vacilante y resignada a los guardias que le llevarán detenido, aquel tiempo de orden policial y mayorías silenciosas.

¿Cuánto cobran ustedes
mensualmente? No, nada
pensaba en lo que vale
este registro. En fin,
ya son las tres. ¿Qué esperan
encontrar? Es tristísimo.
Sí, de acuerdo, retiren
lo que deseen. Vamos
abajo, pues. Aguarden,
me olvidaba el abrigo.
Adiós, mujer, no pongas
esa cara. Te digo
que están equivocados.

Son sólo unos poemas,
tonterías. Vete a dormir,
es tarde, no me esperes.
Yo regreso ahora mismo.

Sólo muerto el general, el ayuno electoral de los españoles toca a su fin. Tras desguazar el artificio político de la dictadura, los padres constitucionales de 1978 reconstruyen el país con la vista puesta en Europa. Es un tiempo de pactos, de transacciones, de olvidos y nostalgias traicionadas. Por fin, como deseaba Caballero Bonald en los sombríos años de la dictadura, la Historia de España escribía la letra libertad.

Escribo la palabra libertad,
la extiendo
sobre la piel dormida de mi patria.
Cuántas salpicaduras, ateridas
entre sus letras indefensas, mojan
de fe mis manos, las consagran
de olvido.
¿Quién se sacrificó
por quién?
Tarde llegué a las puertas
que me abrieron, tarde llegué
desde el refugio maternal
hasta el lugar del crimen,
con la paz aprendida
de memoria y una palabra pura
yerta sobre el papel amordazado.

Blanco de España, ensombrecido
de púrpura, madre y madera
de odio, olvídate

del número mortal, bruñe y colora
los hierros sanguinarios
con las ciegas tinturas del amor,
para que nadie pueda recordar
las divididas grietas de tu cuerpo,
para escribir tu nombre sobre el mío,
para encender con mi esperanza
la piel naciente de tu libertad.

A salvo del tiempo. Una bibliografía heterodoxa

Para amar de veras la historia de un país basta con haber recorrido las páginas de alguno de sus grandes escritores. Todas las naciones del mundo, como todos sus relatos, tienen contraídas deudas de amor con ciertos libros, ciertas páginas que nos acompañan siempre como el escenario de una ciudad de la infancia. Son libros que tiemblan de fiebre en nuestra memoria, nos convierten en personajes de su crónica o los consultamos, como se consulta un plano, para no perdernos en el callejero de la Historia.

La *Historia de España. De Atapuerca al euro* nace de la misma pasión por la síntesis que alentó la *Breve Historia de España,* escrita al alimón con J. M. González Vesga, y navega con mayor libertad aún entre poetas, pensadores y artistas con el objetivo de comunicar al lector su interpretación del pasado *nacional* español. También Antonio Domínguez Ortiz, maestro de historiadores, en su *España. Tres milenios de historia* se propone idéntica meta, lo mismo que Juan Pablo Fusi en *España. La evolución de la identidad nacional,* título nada equívoco. Contra el secuestro de la nación española por las identidades regionales y autonómicas se alza el discurso histórico de L. González Antón en *España y las Españas,* reflejo de la tensión entre el sentimiento de comunidad nacional y la percepción de las diferencias internas.

Aunque por su aparatoso formato resulta imposible de manejar, es conveniente tener bien localizado el libro *Símbolos de España,* publicado por el Centro de Estudios Constitucionales, de lectura obligatoria para los políticos de un país en el que se descuidan sobremanera las representaciones y alegorías de la nación.

A pesar de los años, no han perdido ni su fuerza interpretativa ni su capacidad de sugerencia las ya clásicas meditaciones sobre España, sus orígenes y civilización, de Rafael Altamira, Américo Castro, Claudio Sánchez Albornoz y Salvador de Madariaga, a las que con el paso del tiempo se han incorporado otras: *España como preocupación* de Dolores Franco, *España inteligible* de Julián Marías y *De la inexistencia de España* de Juan P. Quiñonero, donde los testimonios literarios subrayan en cada época la voz de los perdedores, los heterodoxos o los disidentes del poder. Durante siglos la historia de nuestro país ofreció distintos estereotipos, en los que se recreó una parte de España, irritando a la otra. Rafael Núñez Florencio en su estudio *Sol y sangre* recoge la imagen que España ha proyectado en el extranjero desde la Ilustración hasta el siglo XXI.

España es también la lengua común, el español, y las otras lenguas peninsulares. En *El paraíso políglota,* Juan Ramón Lodares estudia la difusión de la lengua de Cervantes en España a lo largo de los últimos siglos y llega a la conclusión de que se debió fundamentalmente a la necesidad y el interés de los españoles por entenderse. Al historiador que busca la recomposición integral del pasado le será provechoso dejarse llevar por José Carlos Mainer a través de su *Breve historia de la literatura española,* leer en voz alta los versos recogidos por Francisco Rico en *Mil años de poesía española* y empaparse de belleza en *Ars Hispaniae.*

Y junto a las obras generales, *La especie elegida* de Juan Luis Arsuaga y *¿Quiénes somos?* de Luca y Francesco Cavalli-Sforza se adentran en el misterio errante de la Prehistoria. Para entender la deuda de España con los viajeros orientales y con Roma nada mejor que visitar la obra de Jaime Alvar *De Argantonio a los romanos,* o *La imagen de España en la Antigüedad clásica* de Gómez Espelosín. Numerosos aspectos de civilización y cultura resuenan en *Cristianos y musulmanes en la España medieval (711-1250)* de Thomas Glick y en *Las noblezas españolas de la Edad Media* de Claude Gerbert, mientras que *La España medieval* de José Ángel García de Cortázar constituye un modelo del difícil arte de la síntesis. El veterano Antonio Domínguez Ortiz domina con su lucidez los estudios de historia moderna de España, donde los libros de Ricardo García Cárcel *La Leyenda Negra* e *Inquisición* se hacen necesarios en cualquier debate sobre los tiempos de hegemonía española en el mundo. A los hispanistas extranjeros, en general, se los lee con gusto porque no se andan por las ramas y no aburren, pero John Elliott es además un peso pesado, cuya biografía de *El conde-duque de Olivares* sirvió para eliminar la basura echada al personaje desde la periferia nacionalista, la misma basura que hace que un ayuntamiento valenciano tenga castigado a Felipe V con su retrato colocado hacia abajo.

Cada vez interesa más el siglo XIX a los lectores españoles y, por fin, a la historia actual se le abren algunas puertas hasta ahora esquivas manifestándose una mayor inquietud por incorporar el presente a la formación ciudadana. *España: sociedad, política y civilización (siglos XIX y XX)* de Jover, Gómez-Ferrer y Fusi refleja esa nueva sensibilidad que viene acompañada de una mirada europeísta a la historia de nuestro país. Las naciones se convirtieron en el criterio más importante de definición social a partir del XIX y se mantienen como tal en la actualidad. Pero, aunque parezca una *boutade,* no le falta juicio al que se le ocurrió definir la nación como agrupación de hombres reunidos por un mismo error sobre su origen. Con frecuencia el carácter nacional pende de una ficción literaria, que, a su vez, reposa en un engaño historiográfico. Sin embargo, gracias a la buena salud de la historiografía hispana le ha sido fácil a José Álvarez Junco distinguir el trigo de la cizaña, lo real de lo ilusorio cuando en su *Mater Dolorosa. La idea de España en el siglo XIX* ha estudiado la formación de la identidad española y su adaptación a la era de las naciones. España, nación, Estado, territorio o como quiera llamársela ha pervivido a través de los siglos y es una de las veteranas del mundo, con sus confines ya diseñados en la época de los Reyes Católicos, lo que supone todo un prodigio dada la enorme inestabilidad de las fronteras en Europa.

Si en el primer tercio del siglo XIX la derecha española se manifestó contraria a la idea de España como nación porque era un invento revolucionario, a la muerte de Franco habría de ser la izquierda la que se mostrara claramente reticente. De la memoria rota no se puede esperar sino una conciencia rota, piensa César Alonso de los Ríos, que en su libro *Si España cae...* denuncia la responsabilidad de la izquierda en la pérdida del legado laico y republicano de la nación española y en el asalto de los nacionalismos al Estado. Las *Memorias* de Manuel Azaña confirman el sentimiento español de la izquierda liberal y democrática de los años de la Segunda República, y Santos Juliá lo ha reflejado en su magnífica biografía sobre el político e intelectual madrileño.

Hasta hoy mismo los historiadores han visto en la literatura un peligroso competidor, como si la memoria y la imaginación fueran cualidades incompatibles. Pero con la negra recreación de Valladolid del siglo XVI, espejo de la España de la hoguera y la intolerancia, *El hereje* de Miguel Delibes nos demuestra lo contrario. Hay sitio para algún otro ejemplo de buena hermandad de la historia y la literatura. Un hombre derrotado en sus ilusiones, el marqués de Esquilache, quijote de la reforma ilustrada, inspiraría al dramaturgo Buero Vallejo *Un soñador para un pueblo,* que Josefina Molina llevaría al cine. Traspasados de aliento épico y entusiasmo patriótico, los *Episodios Nacionales* de Pérez Galdos proclaman la gloria de la nación española y anticipan la rebelión de las muchedumbres. Muerto el autor de *Fortunata y Jacinta*, el poeta Luis Cernuda le confesaría su deuda sentimental en los versos del exilio.

> En tu tierra y afuera de tu tierra
> siempre traían fielmente
> el encanto de España, en ellos no perdido,
> aunque en tu tierra misma no lo hallaras.
> El nombre allí leído de un lugar, de una calle
> (Portillo de Gilimón o Sal si Puedes),
> provocaba en ti la nostalgia
> de la patria imposible, que no es de este mundo.

Otro grandísimo novelista, Pío Baroja, que amó a España con amargura, retrató en la trilogía *La lucha por la vida* la golfería y el proletariado sufriente de Madrid, las vivencias de aquellas masas anónimas que abandonan el campo para buscar alivio en las ciudades. Desde las callejuelas del barrio de Ribera al esplendor del paseo de Gracia, el éxito social de la burguesía catalana reflejado en su cambio de hábitat, empujó a Narcís Oller a escribir *La fiebre del oro,* donde las descripciones de la exultante Barcelona se mezclan con el ruido del progreso y los negocios. Con la carga de subjetividad con que escriben aquellos que no huyen de la pasión o el dolor humanos, el socialista Arturo Barea contó en la trilogía *La forja de un rebelde* la guerra de África, la Dictadura de Primo de Rivera y el caos de 1936.

Los años de Franco o la noche del asedio, como los llamara el poeta granadino Javier Egea, han quedado reflejados en el mosaico humano que compuso Camilo José Cela en *La colmena,* el mezquino y oscurantista Madrid de *Tiempo de silencio* de Luis Martín Santos, la voz transterrada de Juan Goytisolo en *Señas de identidad* y en el barrio de infancias desoladas que retrata Juan Marsé en *El embrujo de Shangai*. Libros, todos ellos, escritos en el atardecer de las ilusiones, en la luz defraudada del alba, aquella que retiene la película *El espíritu de la colmena* de Víctor Erice, *El silencio roto* de Armendáriz o los ya clásicos *Plácido* de Luis García Berlanga y *Calle Mayor* de Juan Antonio Bardem.

De los que reverdecen el idioma todos los días, de las voces novísimas que le hacen con Umbral celebración continua se siente dedudora esta *Historia de España*: «lengua chapada a la antigua, coral de los cafés, guirnalda de hemiciclos, gramática que entiende el toro, pedregullo de tacos y de insultos, alhelí desfalleciente de Cernuda y Garcilaso, actualísima voz de las muchachas». Porque son los poetas, y no los vencedores, quienes con su palabra y sus recuerdos ponen las ciudades y las naciones a salvo del tiempo.